Pierre-Joseph-Olivier
Chauveau

Charles Guérin

Roman de mœurs
canadiennes

Introduction

Tout le monde au Canada connaissait le titre du roman de M. Chauveau, *Charles Guérin*, mais bien peu de personnes l'avaient lu parmi la jeune génération.

Il y a déjà longtemps que cet ouvrage était devenu introuvable dans le monde de la librairie. L'auteur en fit paraître la première partie en 1846-47, dans l'*Album de la Revue Canadienne*, publié par M. Letourneux, à Montréal. En 1852, M. Cherrier en donna une édition régulière et complète, par livraisons mensuelles. Les fascicules eurent une circulation considérable à Québec et à Montréal ; mais ils volèrent de main en main, s'éparpillèrent deçà et delà, et rares furent les collectionneurs qui les firent relier en volume.

Ce roman de mœurs canadiennes de M. Chauveau obtint un succès remarquable.

Plus d'une lectrice a versé des larmes en lisant les feuillets navrants et exquis du journal de Marichette, la charmante " fille d'habitant" trop longtemps oubliée par Charles Guérin, l'étudiant en droit de Québec.

Le problème résultant de la situation de la race conquise (disons *cédée* pour ne déplaire à personne), en face de la race conquérante, est posé de main de maître dans ce roman dont certaines pages semblent ne dater que d'hier.

L'auteur reçut, dans le temps, de nombreuses félicitations. M. de Puibusque, qui avait connu M. Chauveau à Québec, s'intéressa particulièrement à cette œuvre, et il la fit connaître autour de lui.

Parmi les témoignages flatteurs que reçut le jeune écrivain, se trouve la lettre suivante, du comte Charles de Montalembert, que l'on a bien voulu me communiquer. Elle est datée de la Roche-en-Breny, – nom qui rappelle d'ardentes polémiques, – et remonte au temps où la poste ne transportait d'ordinaire, – et à grands frais, – que des colis de poids minime. Ceux qui ont lu les ouvrages de Madame Craven reconnaîtront, dans certains

5

passages de cette lettre, l'homme au cœur souffrant que fut toujours l'illustre défenseur de la liberté de l'enseignement en France.

Château de la Roche-en-Breny (Côte-d'Or),
ce 19 octobre 1854.

Monsieur,

La lettre que vous m'avez fait l'honneur de m'écrire le 30 mars de l'année dernière ne m'a été remise qu'au mois de mars de l'année présente par M. de Puibusque. Je n'ai pas voulu vous répondre avant d'avoir lu le livre que vous aviez la bonté de m'envoyer par la même occasion. Je viens d'achever cette lecture et c'est avec une entière sincérité que je puis joindre mes félicitations aux remerciements dont je vous prie de recevoir ici l'expression. J'ai passé l'âge où les romans intéressent beaucoup mais " Charles Guérin " m'a séduit et s'est fait lire d'un bout à l'autre, grâce au tableau animé qu'il présente de la société canadienne, grâce aussi et surtout à la constante élévation de la pensée de l'auteur. Le style excellent du livre démontre en outre que vous n'avez pas d'effort à faire pour demeurer fidèle aux meilleures traditions de la littérature française.

Laissez-moi ajouter à ce suffrage purement littéraire le témoignage de la très vive reconnaissance que m'a inspirée cette marque de votre sympathie. Quand on a péniblement tracé son sillon au milieu des obstacles et des mécomptes de toute nature, et surtout quand après vingt ans de vie publique on se trouve condamné à l'inaction et à l'obscurité, parce qu'on n'a pas voulu s'associer aux palinodies de ses contemporains et à l'abaissement de son pays, il est doux de rencontrer au-delà des mers l'approbation d'une âme telle que la vôtre, monsieur. Conservez-moi, je vous en prie, le bienveillant souvenir dont vous m'honorez. J'irai peut-être un jour vous en remercier de vive voix, car j'éprouve depuis longtemps le vif désir de visiter les États-Unis et le Canada. Je sais que je retrouverai dans votre pays une image fidèle de la vieille France dans ce qu'elle avait de plus recommandable. La Providence, en vous détachant, il y a un siècle, de la mère patrie, vous a préservés des honteuses alternatives d'anarchie et de despotisme où elle se débat depuis si longtemps et dont elle ne paraît guère disposée à sortir.

Si je savais le moyen de vous faire parvenir par une voie sûre et économique quelques volumes, je m'empresserais de vous envoyer le petit nombre d'ouvrages que j'ai publiés ; mais, retiré comme je le suis à la campagne et ne séjournant que par intervalle à Paris, je ne puis m'adresser qu'à la poste et je me borne par conséquent à cette lettre

qui vous portera des actions de grâces et l'assurance de la très haute
considération avec laquelle j'ai l'honneur d'être, monsieur.
Votre très humble et obligé serviteur,

C. Cte de MONTALEMBERT

La dernière appréciation canadienne de *Charles Guérin* que je connaisse, a été écrite par monsieur Tardivel, de la *Vérité*. Elle est élogieuse et bien faite.

Je ne doute pas que l'œuvre charmante de M. Chauveau obtienne auprès des lecteurs de 1900 autant de succès qu'auprès de ceux de 1850.

Ernest Gagnon.

Première partie

I

Le dernier soir des dernières vacances

À l'époque où commence cette histoire, le jeune homme dont nous allons raconter la vie intime avait seize ans accomplis. Son frère aîné, Pierre, en comptait dix-neuf. Tous deux, comme le titre de ce chapitre l'indique suffisamment, venaient d'achever leurs études classiques. Moins âgé de trois ans que son frère, Charles Guérin devait à une imagination très vive et à son caractère quelque peu ambitieux, l'honneur d'avoir terminé en même temps que lui le cours qu'il n'avait commencé que longtemps après.

En termes de collège, Charles avait *sauté* deux classes, tandis que l'aîné, doué d'aussi grands, sinon de meilleurs talents, avait jugé à propos de faire au pas ordinaire le même chemin que le cadet avait préféré franchir au pas de course.

Le soir où nous allons faire connaissance avec eux, tous deux arrivaient ensemble au même but, et leur position était la même, à cette différence près, que l'un avait, pour bien dire, harassé ses facultés intellectuelles, pendant que l'autre avait fatigué les siennes tout juste ce qu'il fallait pour les développer convenablement. Il en résultait que Pierre Guérin, plus mûr d'ailleurs et plus calme, était plus en état que son frère de répondre à la question embarrassante qui se dresse comme une apparition, au bout de tous les cours d'études, dans tous les pays du monde.

Que faire ? – Cela se demande de soi-même, mais la réponse ne vient pas comme on veut. Plus le choix est circonscrit, plus il est difficile, et chacun sait que dans notre pays, il faut se décider entre quatre mots qui, chose épouvantable, se réduisent à un seul, et se résumeraient en Europe dans le terme générique de *doctorat*. Il faut devenir docteur en loi, en médecine, ou en théologie, il faut être médecin, prêtre, notaire, ou avocat. En dehors de ces quatre professions, pour le jeune Canadien instruit, il semble *qu'il n'y a pas de salut*. Si par hasard quelqu'un de nous éprouvait une répugnance invincible pour toutes les quatre ; s'il lui en coûtait trop de sauver des âmes, de mutiler des corps ou de perdre des fortunes, il ne lui resterait qu'un parti à prendre, s'il était riche, et deux s'il était pauvre : ne rien faire du tout, dans le premier cas, s'expatrier ou mourir de faim, dans le second.

Sous tout autre gouvernement que sous le nôtre, les carrières ne manquent pas à la jeunesse. Celui qui se voue aux professions spéciales que nous venons de nommer, le fait parce qu'il a ou croit avoir des talents, une aptitude, une vocation spéciale. Ici, au contraire, c'est l'exception qui fait la règle. L'armée et sa gloire bruyante, si belle par là même qu'elle est si péniblement achetée ; la grande industrie commerciale ou manufacturière, que l'opinion publique a élevée partout au niveau des professions libérales, et sur laquelle Louis-Philippe a fait pleuvoir les croix de la Légion d'honneur ; la marine nationale, qui étend ses voiles au vent plus larges que jamais, et, secondée par la vapeur, peut faire parcourir au jeune aspirant l'univers en trois ou quatre stations ; le génie civil, les bureaux publics, la carrière administrative, qui utilisent des talents d'un ordre plus paisible ; les lettres qui conduisent à tout, et les beaux-arts qui mènent partout, voilà autant de perspectives séduisantes qui attendent le jeune Français au sortir de son collège. Pour le jeune Canadien doué des mêmes capacités, et à peu près du même caractère, rien de tout cela ! Nous l'avons dit : son lit est fait d'avance : prêtre, avocat, notaire ou médecin, il faut qu'il s'y endorme.

Pierre Guérin avait longtemps réfléchi sur cet avenir exigu, et comme il s'était dit à lui-même qu'il ne ferait pas ce que tout le monde faisait, ou plutôt essayait de faire, il venait d'annoncer à son frère une séparation, pour bien dire éternelle. Charles, aussi peu décidé que Pierre l'était beaucoup, penchait cependant pour l'état ecclésiastique, vers lequel le portaient des goûts sérieux, une enfance pieuse et des manières timides, qui voilaient une ambition et des passions naissantes très dangereuses pour un tel état. Ajoutons qu'on avait promis de lui donner la *troisième* à faire, et que, sortant de sous la férule, il n'était pas fâché d'avoir à la manier à son tour. Cette considération, la pensée du respect qu'allaient lui porter dans quelques jours des camarades plus âgés que lui, qui, après l'avoir taquiné l'année précédente, ne lui parleraient plus dorénavant que chapeau bas, et jamais sans lui dire *vous*, et l'appeler *monsieur* ; l'orgueil qu'il éprouvait par anticipation des beaux sermons qu'il ferait quand il serait prêtre ; tout cela entrait pour plus qu'il ne le croyait lui-même dans ce qu'il appelait *sa vocation*.

Après en avoir reçu la confidence, Pierre avait combattu de toutes ses forces les projets de son frère. La journée, destinée en apparence à la chasse, à laquelle le futur régent de troisième n'était guère adroit, et à la pêche, amusement qui ennuyait prodigieusement l'aîné des deux jeunes gens, la journée, disons-nous, avait été réellement employée à des débats continuels. Fatigués de leurs courses et de leurs discussions, ils étaient assis sur l'herbe tout près de la blanche maison paternelle, et, silencieux, ils contemplaient la nature grandiose qui se déroulait de tous côtés. Le spectacle qu'il y avait là était digne, en effet, de suspendre un instant leurs préoccupations ; il suffisait d'y plonger ses regards pour se laisser prendre à une de ces longues rêveries qui, dans la jeunesse surtout, ont tant de charme.

C'était vers la fin d'une belle après-midi du mois de septembre, et l'endroit natal des jeunes Guérin était une de ces riches paroisses de la *côte du sud*, qui forment une succession si harmonieuse de tous les genres de paysages imaginables, panorama le plus varié qui soit au monde, et qui ne cesse qu'un peu au-dessus de Québec, où commence à se faire sentir la monotonie du district de Montréal.

La maison de madame Guérin était peu éloignée de la grève, dont le grand chemin seul la séparait. C'était une longue bâtisse enduite de chaux, avec des cadres figurant de larges pierres noires autour des fenêtres, et une porte surmontée d'un petit fronton vermoulu, et appuyée sur un vieux perron de pierres, dont plusieurs tremblaient sous vos pas. Elle paraissait divisée en deux parties, et le toit de l'une était un peu plus élevé que celui de l'autre ; une petite porte au coin servait d'entrée à la partie basse, évidemment destinée aux serviteurs et aux passants. Cette maison n'était point celle qu'avait habitée M. Guérin, mort il y a déjà si longtemps que ses enfants l'avaient à peine connu. Celle-là était une construction dans le goût moderne, située à deux arpents de l'autre, lambrissée de bois recouvert de sable brun, avec un toit à la japonaise, peint en gris fer, et des raies blanches au bord ; il y avait des persiennes aux fenêtres, jusqu'à la porte du centre ; seulement les autres ouvertures formaient les vitraux assez mesquins d'une boutique ou *magasin* de campagne. D'un côté de cette maison s'étendait une longue rangée de peupliers de Lombardie, servant d'entourage à un jardin ; derrière, on voyait plusieurs petits bâtiments d'exploitation, en bon ordre, peints tout récemment, et un magnifique verger.

Tout cela appartenait depuis peu à un M. Wagnaër, étranger venu des îles de la Manche. La maison de madame Guérin était ombragée par les branches touffues d'un orme séculaire et gigantesque ; elle était sur une sorte de terrasse à hauteur d'homme, formée en partie par un de ces *fournils* ou caves à patates, que l'on voit devant presque toutes les habitations de nos campagnes. Sur une verte pelouse qui couronnait la petite maçonnerie du *fournil*, les deux écoliers étaient nonchalamment étendus.

Devant eux coulait le Saint-Laurent, large autant que la vue pouvait porter. Sur l'horizon se dessinaient bien lointaines les formes indécises des montagnes bleuâtres du nord ; une petite île verdoyante reposait l'œil au tiers de la distance, et semblait souvent, lorsque les vagues s'agitaient, osciller elle-même, prête à disparaître dans le fleuve. La vaste nappe d'eau présentait trois ou quatre aspects différents. La marée montait dans la petite anse au fond de laquelle étaient les deux maisons que nous venons de décrire ; la brise s'élevait avec la marée, et l'eau plus épaisse prenait une teinte brune. À droite, on découvrait une grande étendue d'un azur tranquille ; à gauche, éclairée par un soleil d'automne, l'eau paraissait comme une large plaque d'argent incrustée d'or ; une marque d'écume blanche séparait cette partie de l'autre : c'était l'endroit où une petite rivière traversant un lit de cailloux se jetait dans le fleuve.

Les deux côtés du paysage étaient formés par les deux pointes de l'anse, qui servaient de cadre au fleuve. Celle qui s'étendait à droite, beaucoup plus longue que l'autre, mais basse et à fleur d'eau, était recouverte d'une riche végétation, et portait à son extrémité un groupe de maisonnettes blanches, et une petite église au toit couleur de sanguine, dont le clocher couvert de fer étamé, étincelait au soleil. Devant la maison de M. Wagnaër, un chemin étroit se détachant de la grande route, courait le long de la grève jusqu'à l'église. Au-delà de cette pointe, tant elle était basse, on voyait encore le fleuve, dont le chenal, qui paraissait rentrer dans les terres, formait l'horizon et se confondait presque avec le ciel.

L'autre pointe à gauche n'était guère autre chose qu'une batture de joncs, parsemée de gros cailloux rougeâtres, et dont la pente faisait une sorte de plan incliné, très commode pour les petites embarcations. Au détour de cette pointe, était la petite rivière dont nous venons de parler ; on la nommait *la rivière aux Écrevisses*, et elle passait sur les terres de madame Guérin. Au-delà se développait une chaîne variée de coteaux, d'anses, de promontoires, de forêts, de villages, qui formait avec le Saint-Laurent la demi-courbe d'un ovale. C'étaient tantôt des pâturages et des champs divisés méthodiquement en de longues lisières jaunes, rousses ou vertes ; tantôt de beaux bosquets d'érables au feuillage diapré par l'automne, aux teintes violettes, rouge feu, orangées ; ici de hautes et noires pinières, là de petits sapins échelonnés sur la côte. Le grand chemin (ou *chemin du roi*, comme on l'appelle), toujours bordé de blanches habitations, courait à travers tous les sites, gravissant les coteaux, descendant les pentes abruptes, longeant les pointes, et suivant toutes les sinuosités de la grève. Des villages groupés sur le bord de l'eau, d'autres villages suspendus au flanc des montagnes éloignées, et paraissant superposés dans toute l'étendue des terres que l'on nomme *les concessions* ; des églises dont les unes laissaient percer leurs clochers élancés à travers le feuillage et les toits de quelque gros bourg, tandis que les autres s'élevaient isolées sur le rivage ou sur quelque coteau lointain ; des anses, les unes sauvages, inabordables, formées de rochers à pic, les autres servant d'embouchures à des rivières, et recouvertes de goélettes, de bateaux, de *cajeux* et de larges pièces de bois, indiquant l'existence d'une certaine activité commerciale ; tel était le détail du vaste tableau qui, en remontant le fleuve, s'étendait jusqu'à l'horizon, décroissant et fuyant toujours jusqu'à ce qu'il parût rejoindre l'autre rive, à laquelle deux ou trois petites îles bleuâtres semblaient le rattacher ; de sorte que, si d'un côté le Saint-Laurent faisait l'effet d'une vaste mer, de l'autre il avait plutôt l'apparence d'un lac ou d'un golfe profond.

Un ciel d'un bleu pâle, surtout à l'horizon, caché en plusieurs endroits par quelques-uns de ces nuages bruns et blancs, lourds et épais qui sont particuliers à notre climat, complétait ce tableau qu'on n'embrassait pas d'un seul coup d'œil, mais qu'un léger mouvement de la tête faisait parcourir tel que nous venons de le peindre.

Le silence qui régnait dans cet endroit n'était interrompu que par un bruit monotone semblable à celui que font les deux pistons d'une machine à vapeur ; ce bruit décelait la présence de quelques marsouins qui s'approchaient de terre.

D'autres bruits, cependant, et d'autres objets ne tardèrent pas à attirer l'attention des jeunes gens et à les distraire de leur muette contemplation. D'abord, une longue herse de ces oies indigènes que nous appelons *outardes (otis tarda)*, du nom d'un oiseau du nord de l'Europe, et que les savants européens ont, en revanche, appelées *anser Canadensis*, du nom de notre pays, remontaient le fleuve en le traversant, et faisaient entendre, à de longs intervalles, des cris plaintifs et prolongés. On pouvait encore les distinguer dans le lointain, comme des points noirs au-dessus de l'eau, lorsqu'une grande chaloupe parut, doublant à force de voiles la pointe de l'église. Les hommes qui la montaient étaient presque tous des pêcheurs de Saint-Thomas ou de l'Islet, jeunes gens qui laissent chaque printemps les paisibles villages de la côte du sud, pour aller passer, dans les parages éloignés du golfe, un été de travaux et de périls sans compensation valable, ni dans le présent, ni dans l'avenir. Ils portaient presque tous des chemises rouges et des chapeaux cirés comme ceux des matelots anglais, à l'exception d'un seul qui avait conservé le gilet et la veste grise d'étoffe du pays. La chaloupe passait tout près de terre, si près que celui qui aurait connu chacun de ces hommes aurait pu distinguer leurs traits. On entendait distinctement chaque parole d'une chanson qu'ils avaient entonnée et au refrain de laquelle les deux écoliers ne manquèrent pas de s'associer, en criant de toute la force de leurs poumons :

> C'est la belle Françoise,
> Allons gai !
> C'est la belle Françoise,
> Qui veut se marier,
> Ma luron lurette,

Qui veut se marier,
Ma luron luré.

Comme si le hasard eût voulu toujours fournir quelque aliment nouveau à leur curiosité, lorsque la chaloupe se fut éloignée, ils entendirent le bruit rapide et régulier de quatre avirons, et virent un canot de sauvages qui dépassait la petite île vis-à-vis d'eux, et se dirigeait droit au fond de l'anse. Vigoureusement poussée, la frêle embarcation atteignit la grève dans un instant ; trois hommes et deux femmes furent à terre en moins de temps que nous n'en mettons à le dire, et tirèrent à eux le canot, qu'ils renversèrent afin de s'en faire un abri pour la nuit. Avec des branches sèches et du varec, qu'ils ramassèrent sur les galets les plus élevés, ils allumèrent comme ils purent un petit feu autour duquel ils s'accroupirent, suspendant à une espèce de faisceau composé de quatre ou cinq bouts de perche, une vieille chaudière de fer dans laquelle ils avaient préalablement déposé la *sagamité* de rigueur. Les couvertes de laine, jadis blanches, dans lesquelles ils se drapaient, les vieux chapeaux de castor noir que portaient hommes et femmes, les plaques d'étain qui luisaient sur leurs chemises d'indienne, formaient une espèce de compromis bizarre entre la vie sauvage et la vie civilisée. Après avoir quelque temps examiné ces nouveaux venus, les deux jeunes gens, sans se communiquer le fruit de leurs observations, levèrent la tête et aperçurent par-dessus l'île les hautes voiles d'un navire marchand, qui apparaissait là comme par enchantement. Contrarié par le vent du nord-est, dont une légère brise venait de s'élever, ce vaisseau courait des bordées, et après s'être avancé un peu au-delà de la petite île, il tournait sur lui-même, lorsqu'un coup de fusil se fit entendre à bord. On put remarquer en même temps, sur la grève au bout de la pointe de l'église, deux femmes, dont l'une tenait un jeune enfant élevé dans ses bras, et dont l'autre agitait un mouchoir. C'étaient la mère et la jeune épouse du pilote qui guidait le navire jusqu'au *Bic*.

Pierre Guérin ne put tenir à cette scène de famille. Voilà, s'écria-t-il tristement, ce que je ne pourrai faire, moi ! Cet homme reviendra dans quelques semaines vers sa mère, son

15

épouse et son enfant, et il échange avec eux un adieu touchant, comme s'ils ne devaient jamais se revoir. Mais moi donc, moi qui pars pour toujours, pas un signal, pas un mot, rien qui puisse indiquer à ma mère et à ma sœur, que je verrai peut-être là-bas sur la pointe comme ces deux femmes, que c'est moi qui passe, moi qui les abandonne ! Rien de semblable, je ne ferais que rendre plus terrible l'ennui qu'elles éprouveront ; je ne ferais qu'ajouter un détail de plus à tous les tristes détails de ma fuite. Oh ! c'est bien douloureux !... mais, ajouta-t-il résolument, il le faut !

– Dis donc que tu le veux.

– Que puis-je vouloir autrement ? Que puis-je faire de bon ici ? Quand notre mère aura dépensée les débris de sa fortune à faire de moi un pauvre docteur de campagne, ou un avocat sans causes, penses-tu que nous serons plus heureux tous ensemble ? À moins donc que je ne sois prêtre aussi moi. Vas-tu m'improviser une *vocation* qui vaille encore moins que la tienne ?

– Mais où prends-tu que tu seras un mauvais médecin ou un pauvre avocat ? Pourquoi ne parviendrais-tu pas comme tant d'autres ?

– Pourquoi ? Parce qu'il y a dans le monde des hommes qui sont faits pour être autre chose qu'avocat, et autre chose que médecin !

– Alors, laboure la terre que notre père nous a laissée. Cela vaudrait bien mieux que de labourer les mers comme Énée avec ses vaisseaux.

– Puisque tu te mets à cheval sur ton Virgile, tu pourrais bien ajouter :

Fortunatus et ille Deos qui novit agrestes !

"Mais il s'en faut de beaucoup qu'on nous ait fait faire connaissance avec les dieux champêtres, ailleurs que dans les livres. Dès que nous avons eu l'âge de raison, on nous a enfermés entre quatre murs pour nous faire traduire du latin toutes ces belles choses que nous pouvons voir et apprécier de nos propres yeux. J'avoue bien que notre oncle Charlot a joliment l'air du dieu Pan ou d'un Sylvain. En supposant qu'il voulût se charger de notre éducation agricole, il y perdrait son temps et ses peines, et ma mère et lui n'y gagneraient que d'avoir un fainéant de plus à nourrir sur leur ferme. Ce serait le cas de citer encore Virgile, et de dire au bonhomme :

Insere, Daphni, piros, carpent tua poma nepotes !

Ce que notre compagnon de classe, Bobinet, traduisait comme ceci :

Daphnis a serré ses poireaux et mis ses pommes en compote.

À cette réminiscence burlesque, Charles, quelque envie qu'il eût de sermoner son frère, ne put s'empêcher de rire de bon cœur ; mais il ne tarda pas à revenir à la charge.

— Écoute donc, si tu joignais à l'exploitation de la ferme celle du *pouvoir d'eau*, dont maman parle tant, si tu élevais un moulin à scie sur notre *rivière aux Écrevisses* ; ensuite si tu établissais un petit commerce comme celui avec lequel papa avait commencé sa fortune..."

Pour toute réponse, Pierre qui avait pris son sérieux, indiqua du doigt la maison de M. Wagnaër. Cela voulait dire tout simplement : la place est prise. Aussi le futur ecclésiastique se rejeta-t-il sur un autre texte.

— Puisque tu aimes tant la marine que tu ne veux rien entreprendre sur terre, pourquoi n'achèterais-tu pas une goélette avec laquelle tu ferais la pêche à Gaspé ?

— Caboteur, n'est-ce pas ? C'était bien la peine d'apprendre l'astronomie et les sections coniques ! C'est le sort des hommes de la chaloupe que tu me proposes là, excepté que tu me fais l'honneur d'y mettre un pont et d'élever un peu les mâts. Bien obligé, monsieur le curé ! J'aimerais encore mieux le canot d'écorce de ces sauvages : avec cela, du moins, ou ne doit rien à personne.

— Tu as raison, et sans compter que ces vilains petits voyages du golfe nous causeraient des inquiétudes continuelles. Ce serait à recommencer tous les ans.

– Tandis, ajouta vivement Pierre, que vous m'oublierez après deux ou trois ans d'absence, n'est-ce pas ?

– Mon Dieu, que tu me fatigues ! Que veux-tu donc que je te dise ? Tu n'es content de rien, tu prends tout en mauvaise part ; toi le plus vieux, tu me demandes conseil, et tu me dis ensuite que tu veux faire à ta tête. Je t'ai dit ce que je voulais faire moi-même, et tu m'as rendu cent fois plus irrésolu, cent fois plus tourmenté que jamais. Voyons, je n'ai plus qu'une proposition à te faire, écoute-la tranquillement. Tu sais bien, M. Wilby, ce grand Anglais mince qui a une si bonne place dans le gouvernement (je crois que c'est mille louis par année : je ne sais pas ce qu'il fait, mais il ne sort pas à moins d'avoir quatre chevaux sur sa voiture, et comme il sort souvent, je crois bien que sa place consiste à se promener ainsi en grand équipage pour faire voir à nos pauvres gens comme c'est beau d'être Anglais), eh ! bien, c'était un des anciens amis de notre père ;… je suis sûr qu'il te ferait avoir une place dans le gouvernement tout de suite.

– Tout de suite ! Comme tu y vas ! Tout de suite ! Il faudrait pour cela venir du pays où j'ai envie d'aller. Tout de suite ! On voit que tu ne connais pas beaucoup ces gens-là. L'année où je suis entré au séminaire, j'avais une lettre de maman à remettre à ton monsieur Wilby ; elle m'avait dit de le voir lui-même, que je ferais connaissance avec sa famille, que j'irais là les jours de congé ; je me présentai donc chez lui. Malheureusement c'était à quatre heures, il dînait ; j'y allai une autre fois à midi, il *lunchait* ; à neuf heures du matin, il déjeunait ; à sept heures du soir, il prenait son thé. On me dit d'aller à son bureau, que j'aurais plus de chance. J'y allai sept ou huit fois, et je ne pus jamais réussir à voir autre chose qu'un tas de petits Anglais musqués, qui avaient tous l'air plus impertinents les uns que les autres ; il paraît que ce sont ces petits individus, qui n'ont pas de barbe au menton, qui font, à très bon marché, l'ouvrage que M. Wilby est payé très cher pour laisser faire en son nom. Quant à lui, il mange quand il ne se promène pas, et il se promène quand il ne mange pas ; voilà ce que j'ai pu savoir de plus clair sur son compte. Enfin, un bon jour, je rencontre mon homme

18

dans la rue, je vais droit à lui ; j'avais toujours ma lettre dans ma poche : je la lui présente. Sais-tu ce qu'il m'a dit après l'avoir lue attentivement ?

– Il t'aura invité à déjeuner, à *luncher*, à dîner, et à prendre le thé avec lui ?

– Il m'a dit *very well*.

– Ensuite ?

– Ensuite ? c'est tout. Après, quand il me rencontrait, il ne me voyait pas.

– Mais c'est une honte cela ! Sais-tu bien que notre père s'est presque ruiné pour ce M. Wilby ; que cet homme-là n'avait presque rien quand il est venu ici, et que c'est avec de l'argent emprunté par l'influence de notre famille, qu'il a fait son chemin ? Sais-tu que, du vivant de notre père, tous les étés M. Wilby et sa femme, et ses enfants, et ses domestiques, et ses chevaux, et ses chiens, et ses amis bien souvent, venaient s'établir chez nous pour des semaines entières ?

– Je sais tout cela, mon cher, et n'en suis pas étonné. As-tu donc oublié ton Horace : *Donec eris felix* ?...

Et les deux jeunes gens répétèrent lentement et à l'unisson, avec un même accent déjà rempli de misanthropie, le célèbre distique du poète malheureux, qui, s'il fut plein de vérité dans tous les temps, ne s'appliqua jamais si bien nulle part qu'à ces braves familles canadiennes, riches un jour du patrimoine de leurs ancêtres ou de leur propre industrie, mais bientôt dédaigneuses de la sphère honnête et modeste de leurs concitoyens, et empressées de renouveler auprès de la fastueuse société anglaise la fable du *Pot de terre et du pot de fer*.

La conversation assez grave quoique enjouée de nos deux écoliers se serait indéfiniment prolongée, si tout à coup deux jolies petites mains très blanches et très espiègles ne se fussent appuyées brusquement sur l'épaule gauche de l'un et sur l'épaule droite de l'autre, de manière à les embrasser tous deux, tandis qu'une belle tête blonde aux boucles de cheveux soyeuses et frémissantes se glissait sous leurs larges chapeaux de paille. Dire que deux baisers des plus bruyants, enlevés à chacune des joues de cette charmante tête de jeune fille, furent la punition de sa témérité, ce serait dire ce que nos lecteurs devineront bien sans nous. Hâtons-nous toutefois d'ajouter que le tout ensemble, les deux petites mains, les beaux cheveux blonds, les joues vermeilles, ainsi que des yeux très grands et très vifs, appartenaient à mademoiselle Louise Guérin, dont le nom doit rassurer nos lectrices, qui jetteraient les hauts cris, si, dès le premier chapitre, nous permettions de telles familiarités à toute autre qu'à une sœur.

Inquiète de la conversation animée et prolongée que, d'une fenêtre de la maison, elle avait pu suivre dans toutes ses phases, Louise avait hésité à intervenir dans des confidences dont on semblait vouloir l'exclure. Poussée à la fin par une curiosité bien naturelle, nous ne dirons pas à son sexe, mais à son âge (elle avait l'âge de toutes les romances et de toutes les pastorales, quinze ans ni plus ni moins), la rusée jeune fille s'était approchée sur la pointe du pied, jusqu'auprès de ses frères à demi couchés sur le gazon, puis s'agenouillant doucement derrière eux, elle avait fait cette brusque apparition qui pouvait passer pour de l'étourderie, mais qui était de la diplomatie toute pure.

– Voyons, mes paresseux, est-ce que vous n'avez pas fini de vous reposer sur l'herbe ? fit-elle avec une dissimulation charmante. Vous ne craignez donc point l'humidité ?

– Nous parlions de choses bien sérieuses, dirent-ils.

– Trop sérieuses pour une petite fille, n'est-ce pas ? Eh bien, remettez cela à demain ; n'aurez-vous pas le temps d'ici à la ville de vous conter tous vos secrets ? S'il n'y avait que moi par exemple pour les écouter, vos secrets que tout le monde connaît,... car, toi, Charles, ta soutane est déjà faite,... et toi, mon cher Pierre, tu ne sais pas combien j'ai hâte de te voir avec le bel habillement que tu ne manqueras pas de commander chez le tailleur le plus à la mode, dès que tu auras mis le pied à Québec. Sais-tu que tu vas faire un très beau cavalier, avec ta taille élancée et tes beaux cheveux noirs ! Tu me mèneras au bal bien souvent, n'est-ce pas ? afin que je sois bien fière de toi et bien heureuse.

Pierre était fort embarrassé pour répondre à toutes ces belles choses, lorsque la cloche de la petite église au bout de la pointe vint le tirer d'affaire. Trois tintons annoncèrent l'Angélus. Aussitôt les deux frères et la sœur, debout, et la tête nue, se recueillant, récitèrent lentement les versets de cette gracieuse prière qui, à trois reprises différentes, sanctifie la journée des catholiques. C'était un spectacle touchant que de voir ces jeunes personnes à peine sorties de l'enfance, élever pieusement leur voix vers le ciel et résumer dans leur naïve dévotion toute la jeunesse, toute la fraîcheur, toute la virginité de la nature à demi sauvage qui les entourait.

Profitons de leur pose recueillie pour donner d'eux le portrait ou plutôt l'esquisse que nos lecteurs ont droit d'attendre, et commençons par notre héros principal.

Charles Guérin était d'une taille et d'un tempérament délicats ; ses yeux étaient d'un gris foncé, presque noirs, ses cheveux châtains ; il portait, ainsi que son frère, le *capot bleu* aux nervures blanches, uniforme des élèves du séminaire de Québec ; mais si le costume était le même, la tenue de l'un était aussi soignée et recherchée que celle de l'autre était délabrée. Malgré les courses de la journée et près de deux mois de vacances, Charles portait encore comme au jour des examens, serrée autour de sa taille, la ceinture de laine bigarrée, qui à cette époque n'avait pas encore été remplacée par le ceinturon vert, beaucoup moins original, à notre goût. Une propreté poussée jusqu'à la coquetterie régnait sur toute sa personne ; ses cheveux peignés et lissés avec art, séparés sur le milieu de la tête, retombaient en boucles presque sur ses épaules ; ses traits comme sa toilette avaient quelque chose d'efféminé ; un menton à fossette et des joues rosées, un cou blanc comme celui d'une jeune fille, détruisaient jusqu'à un certain point l'idée que devaient donner de son caractère, son front large et intelligent, et son nez légèrement aquilin.

Louise était le vrai portrait de Charles, excepté que son teint était encore plus blanc, ses joues plus vivement colorées, et ses cheveux tout à fait blonds. La teinte de tristesse empreinte parfois sur la figure de son frère, n'existait jamais sur la sienne ; un sourire doux et franc ne quittait jamais ses lèvres, ses yeux pétillaient sans cesse de gaieté ; enfin ce n'était pas et ce ne pouvait pas être une *demoiselle à la mode*, car elle était aimable et jolie dans toute l'acception vulgaire de ces deux mots. N'allons pas omettre la couleur de ses yeux (c'est l'essentiel dans le portrait d'une jeune fille), et disons à regret qu'ils étaient d'un bleu peu foncé, ce qui achèvera probablement de la dépoétiser ; mais nous déclarons que nous n'y pouvons rien. Sa toilette n'avait rien non plus de romanesque ; ce n'était ni le négligé de l'élégante qui condescend à se faire campagnarde, ni le costume pittoresque de la vraie paysanne : elle avait tout simplement une robe d'indienne noire à petites fleurs bleues ; un tablier tout noir et d'une étoffe peu recherchée emprisonnait sa taille délicate ; le *petit mouchoir* de rigueur couvrait ses épaules ; elle était donc, pour comble de malheur, parfaitement décente. Petite et frêle comme elle était, on lui aurait plutôt donné douze ans que quinze.

Un étranger n'aurait pas pris volontiers Pierre Guérin pour le frère de Charles et de Louise. C'était un grand jeune homme élancé et robuste ; ses traits fortement accusés, son teint brun, ses yeux noirs et perçants, annonçaient beaucoup de fermeté et de résolution ; sa bouche avait une expression quelque peu dédaigneuse ; sa lèvre s'ombrageait d'une moustache naissante, due plutôt à la paresse qu'à la forfanterie, mais qui lui avait valu plus d'un sermon ; ses cheveux longs et aussi noirs que vous pouvez vous les figurer, jouissaient d'un désordre peu élégant, que partageait avec eux le reste de sa toilette ; son capot, grâce à la disparition totale de la ceinture et des nervures, n'était guère reconnaissable, et demeurait ouvert, faute de boutons et de boutonnières ; en un mot, sans aucune mauvaise volonté de sa part, il n'y avait plus chez ce jeune homme aucune trace de l'écolier.

Mais il faut en finir avec nos portraits et nos descriptions. L'Angélus, répété par tous les clochers de la côte, a cessé de sonner ; le vent de nord-est, qui monte comme un rideau noir sur le fleuve, souffle déjà plus fort ; les teintes rouges du crépuscule s'effacent d'autant plus vite que le soleil s'est couché derrière un nuage, et les trois jeunes gens se dirigent vers la maison, devant laquelle les attend avec quelque impatience madame Guérin, que nous ne retiendrons point sur le seuil de sa porte, aimant mieux vous peindre plus à notre aise, cette femme à l'extérieur sévère et imposant, quoique jeune encore.

II
Monsieur Wagnaer

Le lendemain, il n'était pas six heures qu'un bon petit cheval canadien, à la crinière rousse, attelé à une petite charrette d'habitant, attendait paisiblement à la porte de madame Guérin... Une valise et un gros sac brun renflé comme un ballon, quoique ce ne fût certainement pas avec de l'air, étaient déposés dans le fond de la voiture ; deux manteaux épais recouvraient le siège. Le ciel était sombre et lourd ; il faisait froid, les vagues battaient avec force contre les galets du rivage ; il ne pleuvait pas encore, mais c'était évidemment là le début de ce que l'on appelle une *neuvaine de mauvais temps*.

– Mon Dieu ! dit Louise, en ouvrant la porte, mon Dieu, quelle vilaine apparence ! Au moins vous n'oublierez pas de jeter vos manteaux sur vous.

Ceci s'adressait aux deux écoliers, qui sortaient en même temps qu'elle. Ils avaient mis chacun par-dessus leur *capot d'écolier* un *capot d'habitant* d'étoffe grise *du pays*, et à capuchon ; mais la prudence maternelle n'était pas encore rassurée, puisque madame Guérin, qui les suivait, crut devoir aussi elle insister sur l'importance des manteaux.

– Et puis, ajouta-t-elle, n'oubliez pas d'entrer chez tous les curés que vous connaissez le long de la route, pour vous réchauffer et vous reposer. Lorsque vous aurez faim, vous vous souviendrez que j'ai mis deux grosses galettes et du fromage dans le sac. J'ai bien peur, malgré toutes les précautions, que la pluie ne vous pénètre, car ce ne sera pas rien que le temps qui se prépare !... Promettez-moi bien de ne pas continuer la route si vous êtes trempés.

– N'oubliez pas non plus, ajouta Louise, de bien faire sécher vos hardes, ce soir et demain, car vous en avez bien pour trois jours avec les chemins que vous allez avoir.

– Si je vous donnais des parapluies ? observa madame Guérin. Ah ! c'est inutile, le vent vous empêcherait de les tenir.

Il était bien clair que toutes ces minutieuses recommandations, dues en partie à la sollicitude de la mère et de la sœur, avaient aussi pour but de dissimuler la profonde douleur qu'elles éprouvaient ; tout leur babillage était donc plus touchant que les plus touchants adieux. Au reste, et malgré elles, leur pâleur, leurs yeux rouges encore des pleurs versés la nuit, leur agitation nerveuse en disaient plus que les plus belles phrases.

Chose étrange, les deux frères, de leur côté, ne paraissaient pas également affligés de leur départ. Deux grosses larmes coulaient sur les joues de l'aîné, mais la figure de Charles semblait, au contraire, toute rayonnante de joie. C'est que celui-ci avait remporté, pendant la nuit, un grand triomphe ; c'est qu'il avait vaincu la cruelle détermination de son frère ; c'est que, enfin, Pierre lui avait promis de chercher de l'emploi à Québec, et de ne pas s'embarquer pour l'Europe, comme il se l'était proposé. Madame Guérin, qui ignorait toutes ces discussions, et avait toujours cru que son fils aîné allait passer un brevet avec quelque avocat, madame Guérin s'étonnait à bon droit de la tendresse de l'un, et de l'indifférence de l'autre ; mais elle ne les embrassa pas moins tous deux avec une égale effusion de cet amour maternel si divin dans son essence, le seul amour qui puisse se répartir et se répandre entre divers objets sans diminution ni injustice. Charles arracha son frère et s'arracha lui-même aux caresses de sa mère et de sa sœur. S'élançant vivement dans la voiture, il prit les rênes, donnant à Pierre à peine le temps de se placer près de lui, et lança le cheval au grand trot.

– Bonjour, monsieur Charles !

– Adieu, mes enfants !

– Bonjour, monsieur Pierre !

– Bon voyage ! bonne santé !

– Que le bon Dieu vous conduise !

Telles étaient les exclamations des serviteurs de la ferme, qui, hommes et femmes, s'étaient réunis sur le bord du chemin pour assister au départ des deux jeunes gens, que plusieurs d'entre eux avaient vu élever. Mais ces bons paysans n'étaient pas les seuls spectateurs de cette scène de famille. De l'autre côté, à quelque distance sur la grève, deux hommes d'une mine et d'une contenance presque sinistres, avaient suivi avec intérêt ce qui venait de se passer. Il y avait même, dans la persistance du regard de l'un de ces deux hommes, quelque chose de fatal. Aussi longtemps que la petite charrette put être vue, il eut constamment les yeux fixés sur madame Guérin, qui répondait avec son mouchoir aux signes d'adieu que lui faisait l'un de ses fils. Après que la porte de la maison se fut refermée sur les deux femmes, le même regard resta attaché sur la porte elle-même, comme si cet homme eût voulu poursuivre, malgré tout obstacle, une perquisition obstinée et malveillante. Mais enfin, se détournant brusquement vers son compagnon :

– Ah ! cela, fit-il, tu ne crois pas, maître François, que j'en vienne à bout ? Tu ne me connais donc pas ?

– Ah ! dame !... je vous connais et je ne vous connais pas, monsieur Wagnaër. Aujourd'hui ça me paraîtra que je sais toutes vos finesses sur le bout de mon doigt,... et puis demain vous allez en inventer d'autres. Tout vous réussit ;... mais pour la terre des Guérin, voyez-vous, c'est une autre affaire. Vous avez déjà manqué votre coup trois ou quatre fois, et pendant ce temps-là les jeunes gens ont grandi, ils vont faire leur chemin dans le monde, et puis...

– Et puis, maître François ?

– Et puis... dame !... voyez-vous, c'est que j'ai lu, il y a bien longtemps, une histoire comme ça, d'un grand seigneur qui avait un beau château, et qui voulait à tout prix chasser un pauvre homme qui avait sa cabane tout près du château. Cette histoire-là a bien mal tourné pour le seigneur. Je crois qu'on appelle ça une *farabole*.

– Tu veux dire une parabole. C'est que je me moque joliment des paraboles, moi ! Tu ne sais donc pas qu'il me faut cette terre ? Tu ne sais pas qu'il me la faut absolument ? Ah ! la diablesse de femme. Il me la fallait en effet, il me la fallait, surtout pour avoir la terre. Mais à présent qu'elle a tant fait la grande dame ; à présent qu'elle m'a repoussé, moi veuf comme elle, et beaucoup plus riche qu'elle,… ma foi, elle s'arrangera comme elle pourra, je prendrai *le bien*, comme disent les habitants, et je laisserai la femme. Ce sont mes principes, vois-tu. J'essaie d'abord à exploiter les gens à leur profit ; ça me paraît juste et raisonnable que l'on fasse du bien aux autres en s'en faisant à soi-même. Par exemple, quand les gens sont assez bêtes pour ne pas me laisser faire,… alors tant pis pour eux, je les exploite comme je puis, car il faut toujours exploiter. Il faut tout tourner à son profit, sans se gêner pour personne ;… autrement ça n'avancerait à rien. C'est là la règle fondamentale du commerce. Apprends cela, mon pauvre François.

– Comment dites-vous cela, monsieur ?

– *Exploiter*, mon pauvre François, *exploiter* ; c'est le mot. La *société*, c'est l'exploitation de l'homme par l'homme. Plus je regarde cette *rivière aux Écrevisses*, plus je pense en effet que l'exploitation de cette paroisse ne sera pas complète tant que je n'aurai pas construit deux ou trois moulins là-dessus. Le seigneur a été assez peu rusé pour ne pas consentir à exercer son privilège en ma faveur. S'il eût voulu seulement s'entendre avec moi, nous *faisions* sauter cela des mains de la belle veuve, sans qu'elle eût le moindre mot à dire. Avant dix ans peut-être, M. de Lamilletière aurait reçu de superbes *lods et ventes*, trois ou quatre cents louis dans le moins,… tandis que, avec ces Guérin, ça va rester à ne rien faire. La mère a été assez folle pour faire étudier ses enfants : ça veut dire qu'ils ne feront jamais rien de bon,… rien que des griffonneurs de papier,… voilà tout… Miséricorde ! un si beau *water power* ! Mais les vieilles noblailles comme ce M. de Lamilletière,… ça n'a pas la moindre idée des spéculations. Laisse faire, pauvre François, si je puis seulement acheter un petit bout de seigneurie, tu verras comme j'en découvrirai, moi, des droits féodaux !

– Il me semble pourtant, monsieur Wagnaër, que je vous ai entendu parler de ces choses-là d'une tout autre façon. Les gros marchands anglais qui viennent vous voir quelquefois…

27

– Font bien du bruit contre la féodalité, n'est-ce pas ?...
Eh bien ! ils sont comme moi, ils ne pensent qu'à acheter des
seigneuries, et je t'assure que quand ils en auront, ils sauront les
faire valoir. Mais pour le présent, ce n'est pas une seigneurie,
c'est cette terre seulement, c'est cette maudite rivière qu'il me
faut. Dire que ce vieux Jérôme Deschênes n'a jamais voulu me
vendre son hypothèque de deux cents livres, même à dix pour
cent de prime, sous le prétexte qu'il a eu autrefois de grandes
obligations à ce M. Guérin...

– Faut que ce bonhomme-là ait une dure mémoire !... Tenez,
M. Wagnaër, voulez-vous que je vous dise ? offrez-leur encore
une fois un bon prix pour leur terre, et soyez sûr qu'ils finiront
par vous la vendre. Ils disent que Pierre va faire un avocat ; sa
mère aura bien de la peine à le pousser jusqu'au bout... Vous
aurez leur *bien* sans tant de *manigances*.

– Comment, monsieur Pierre Guérin vise au barreau ! C'est
un Vallières ou un Moquin en herbe que nous avons si près de
nous ! Mais c'est superbe !... Je croyais qu'ils allaient faire
des notaires tous les deux. Un avocat ! c'est justement l'homme
qu'il me faut. De ce temps-ci les avocats me mangent, et si j'en
avais un dans ma famille...

– Vous mangeriez les habitants à vous deux !

– Non ; mais ça m'épargnerait bien des frais, et ça serait de
bon conseil. Quel âge a-t-il ce jeune homme ?

– Dix-neuf ans.

Et Clorinde en a dix-sept ; mais ce serait une affaire
magnifique !... La fille prendrait la place du père, le fils
prendrait la place de la mère, et tout s'arrangerait à merveille,
ajouta M. Wagnaër, comme se parlant à lui-même. Puis il
parut réfléchir profondément, regardant de temps en temps la
maison de madame Guérin. Son compagnon se taisait comme
lui. À les voir tous deux contempler d'un air de convoitise
ce patrimoine de la veuve et de l'orphelin, on aurait dit deux
malfaiteurs décidés à tenter durant la nuit quelque coup de
main, et cherchant pour cela à prendre une connaissance exacte
des lieux. Le costume du marchand et de son commis n'aurait
pas médiocrement contribué à confirmer cette hypothèse peu

charitable. Ils avaient chacun de vieilles casaques de gros drap bleu, sales et trouées, de vieux chapeaux cirés et de grandes bottes de peau de bœuf, couvertes de boue, et ni l'un ni l'autre de ces messieurs ne s'étaient rasés depuis plusieurs jours.

M. Wagnaër était un homme trapu, surchargé d'embonpoint ; son visage était rouge, marqué de petite vérole, et comme frotté d'huile ; son nez plat, ses sourcils épais et roux, ses yeux petits et cironnés, ses lèvres épaisses, sa bouche très grande et laissant voir deux superbes rangées de dents qui auraient fait honneur à un animal féroce. Avec cette formidable mâchoire, M. Wagnaër aurait pu *exploiter* toute la création.

M. François Guillot était un garçon mince, efflanqué, au visage pâle et maigre, aux bras longs et décharnés. Il y avait sur sa figure et dans toute sa personne un air *d'innocence* dont un physionomiste habile aurait fait promptement justice, en la classant tout de suite parmi cette espèce de gens pour qui fut créé le proverbe : *Il fait l'âne pour avoir de l'avoine.*

C'était précisément l'agent et l'intermédiaire qu'il fallait à M. Wagnaër auprès des habitants, naturellement soupçonneux, et qui l'étaient à bon droit à son égard. Ceux qui, se défiant du maître, croyaient duper le commis, n'en étaient que mieux dupés eux-mêmes. Obligé de dissimuler son intelligence durant les trois quarts de la journée, le pauvre garçon s'en dédommageait aux dépens de son maître, durant les heures d'intimité et de confidence, et celui-ci lui pardonnait sa hardiesse d'autant plus volontiers qu'il entourait lui-même de peu de mystère son égoïsme et sa cupidité.

Une visite qu'ils faisaient régulièrement tous les matins et tous les soirs à des nasses qu'ils avaient disposées sur la grève de la petite île, avait amené ces deux personnages à l'endroit où nous les avons trouvés. L'heure favorable pour enlever le poisson étant près d'arriver, ils ne tardèrent pas à diriger leur attention vers le fleuve, et voyant où en était la marée, ils quittèrent la clôture sur laquelle ils étaient appuyés tous deux. Le grand canot de bois approprié à cette expédition, fut bientôt mis à flot, et, le conduisant eux-mêmes, ils s'éloignèrent rapidement au milieu des vagues bruyantes et couronnées d'écume.

III
Un coup de nord-est

C'est pour le district de Québec un véritable fléau que le vent du nord-est. C'est lui qui, pendant des semaines entières, promène d'un bout à l'autre du pays les brumes du golfe. C'est lui qui, au milieu des journées les plus chaudes et les plus sèches de l'été, vous enveloppe d'un linceul humide et froid, et dépose dans chaque poitrine le germe des catarrhes et de la pulmonie. C'est lui qui interrompt, par des pluies de neuf ou dix jours, tous les travaux de l'agriculture, toutes les promenades des touristes, toutes les jouissances de la vie champêtre. C'est lui qui, durant l'hiver, soulève ces formidables tempêtes de neige qui interrompent toutes les communications et bloquent chaque habitant dans sa demeure. C'est lui enfin, qui chaque automne préside à ces fatales bourrasques, cause de tant de naufrages et de désolations, à ces ouragans répétés et prolongés qui à cette saison rendent si dangereuse la navigation du golfe et du fleuve Saint-Laurent.

Dès qu'il commence à souffler, tout ce qui, dans le paysage, était gai, brillant, animé, velouté, gazouillant, devient terne, froid, morne, silencieux, renfrogné. Un ennui, un malaise décourageant pénètre tout ce qui vous touche et vous environne. Bientôt des brumes légères, aux formes fantastiques, rasent en bondissant la surface du fleuve. Ce n'est que l'avant-garde de bataillons beaucoup plus formidables, qui ne tardent pas à paraître. Alors vous chercheriez en vain un rayon de soleil, un petit coin de ce beau ciel bleu si limpide, qui vous plaisait tant. Sur un fond de nuages d'un gris sale, passent rapides comme des flèches, ces mêmes brumes, qui se succèdent avec une émulation, une opiniâtreté désolante. On dirait tantôt la blanche fumée du canon, tantôt la fumée noire d'un bateau à vapeur. Tantôt elles dansent comme des fées capricieuses, aux vêtements d'écume, sur la crête des vagues, tantôt elles passent dans l'air d'un vol assuré, comme d'immenses oiseaux de proie. Quelquefois leur vitesse semble se ralentir, elles paraissent moins nombreuses ; déjà vous croyez entrevoir en quelques endroits une lumière vive comme celle du soleil, vous apercevez même à la dérobée quelque chose de bleuâtre qui ressemble au firmament : vous vous dites que les brumes s'épuisent, que vous allez bientôt en voir la fin : vous vous trompez, elles passeront toujours. Le golfe en contient un réservoir inépuisable.

Une journée maussade, quelquefois deux, s'écoulent ainsi. Puis vient une pluie froide et fine, qui va toujours en augmentant, jusqu'à ce qu'elle se transforme en véritables torrents, poussée qu'elle est par un vent impétueux. Tout le jour et toute la nuit, et souvent plusieurs jours et plusieurs nuits, ce n'est qu'un même orage, uniforme, continu, persévérant. Pendant tout ce temps la pluie tombe comme dans les plus grandes averses, la fureur du vent se maintient à l'égal des ouragans les plus terribles. Il semble que le désordre est devenu permanent, que le calme ne pourra jamais se rétablir. Cependant cela cesse ; mais alors recommence l'ennuyeuse petite pluie froide, plus désagréable et plus malsaine que tout le reste. Enfin, un bon jour, sur le soir, éclate une épouvantable tempête : ce n'est plus le vent de nord-est seul : tous les enfants d'École sont conviés à cette fête assourdissante. C'est ce que l'on nomme le *coups du revers*. Cela termine et complète la *neuvaine de mauvais temps...*

Huit jours après celui où nous avons vu partir les deux jeunes Guérin, les habitants de la *côté du sud* avaient éprouvé tout ce que nous venons de décrire. Ils en étaient rendus à cette dernière bourrasque, qui, si elle n'est pas charmante par elle-même, a toujours cela d'aimable : *d'être la dernière.*

C'était le soir. Madame Guérin et la jeune Louise étaient assises près d'une table, dans la grande salle qui formait avec deux petits cabinets et la cuisine ou *salle des gens*, la seule partie habitée de la maison. Le reste comprenait deux salons bien meublés, et quatre autres petits cabinets ou *chambres à*

32

coucher. Ces appartements situés à la suite des autres et sur le même niveau étaient fermés à la clef, et ne s'ouvraient que dans les grandes occasions.

Dans la *salle des gens* un feu bien nourri remplissait l'âtre et illuminait de clartés inégales et intermittentes, cette chambre, la plus grande de la maison. Autour du foyer étaient rassemblés tous les serviteurs de la ferme et quelques-uns de leurs amis. On faisait rôtir des *blés d'Inde* (épis de maïs), et vieillards, jeunes garçons et jeunes filles, avec une gaieté qui semblait narguer la tempête, se livraient à cette occupation favorite des soirées d'automne. La porte qui faisait communiquer les deux appartements était ouverte, et de sa place madame Guérin pouvait surveiller tout ce qui se passait dans la petite réunion où se trouvaient plusieurs *cavaliers* et plusieurs *blondes*. Louise faisait une lecture à sa mère. Le livre dans lequel elle lisait était du petit nombre de ceux qui avaient échappé à l'*autodafé*, fait par l'avis du curé de la paroisse, de presque toute la bibliothèque de M. Guérin.

C'était l'*Histoire générale des voyages*. Tandis que la jeune fille lisait d'une voix douce et émue, la bonne maman enchaînait avec une merveilleuse rapidité les mailles d'un *tricotage* qu'elle destinait à l'un de ses fils.

– Mon Dieu ! dit-elle, que ce pauvre Pierre est heureux de ne pas être sur une île déserte comme ce jeune matelot anglais, lui qui use tant de paires de bas et de hardes de toute espèce !

– Quant à cela, dit Louise, il n'y aurait pas eu assez de feuilles de palmier pour lui, ni assez de peaux de bêtes. Savez-vous que Charles est un vrai bijou auprès de lui.

– C'est vrai, mais ce pauvre enfant, il ne faut pas lui en vouloir. Il se donne tant de peine. J'ai dans l'idée que ce sera lui qui relèvera la famille ;… mais continue ta lecture.

– Je ne sais pas, maman, cette lecture commence à me déplaire et à me faire peur. Entendez-vous le vent ? S'il allait se passer pour tout de bon des choses comme celles que nous lisons ! Que ça doit être effrayant un naufrage !

– Lis toujours, ma chère. Avant de nous coucher, nous dirons un *Memorare* pour ceux qui sont dans le danger, et un *De profundis* pour les défunts.

Et la docile jeune fille reprit sa lecture.

Les bruits que l'on entendait du dehors n'avaient en effet rien de bien rassurant. À travers les éclats de la tourmente on distinguait, comme une basse continue, le lugubre vent du nord-est. Le choc des vagues qui ressemblait à un glas funèbre et lointain, le froissement du feuillage et le craquement des branches du gros orme près de la maison, les sifflements du vent dans la cheminée, aigus et stridents comme les miaulements de plusieurs chats en colère : tout cela faisait une bien triste diversion aux rires bruyants que l'on entendait dans l'autre salle. Louise, impressionnable comme on l'est toujours à son âge, ressentait une vague terreur que ne partageait pas sa mère.

D'une grande expérience, d'un esprit élevé, d'une volonté opiniâtre, cette digne femme croyait dans ce moment toucher à la fin d'une lutte qui avait duré plusieurs années. Cette pensée était seule au fond de son âme : la lecture qu'elle se faisait faire, la gaieté qu'elle voyait tout près d'elle, la tempête qu'elle entendait mugir, n'effleuraient que la surface de son esprit.

M. Guérin était mort jeune et presque soudainement, laissant une succession encombrée, des affaires difficiles, qu'il aurait pu mener lui-même à bien, mais qu'il était impossible à tout autre de terminer. Il avait contracté quelques dettes assez considérables, pour étendre son commerce et construire la belle maison qu'il habita seulement quelques années, abandonnant la demeure paternelle à ses frères, l'un marié et à la tête d'une nombreuse famille, et l'autre célibataire : c'était *l'oncle Charlot*, dont parlaient nos deux jeunes gens au commencement de notre récit. Sans une circonstance bien étrange, madame Guérin aurait pu, sinon continuer le négoce de son mari, du moins liquider avec le temps les dettes qu'il lui avait léguées et conserver une position très indépendante. La seule personne qui eût une forte réclamation contre la succession de M. Guérin, était le brave Déchêne, riche cultivateur, homme honnête et généreux, qui ne pouvait inspirer aucune inquiétude.

Les autres dettes avaient été contractées envers différentes maisons de commerce de Québec ; la créance la plus forte parmi celles-là, ne s'élevait pas à plus de cent louis. Tous les créanciers semblaient être dans les dispositions les plus favorables ; plusieurs avaient même offert une remise de la moitié, accordant, pour le reste, les termes les plus faciles. Madame Guérin se croyait donc parfaitement sûre, lorsqu'un jour il se présenta chez elle un petit épicier jersais, à qui elle croyait devoir tout au plus quarante ou cinquante louis. Comme ce monsieur lui parlait avec beaucoup d'assurance, et assez peu de politesse, elle lui offrit de régler immédiatement ses comptes. Quelle ne fut pas sa surprise, lorsque le petit homme tira de son portefeuille des créances au montant de sept cents louis, dont il était devenu l'acquéreur, et dont il montrait les titres en bonne forme !

M. Wagnaër (c'était lui), voyant qu'il ne recevait que peu de chose de sa petite obligation, l'une des plus récentes, avait eu recours à cet expédient, peu risqué d'ailleurs, vu les biens considérables de la succession Guérin. Il avait même réalisé par cette transaction ce qu'il appelait un honnête profit. Plusieurs personnes qui n'auraient pas voulu exercer elles-mêmes des poursuites contre une famille respectable tombée tout à coup dans le malheur, s'étaient contentées d'une moindre somme que celle qui leur était due ; car la générosité et la délicatesse de bien des gens sont ainsi faites, qu'elles s'escomptent d'après un certain tarif, et que l'on est tout fier de soi-même lorsqu'on s'est déchargé sur quelque homme bas et mercenaire, d'une besogne qui nous paraît odieuse.

Le premier moment de stupeur passé, madame Guérin s'était vue forcée de compter avec les exigences du nouveau venu. Au bout de quelques jours, M. Wagnaër se trouva possesseur de tout le fonds de magasin, de la belle maison, et de ses magnifiques dépendances ; pour obtenir ce résultat, l'épicier avait ajouté, à la quittance de toutes les obligations dont il était porteur, quatre cents louis payés comptant. Cette somme fut employée à payer les autres dettes, une seule exceptée, comme on l'a vu et à remettre sur un bon pied la ferme que les frères de M. Guérin avaient un peu négligée.

Ce ne fut pas pour la pauvre veuve une médiocre humiliation que de retourner habiter la maison qu'elle et son mari avaient quittée, quelques années auparavant, pour une demeure plus élégante, plus agréable, disons-le aussi, plus prétentieuse, et dont la construction avait excité dans l'endroit beaucoup de petites jalousies. Ce qui rendait ce déménagement plus pénible encore, c'était l'inévitable expulsion des parents de son mari. L'oncle Charlot demeura seul à la tête de la ferme. Sa présence était non seulement utile, mais même indispensable.

Malgré tous les inconvénients qui semblaient contrarier sa résolution, malgré les sentiments pénibles qui devaient empoisonner son séjour prolongé dans une paroisse où elle s'était vue riche, puissante, honorée, madame Guérin refusa avec persistance l'offre très mesquine d'abord, puis rapidement portée à une somme raisonnable, que M. Wagnaër lui proposa pour ce qui lui restait de propriétés. Elle préféra vivre avec la plus stricte économie, s'imposer les plus dures privations ; elle préféra même retrancher à sa jeune famille toutes les jouissances auxquelles elle était habituée que de déshériter ses enfants du patrimoine de leurs aïeux. D'autres motifs plus puissants que ce poétique attachement pour deux terres et une maison, avaient rendu d'ailleurs sa détermination inébranlable : c'est que, en femme habile et prévoyante, elle avait parfaitement compris toute l'importance de la petite *rivière aux Écrevisses* ; c'est qu'elle savait bien que la valeur de ses propriétés ne pouvait qu'augmenter avec le temps ; c'est que, enfin, elle nourrissait une antipathie bien légitime contre celui qui avait fondu à l'improviste sur elle et ses enfants, pour les dépouiller.

Aussi, lorsque à l'expiration des deux années de deuil de madame Guérin, l'effronté spéculateur, guidé par sa cupidité, et par une passion brutale que la beauté de la veuve justifiait, voulut parler de mariage, il fut éconduit avec la plus vive indignation et le mépris le plus écrasant.

36

Ajoutons, à la louange de madame Guérin, que le culte presque fanatique qu'elle portait à la mémoire de son mari, et sa fierté naturelle étaient entrés pour beaucoup dans son refus. Depuis ce temps, une lutte opiniâtre s'était engagée entre le voisin et la voisine. Celle-ci avait eu jusque-là l'avantage ; mais elle ne voyait pas sans une joie mêlée d'angoisses le moment où ses deux fils, qu'elle avait fait instruire au moyen d'efforts et de sacrifices inouïs, allaient la remplacer dans le combat.

Mille pensées se présentaient alors en foule à son esprit : c'étaient son passé et son avenir qui défilaient dans son imagination. Du souvenir des jours de bonheur qu'elle avait vécus durant son mariage, elle cherchait à construire de nouveaux plans de félicité, uniquement appuyés sur celle de ses enfants. Livrée tout entière à sa préoccupation, elle avait laissé tomber le modeste tissu auquel elle travaillait ; elle s'était penchée vers sa fille, elle semblait dévorer des yeux le seul des objets de son amour qu'elle eût auprès d'elle. Elle était belle ainsi ; âgée seulement de quarante ans, malgré les soucis et les chagrins qui avaient sillonné son âme, il y avait dans ses traits tant d'énergie et d'intelligence, dans ses grands yeux noirs tant de charmes, dans son teint brun tant de vie et de chaleur, dans sa taille élancée et imposante tant de dignité, dans toute sa personne tant de grâce, qu'on ne lui aurait pas donné plus d'une trentaine d'années. On sait que, à cet âge, beaucoup de personnes sont plus séduisantes que dans la première jeunesse.

Quoique cette bonne mère de famille fût loin de consacrer beaucoup de temps à la toilette, et qu'elle évitât même de se montrer, dans la paroisse, mise d'une manière trop recherchée, il y avait chez elle une sorte de respect d'elle-même, comme un noble et pieux souvenir de l'élégance que M. Guérin avait lui-même voulue et encouragée, qui faisait qu'elle ne négligeait jamais son extérieur. Ce soir-là, par exemple, où elle n'attendait certainement aucune visite, elle n'en portait pas moins une robe noire très simple, mais d'une forme gracieuse, et une coiffure élégante, quoique modeste. Debout, dans ce moment, derrière la chaise de sa fille, sur laquelle elle s'appuyait, on aurait dit qu'elle voulait faire contraster son genre de beauté, régulier, sévère et un peu sombre, avec la blonde et suave figure de l'aimable petite Louise. Tout à coup les deux femmes tressaillirent...

– Qu'est-ce que cela ? s'écrièrent-elles ensemble.

Elles venaient d'entendre le bruit d'une voiture qui, dans sa course précipitée, se heurtait à toutes sortes d'obstacles, les hennissements d'un cheval joyeux d'arriver, et les cris impuissants d'une voix juvénile qui gourmandait la pauvre bête, et cherchait à la conduire dans une autre direction.

– C'est Charles !... C'est lui, j'en suis certaine... ouvrez vitement... Qu'est-ce qui peut le ramener si promptement, et par un temps pareil ?...

Comme elle disait cela, la pauvre mère, qui tremblait de tous ses membres, s'élançait vers la porte, suivie de tout ce qu'il y avait d'hommes et de femmes dans la maison.

Dès qu'il vit ouvrir la porte de la maison, Charles, car c'était bien lui, abandonna le projet qu'il avait de passer outre, et se laissa tranquillement conduire au bas du perron, ce qui fut l'affaire d'un instant. Avant que le jeune homme eût mis le pied à terre, il était déjà accablé de questions.

– Où est Pierre ? Pourquoi es-tu revenu aussi vite ? Qu'y a-t-il de nouveau à la ville ?...

À tout cela, Charles répondit par une autre question :

– Pensez-vous, maman, que je pourrais voir le curé à présent ?... J'ai quelque chose... une lettre à lui donner, et je voulais me rendre chez lui tout droit ; mais le cheval s'est arrêté ici malgré tout ce que j'ai pu faire.

– Dis-tu cela pour tout de bon ? Tu sais bien que monsieur le curé est couché il y a longtemps. Je suis sûre qu'il est près de dix heures... Si je n'avais pas permis aux *engagés* d'avoir ce soir quelques-uns de leurs amis, tu n'aurais pas trouvé une seule personne debout dans la maison.

– Cela ne fait rien ; il faut absolument que je voie monsieur le curé ce soir, il faut que j'aille chez lui tout de suite...

Ces instances de son fils furent comme un trait de lumière pour madame Guérin. Elle remarqua que la figure de Charles était dans un aussi grand désordre que ses vêtements ; que si ses hardes ruisselaient l'eau et étaient toutes souillées de boue, son visage était pâle, ses lèvres contractées, ses yeux hagards, et que toute sa personne, en un mot, trahissait le plus grand embarras, la plus vive agitation.

– Alors, vous me trompez, dit-elle d'un air sévère ; puis adoucissant sa voix :

– Mon Dieu ! Charles, tu viens nous apprendre quelque malheur ; et tu voulais nous faire prévenir par le curé. Voyons, cette lettre est pour moi, n'est-ce pas ?

Le jeune homme ne répondait rien.

– Monsieur, je vous ordonne de me remettre cette… lettre. Je suis votre mère, je crois, et vous avez coutume de m'obéir.

Pendant ce temps l'oncle Charlot s'était emparé du cheval et de la voiture, et les avait conduits à l'écurie. L'écolier, tout tremblant, était entré dans la maison presque sans s'en apercevoir ; on avait refermé la porte sur lui. Il se trouvait debout près d'une table, en face de sa mère et de sa sœur. Il vit alors sur le visage de ces deux femmes tant d'anxiété et de souffrance, qu'il fit son sacrifice, tira silencieusement la lettre d'une des poches de son capot, et la donna à Louise, des mains de laquelle madame Guérin l'arracha si brusquement que la pauvre enfant resta toute confuse.

– Ah ! c'est l'écriture de Pierre ; c'est tout ce qu'il me faut… Mais à peine eut-elle fait sauter le cachet et lu les premières lignes, qu'elle pâlit et se laissa tomber sur une chaise. Charles gardait l'attitude d'un criminel qui attend sa sentence.

– Louise, Louise ! s'écria tout à coup la pauvre mère, Louise… Charles… je vais mourir. Il est parti ! de l'eau, vite, vite, de l'eau… je vais mourir… Mon Dieu !…

Et elle s'évanouit.

Louise et toutes les autres personnes couraient de tous côtés et ne trouvaient pas d'eau, quoiqu'il y en eût un grand pot sur la table tout près d'elles.

Charles, aidé d'une servante, porta sa mère sur un lit, et avec quelques soins, elle revint par degrés.

– Est-ce bien vrai ? Comment as-tu donc fait ?…

– Maman, je sais que vous allez beaucoup me gronder ; mais c'est qu'il m'avait ensuite promis qu'il ne partirait pas…

– Malheureux ! tu savais tout !…

Ces mots restèrent comme une malédiction sur les lèvres entrouvertes de madame Guérin ; plus pâle que jamais, elle perdit de nouveau connaissance. Puis bientôt son visage se colora, ses yeux s'animèrent, elle s'assit sur le lit, les poings fermés convulsivement et les dents serrées. Le délire s'emparait d'elle.

– Caïn, cria-t-elle d'une voix sourde et brève, Caïn, qu'as-tu fait de ton frère ?

– Maman, maman… ayez donc pitié de ce pauvre Charles. Voyez, il est à moitié mort, il est à genoux, il sanglote. Nous allons tous mourir !

La mère n'entendait pas.

– Ramez donc, dit-elle, vous ne ramez pas, vous autres… le vaisseau fuit si vite !

Les deux enfants prirent chacun une de ses mains dans leurs mains, leurs yeux se rencontrèrent, un doute terrible s'échangea dans leurs regards. Un nouveau malheur pire que le premier venait-il les écraser ? L'aliénation mentale, cette hideuse fosse dans laquelle la douleur fait si souvent trébucher la raison humaine, venait-elle de s'ouvrir et de se refermer sur une nouvelle victime ? N'osant se dire ce qu'ils pensaient, ils appuyèrent la tête de la malade sur son oreiller, et restèrent longtemps à l'observer, immobiles. Elle ne parlait plus, elle semblait dormir ; le sang se portait rapidement et comme visiblement au cerveau ; les yeux étaient fixes, les pieds et les mains froids, la peau du visage sèche et brûlante.

Plus d'un quart d'heure s'écoula ainsi. L'oncle Charlot entra dans le petit *cabinet* où s'était passée une partie de cette scène, et il obtint des deux enfants, non sans peine, la permission de rester seul auprès de madame Guérin.

– Allez lire la lettre de Pierre, leur dit-il, cela vous fera pleurer comme moi, et ça vous fera du bien ; j'ai envoyé chercher le docteur, et j'aurai bien soin de votre maman.

Voici ce que contenait la lettre, dont Charles fit la lecture à sa sœur et à tous les domestiques rassemblés :

"Ma chère Maman,

Tu vas bien pleurer quand tu liras cette lettre. Mais j'espère au moins que vous ne me maudirez pas. Si tu savais combien cela me coûte de faire ce que je vais faire ! J'ai bien versé des larmes avant de m'y décider ; et il me semble, malgré que ce soit déjà fait, que je n'y suis pas encore décidé. Il me semble que j'agis contre ma volonté, comme si une main bien méchante me poussait à tout hasard. Quand tu auras reçu cette lettre, tu n'auras plus qu'un de tes fils auprès de toi ; l'autre t'aura abandonnée, toi, digne et bonne mère qui te sacrifies pour nous ; il t'aura abandonnée comme un lâche ! Croyez-vous cela, ma mère, le croyez-vous que je fuis comme un déserteur pour ne pas porter ma part du fardeau de la famille ? Oh ! j'en suis certain, quand je vous aurai conté tout ce que j'ai souffert, tout ce qui me décide, vous ne croirez pas cela. Vous me pardonnerez, n'est-ce pas ?… Et puis, vous êtes si bonne ! Vous me gronderiez bien, moi présent, vous me parleriez bien sévèrement ; mais, absent, vous ne trouverez que des larmes et des prières pour votre fils aîné. Il n'y a que cette pensée qui me tourmente : vous allez croire peut-être que la perspective d'être obligé par la suite de vous faire vivre, vous et toute la famille, m'aura effrayé, m'aura poussé à courir seul après la fortune. Ah ! si vous saviez avec quelle joie je ferais n'importe quel ouvrage, je me livrerais à n'importe quelle profession pour vous aider, vous et ma bonne petite Louise. Ce n'est que lorsque j'ai vu que je n'étais bon à rien ici, que je ne pouvais que vous être à charge, que j'ai pris tout à fait mon parti. Il y avait longtemps que ce projet combattait en moi, combattait contre mon amour pour vous, contre mon amour pour ma sœur, contre l'amour que j'éprouve pour la belle campagne de mon enfance, ce qui est encore, je crois, de l'amour pour vous et pour ma sœur ; car jamais une ligne, une couleur de ces beaux paysages ne se présentera à mon esprit sans que je songe à vous.

Je vous assure que, hier et aujourd'hui, j'ai eu bien de la peine à me cacher de ce pauvre frère. Il s'opposait tant à mon départ, il me faisait tant de remontrances, qu'à la fin j'ai dû le tromper. C'est un des plus grands chagrins que j'emporte avec moi, et j'en ai, sois-en sûr, mon bon Charles, j'en ai plus que de la honte. Mais il me menaçait de tout vous dire, moi qui ne lui avais tout dit qu'avec la promesse du plus grand secret. Cela m'a bien coûté ; je lui ai fait croire, depuis que nous sommes partis d'avec vous, que j'allais prendre la place qu'il voudrait et faire ce qu'il voudrait ; je me suis prêté à tout ce qu'il a voulu pendant les quatre premiers jours que nous avons été à Québec ; mais je vois bien que toutes mes démarches sont inutiles : je pars demain.

Le vaisseau à bord duquel je me suis engagé (non pas absolument comme matelot, mais je pense bien que ça ne vaudra pas beaucoup mieux), lève l'ancre à six heures du matin. Je vais donner cette lettre à un garçon d'auberge à la basse ville. Il m'a promis, pour une piastre (une des *trois piastres* que j'avais emportées), de faire tout son possible pour trouver mon frère et la lui remettre. Il ne doit pas la lui donner avant demain au soir. Je ne vois pas qu'il y ait aucune possibilité de me rejoindre, car on pourrait bien le tenter. D'ailleurs, comme cette lettre vous est adressée, Charles vous la portera tout droit, j'en suis sûr. Il ira bien vite ; mais je suis certain qu'il n'en lira pas une ligne avant de vous l'avoir remise.

Le vent de nord-est qu'il a fait tous ces jours-ci souffle bien moins fort ce soir. Il fera justement une bonne petite brise demain pour louvoyer, à ce que dit le capitaine. Je suis bien aise qu'il fasse mauvais. Je souffrirais trop en passant devant la maison paternelle, s'il faisait un beau soleil, et si je voyais toute la côte avec sa belle toilette d'automne. J'espère bien que les brumes cacheront toute la campagne.

Charles m'a conduit d'abord chez M. Wilby, et, quelque préjugé que j'aie contre lui, je dois vous dire qu'il a fait son possible pour me procurer une situation. Il n'y en avait pas de vacante dans son bureau ; mais il a pressé et sollicité presque tous les marchands en gros de sa connaissance, et cela inutilement. Les uns n'avaient pas de place à donner, les autres attendent des neveux, et des cousins, et des petits cousins, et des cousins de leurs amis ou de leurs correspondants en Angleterre ou en Écosse ; enfin je n'ai pu trouver de place nulle part. Quand j'ai vu cela, j'ai été sur le point d'écouter Charles, qui voulait bon gré mal gré me faire passer un brevet chez M. Dumont, ce vieil avocat ami de notre père, à qui vous nous aviez recommandés ; mais je me suis convaincu de plus en plus que ce n'était pas mon état. Mon état à moi, ce n'est pas de sécher sur des livres, de végéter au milieu d'un tas de paperasses ; c'est une vie active, créatrice, une vie qui ne fasse pas vivre qu'un seul homme, une vie qui fasse vivre beaucoup de monde par l'industrie et les talents d'un seul. C'est à peu près l'inverse de la vie *officielle*, où l'industrie et les travaux de beaucoup de gens font vivre un seul homme à ne rien faire. Je voudrais du commerce et de l'industrie ; non pas du commerce et de l'industrie, par exemple, à la façon de notre voisin, M. Wagnaër. Dévorer comme un vampire toutes les ressources d'une population ; déboiser des forêts avec rage et sans aucune espèce de prévoyance de l'avenir ; donner à des bras que l'on enlève à l'agriculture, en échange des plus durs travaux, de mauvaises passions et de mauvaises habitudes ; ne pas voler ouvertement, mais voler par réticence, et en détail, en surfaisant à des gens qui dépendent uniquement de vous, ce qu'ils pourraient avoir à meilleure composition partout ailleurs ; reprendre sous toutes les formes imaginables aux ouvriers que l'on emploie le salaire qu'on leur donne ; engager les *habitants* à s'endetter envers vous, les y forcer même de plus en plus une fois qu'on les tient dans ses filets, jusqu'à ce qu'on puisse les exproprier forcément et acheter leurs terres à vil prix : voilà ce que certaines gens appellent du commerce et de l'industrie ; moi j'appelle cela autrement. Je voudrais, je vous l'avoue, faire toute autre chose. Je voudrais être dans ma localité le chef du progrès. Je voudrais établir quelque manufacture nouvelle, arracher pour de pauvres gens un peu de l'argent que l'on exporte tous les ans en échange des produits démoralisateurs de l'étranger. Mais lorsque j'ai voulu parler de quelque chose de semblable aux personnes âgées et influentes que j'ai rencontrées, elles ont levé les épaules, elles ont ri de moi, elles ont rendu justice à la bonté de mes intentions, mais elles m'ont paru ajouter en elles-mêmes : c'est bien dommage que ce jeune homme-là n'ait pas un peu de sens commun. Je vois que c'est l'idée dominante. Il faut faire ce que les autres ont toujours fait, et il n'y a pas que les *habitants* qui tiennent à la routine. Les gens riches et instruits sont tout aussi routiniers. Je n'aurais trouvé qu'à grand-peine quelqu'un qui m'aurait prêté un peu d'argent pour mes projets. Et puis il m'aurait fallu une place pour quelque temps dans une maison de commerce, pour me mettre au fait du négoce ; il m'aurait fallu aussi passer quelque temps à visiter les manufactures dans les États-Unis. Je n'ai pas l'argent qu'il faudrait pour aller faire cette espèce d'apprentissage ; je n'ai pas pu trouver de situation. Ainsi, que voulez-vous que je fasse ? Je vous le répète, je ne veux être ni prêtre, je n'en aurais pas le courage, et c'est assez de Charles, qui se dévoue à cet état : ni médecin, cela m'irrite les nerfs rien que d'y penser ; ni avocat, ce n'est plus un honneur : ni notaire, c'est par trop bête. Aucune de ces professions ne convient à mon caractère et à mes goûts.

Une autre chose, c'est le dédain profond que paraissent éprouver tous les jeunes gens pour tout ce qui n'appartient pas à l'une des quatre inévitables professions. J'avais l'idée de m'engager dans un des chantiers où l'on construit les vaisseaux à Saint-Roch ; j'en ai parlé à un de mes compagnons de classe, dont le père est lui-même un pauvre journalier qui travaille dans ces chantiers ; eh ! bien, il m'a presque fait rougir de mon projet. Il me semble pourtant que ce serait une belle carrière. Il y a de ces constructeurs de vaisseaux qui sont plus riches que tous les hommes de profession que je connais ; et la société anglaise, qui est pourtant assez grimacière de sa nature, ne leur fait pas trop la grimace. Mais quand j'ai vu mon ami, qui ne sort pas de la cuisse de Jupiter, croire déroger s'il faisait autre chose qu'étudier le droit, je me suis demandé ce que diraient à plus forte raison ceux qui ont des parents comme les miens…

C'est bien triste pour le pays qu'on ait de semblables préjugés. Cela nous mène tous ensemble à la misère. Le gouvernement nous ferme la porte de tous ses bureaux, le commerce anglais nous exclut de ses comptoirs, et nous nous fermons la seule porte qui nous reste ouverte, une honnête et intelligente industrie. Tandis qu'il faudrait toute une population de gens hardis jusqu'à la témérité, actifs jusqu'à la frénésie, vous rencontrez à chaque pas des imbéciles qui rient de tout, qui se croient des gens très supérieurs, lorsqu'ils ont répété un tas de sornettes sur l'incapacité, sur l'ignorance, sur la jalousie, sur l'inertie, sur la *malchance* (il y a de ces gens-là qui croient au destin comme des mahométans), sur la fatalité, qui empêchent leurs compatriotes de réussir, ce qui est en effet un excellent moyen de tout décourager et de tout empêcher. Si ce n'était de ces gens-là, qui se font passer pour des oracles, je crois que les choses iraient aussi bien ici qu'ailleurs. Je ne vois pas du tout pourquoi elles iraient moins bien. L'énergie de toute une population bien employée et constamment employée finirait par user à la longue la chaîne du despotisme colonial…

Mais je m'aperçois, ma chère maman, que je me laisse aller aux grands mots ; et ce n'est pourtant pas le temps de faire une *amplification*. J'ai voulu vous dire toutes les raisons de mon départ, afin de n'être point taxé d'ingratitude. Je compte bien que les choses iront mieux dans ce pays d'ici à quelques années. Mais je n'ai pas le temps d'attendre, et je m'en vais. Si je fais fortune ailleurs, ce qui est fort douteux (après tout, ce n'est pas impossible), je reviendrai vous consoler dans votre vieillesse et je dépenserai au milieu de mes compatriotes, ce que j'aurai gagné dans un autre pays. C'est tout juste, puisqu'il y a des étrangers qui viennent s'enrichir à nos dépens et s'en retournent vivre ailleurs de nos dépouilles !

Je ne vous dis pas le nom du vaisseau à bord duquel je m'embarque. Il y en a plusieurs qui partent en même temps. Je ne veux pas que vous puissiez me suivre de vue, je préfère de beaucoup que vous me comptiez pour mort dès à présent : l'espérance, l'anxiété de chaque jour vous rendraient trop malheureuse. Je vous préviens que vous n'aurez de mes nouvelles que par moi-même, si je reviens ; mais je ne vous écrirai point. Il y aurait trop de lacunes, trop d'irrégularité dans ma correspondance : ce serait un nouveau chagrin, une nouvelle douleur chaque fois. Par une circonstance ou par une autre, par ma mort peut-être, cette correspondance pourrait cesser tout à coup : ce serait un désespoir comme celui que vous allez éprouver en lisant cette lettre. Il vaut mieux n'avoir de ces émotions-là qu'une fois dans sa vie : c'est bien assez. Je sais combien je suis coupable de vous causer, une fois, cette douleur atroce ; je serais beaucoup plus coupable, si je m'y prenais de manière qu'elle pût se renouveler. Je ne sais pas si ce n'est pas une bien grande cruauté, ajoutée à toutes les autres, que de vous dire cela ; mais je me suis imaginé qu'à la longue votre chagrin s'effacerait, que ce bon Charles et cette charmante Louise viendraient à vous consoler ; qu'ils vous feraient oublier un ingrat dont il vous serait impossible de suivre les traces. Mon Dieu ! ceux qui sont morts, on les oublie bien ! Est-ce que ceux qui partent pour ne jamais revenir, ne sont pas absolument comme s'ils étaient morts ? Vous viendrez à vous dire cela, et le bon Dieu que vous priez si bien permettra que vous fassiez pour moi comme on fait pour les morts. Si, au contraire, vous connaissiez quel pays je parcours, si vous aviez des lettres de moi, que d'angoisses ! Chaque fois qu'elles retarderaient, ou chaque fois que vous pourriez me croire en danger, ce serait pour vous la même chose que si je venais de mourir sous vos yeux. Et puis, si après m'avoir compté pour perdu pendant bien des années, Dieu permettait qu'un jour, au moment où vous termineriez une prière plus fervente qu'à l'ordinaire, je me jetasse dans vos bras, grandi, vieilli, méconnaissable, mais votre fils cependant, mais vous parlant d'une voix connue dès mon berceau, d'une voix acquise, formée, exercée près de vous et par vous, quel bonheur, quel moment d'ivresse céleste, n'est-ce pas ?… Ainsi, vous le voyez, il est bien mieux pour vous de me compter pour mort, et de laisser à la Providence le soin de me ressusciter un jour à venir, si cela lui plaît. Et je vous promets que cela arrivera un jour ; ou au moins c'est que ça n'aura pas dépendu de moi. Je vous aime, j'aime Louise et Charles, j'aime mon pays, et si j'y puis revenir, pour être utile à tous ceux que j'aime, au lieu de leur être à charge, je le ferai.

Avant de finir, comme je pars, vous me permettrez, de même qu'on le permet aux mourants, quel que soit leur âge ou leur condition, vous me permettrez de vous donner quelques conseils. D'abord je vous prie en grâce de ne jamais envoyer Louise à Québec, et de ne pas la lancer sans protection dans ce qu'on appelle le beau monde. Je n'ai pas la moindre envie qu'elle figure parmi cet essaim de jeunes évaporées qui papillonnent autour des officiers de la garnison. Je vous demande pardon, ma bonne maman, de vous dire de pareilles choses, mais je dois mettre votre orgueil de mère en garde contre la tentation que vous éprouverez peut-être bientôt de faire briller votre fille.

Quant à Charles, vous ne le contredirez pas, je vous en prie. Il veut être prêtre, et il doit l'être, puisque Dieu l'appelle à cet état. Je sais bien que moi parti, et Charles dans les ordres, il ne reste plus personne pour relever le nom de mon père, pour soutenir la famille ; mais enfin, les familles doivent avoir une fin, comme les hommes et les peuples, et il ne faudrait pas, pour des raisons semblables, faire le malheur de Charles. Je vous avoue cependant que j'ai eu mes doutes sur la vocation de mon frère. C'est à lui d'y penser, et très probablement que mon départ l'engagera à réfléchir sérieusement. Je lui ai déjà dit en riant ce que j'en pensais ; il se peut bien que je me trompe : dans tous les cas, il ne fera pas mal de se rappeler ce que je lui ai dit.

Encore un mot. Ne vous obstinez pas, ni vous, ni Charles, à lutter contre M. Wagnaër. Cet homme est plus puissant que vous ; il vous broierait dans un instant. S'il vous offre un prix raisonnable pour la terre, vendez-la. C'est le dernier article de mon testament.

J'ai passé la plus grande partie de la nuit à écrire, j'entends siffler le vent dans les cordages du vaisseau près du quai. Je suis dans une petite auberge à la basse ville ; et si je veux me réveiller avant six heures, l'heure à laquelle je devrai être à bord, il est temps que je prenne un peu de sommeil. Voilà plusieurs nuits que je ne dors pas, et, chose singulière, dans ce moment-ci qui est le plus critique, le sommeil vient à bout de moi et prend sa revanche. Votre bénédiction, ma mère ; dans quelques heures je serai parti !

Adieu, ma mère, adieu, et pardonnez-moi.

PIERRE GUÉRIN."

Il y avait dans cette lettre beaucoup de vérité et de bon sens, à côté de beaucoup d'exagération et d'originalité. Elle donnait une idée assez exacte du travail qui s'était opéré dans l'esprit de cet étrange jeune homme ; elle montrait l'influence funeste, sur cette âme généreuse et fière, de l'état de société anormale dans lequel elle se sentait placée et qu'elle fuyait, n'osant le combattre seule.

Louise et Charles venaient d'achever cette lecture, entrecoupée souvent par leurs larmes, lorsque le médecin qu'on avait envoyé chercher pour leur mère se présenta. Il trouva l'état de madame Guérin fort alarmant, et fit différentes prescriptions qui furent soigneusement exécutées par la jeune fille. Comme il allait repartir, la tempête redoubla tout à coup de fureur. Les vents qui se déchaînaient et grondaient chacun à leur tour, semblèrent se réunir pour un commun et décisif effort. Après un moment de silence, presque de calme, un bruit épouvantable se fit entendre. C'était le gros orme près de la maison qui, cédant à cet assaut, tomba tout d'un morceau. Il y eut dans le déchirement, dans le froissement, dans les mille craquements qui accompagnèrent la chute lourde et retentissante du tronc de l'arbre, quelque chose qui allait jusqu'au cœur pour y remuer cette fibre délicate et inexplicable de la superstition, qui vibre toujours à notre insu au dedans de nous-mêmes dans de semblables instants.

– Encore un malheur, s'écria Louise, l'*orme de la famille* qui tombe ! C'est bien bon que maman dorme aussi profondément.

Comme la jeune fille parlait, une détonation très forte se fit entendre.

– Qu'est-ce que cela, encore, dit-elle ? Ce n'est pas un autre arbre qui tombe : il n'y en a pas d'autre aussi près de nous.

Une minute ne s'était pas écoulée qu'une seconde détonation, plus distincte et plus rapprochée, ajouta au soupçon qu'avait fait naître la première, la certitude d'un naufrage imminent pour quelque pauvre vaisseau ballotté par la tempête. En effet, de la grève où Charles n'hésita pas à se rendre, malgré les torrents de pluie et un tourbillon à ne pas se tenir debout, on apercevait entre le ciel noir et l'eau noire une masse blanchâtre emportée avec rapidité par le vent. Cette masse s'arrêta tout à coup. Un éclair qui brilla, un troisième coup de canon qui retentit, un nuage de fumée rougeâtre, qui se dissipa bien vite, un craquement épouvantable, furent les seuls adieux du navire qui, par la maladresse du pilote, avait frappé sur un récif à l'une des extrémités de la petite île, et sombra tout de suite. Il était alors une heure après minuit.

Lorsque le jour parut, quelques débris seulement furent apportés par les flots sur le rivage, mais on ne recueillit aucun cadavre ; on présuma que les *courants* les avaient entraînés à une grande distance en descendant le fleuve.

Le soir de ce jour (et ce fut une journée belle et brillante, pleine de lumière et de gaieté ; un de ces jours purs et sereins que la Providence fait lever après les jours de tempête et de désolation, afin que l'on se souvienne bien que c'est elle, et non pas le génie du mal qui gouverne le monde) ; le soir de ce jour, disons-nous, près d'une grande croix noire, au bord du chemin, à une demi-lieue à peu près de la demeure de madame Guérin, un jeune homme et une jeune fille étaient à genoux et priaient.

Une légère voiture, qui contenait deux jeunes filles élégamment vêtues et dont l'une tenait les rênes sans trop d'embarras, passait lentement près de cet endroit.

– Vois donc, Clorinde, dit l'une, est-ce le jeune Guérin, dont ton père nous parlait l'autre jour, qui fait si dévotement sa prière au pied de la croix de la mission ?

– Non, ma chère, ce n'est pas celui dont papa nous parlait. Nous avons appris aujourd'hui qu'il s'est embarqué à bord d'un vaisseau comme matelot. Celui-ci, c'est Charles, qui va prendre la soutane dans quelques jours.

– Tiens ! mais sais-tu que c'est un très joli garçon ? Vois donc quel air de distinction il y a dans toute sa personne. Sa sœur est aussi bien gentille.

– Oh ! oui, répliqua mademoiselle Wagnaër, ces jeunes Guérin étaient destinés à être des hommes très brillants, celui-ci surtout. C'est bien dommage qu'il se fasse prêtre !

IV
Trois hommes d'État

Environ quatre mois après les scènes que nous avons décrites dans les chapitres précédents, par une froide soirée de janvier, dans une mansarde d'une assez pauvre maison du faubourg Saint-Jean, à Québec, un jeune homme était assis près d'une table, où il paraissait lire et méditer profondément sur sa lecture. Il y avait sur cette table deux livres ouverts l'un dans l'autre. Le plus grand et le plus gros, celui de dessous, c'était les *Lois civiles* de Domat : le plus petit, celui de dessus, c'était *les Martyrs* de Chateaubriand. Il était évident que le jeune homme avait d'abord voulu étudier sérieusement, mais qu'ensuite il avait contraint l'*in-folio* de Domat à donner l'hospitalité au petit volume des *Martyrs*, de manière que la poésie avait eu littéralement le dessus sur la jurisprudence.

L'ameublement de la petite chambre de l'étudiant (car à ce trait qui ne reconnaîtrait un étudiant en droit de première année ?) était pauvre et bizarre à la fois. Un grand sabre avec un habit rouge militaire, et un shako étaient suspendus à un clou à la cloison. Deux grands dessins à la craie, richement encadrés, souvenirs de collège, étaient disposés de chaque côté de cette espèce de trophée. Des quatre pans de cette chambre deux étaient formés par un mur blanchi à la chaux, et les deux autres par une simple cloison de planches de sapin, qu'une propreté exquise faisait paraître luisantes et dorées, ainsi que le plancher, qui était nu, à l'exception de ce que recouvraient deux bouts de tapis étalés avec orgueil, l'un près du lit, l'autre près de la table d'étude. Une petite armoire d'un bois très vil, peinte en rouge, et dont on avait fait une bibliothèque à l'aide de quelques planches, était posée sur la table et couronnée par une statue d'Hercule, en plâtre, statue presque colossale, et dont l'acquisition avait dû épuiser pour plusieurs mois les subsides

49

que le maître du logis recevait de ses parents. Des gravures et des lithographies, représentant soit des sujets religieux, soit des danseuses plus ou moins décolletées, étaient collées çà et là sur les cloisons et sur les deux pans de la petite armoire. Un petit crucifix doré, cadeau d'une mère pieuse, protestait, au chevet du lit, contre l'espèce de transformation qui s'opérait dans les idées de l'étudiant. Le lit, placé dans un des angles de la chambre, la table d'étude avec la bibliothèque improvisée, placées dans l'angle opposé, trois mauvaises chaises en paille, un grand coffre bleu, et un petit nécessaire, très antique dans sa forme, formaient tout le ménage du jeune célibataire. Au-dessus de la porte, il y avait une énorme tête d'orignal au bois large et développé, qui aurait fait honneur à un musée d'histoire naturelle, ou au salon de quelque *Nemrod* de Québec ou de Montréal ; mais nous devons dire que celui qui aurait attribué la mort du noble animal au possesseur de sa dépouille, aurait commis une criante injustice.

Comme on le voit, tout dans cette petite chambre trahissait dans celui qui l'occupait une association d'idées étranges, une lutte intérieure de la religion contre la mondanité, un attachement capricieux pour des objets futiles, un grand dédain pour toutes les bonnes et utiles choses qui composent ce que l'on appelle le *confort*.

Charles Guérin, car nos lecteurs n'ont pas manqué de deviner que c'était notre héros que nous leur présentions ainsi métamorphosé, Charles Guérin avait en effet passé par une de ces crises inévitables, qui modifient les idées et le caractère d'un jeune homme ; il avait éprouvé à la suite du départ de son frère une série d'émotions qui avaient rendu plus vague encore et plus inquiète son âme irrésolue quoique ambitieuse.

Par les débris que l'on avait recueillis, on avait découvert que le vaisseau qui avait sombré près de la petite île, était le *Royal-George* l'un des navires partis du port de Québec, le jour où Pierre Guérin avait dû s'embarquer. Il ne restait donc que peu de doute à Charles sur le sort de son frère. Ce dernier évènement avait été soigneusement caché à madame Guérin ; Louise et Charles se contentèrent de pleurer et de prier en secret, comme on les a vus faire au pied *de la croix de la mission.* La pauvre mère ignorait et devait toujours ignorer le naufrage qui avait eu lieu tout près d'elle, et ses enfants étaient déjà reconnaissants envers leur frère de la sage précaution qu'il avait eue de prédire d'avance un silence obstiné, puisque cette seule circonstance pourrait leur aider à tromper plus longtemps le désespoir maternel. Une fièvre très forte retint madame Guérin au lit pendant quatre jours, et elle dut seulement à son énergie morale, à un traitement habile, et à la force de son tempérament de survivre au coup terrible qu'elle avait reçu.

Sa première pensée dans sa convalescence, pensée qu'elle ne put s'empêcher d'exprimer, malgré les sages conseils que Pierre lui avait donnés dans sa lettre d'adieu, sa première pensée fut que le plus jeune de ses fils devait de toutes manières remplacer l'aîné ; il lui fut tout à fait impossible de dissimuler combien serait cruelle une seconde séparation après celle qui venait de se faire. Ce premier élan du cœur d'une mère, que la piété de la digne femme comprima bien vite, n'en causa pas moins une réaction bien forte dans les idées de Charles. Ce fut comme une lumière subite qui lui découvrit dans son propre caractère, dans ses projets, dans ses rêves même les plus purs et les plus saints, dans la nature de son enthousiasme religieux, bien des choses qui ne s'accordaient que très peu avec la règle sévère et les calmes vertus de l'état ecclésiastique ; il se dit à lui-même que les circonstances dans lesquelles il se trouvait, quoique pures affaires temporelles, entraient peut-être dans les vues de la Providence, qu'elles étaient par elles-mêmes comme un avertissement céleste qui le prémunissait contre une démarche inconsidérée ; enfin il en vint à douter plus que jamais de sa vocation. Dire les tourments qu'il souffrit, les nuits de prières et de larmes qu'il passa, les scrupules aigus et minutieux qu'il dut repousser, les pensées et les projets les plus dangereux qu'il dut combattre, ce serait dire ce qui ne pourrait être compris que de quelques pauvres enfants qui ont eux-mêmes subi de semblables épreuves. Enfin il se détermina à consulter une autre personne que celle qui l'avait dirigé jusqu'alors, un prêtre âgé et savant, qui lui conseilla de ne pas entreprendre de décider dans quelques jours le sort de sa vie entière, et de rester au moins quelque temps dans le monde avant d'y renoncer. Le saint homme pensait avec raison, que renoncer à ce que l'on ne connaît pas encore, c'est, s'exposer à désirer ardemment, par la suite, ce qu'il nous est défendu de connaître. Cet avis charitable était un trop grand soulagement aux inquiétudes et aux souffrances de notre jeune homme pour qu'il se le fît donner à deux fois. Il fut donc convenu qu'il donnerait un sursis d'un an au grand procès qui s'instruisait au fond de sa conscience. Comme il fallait faire quelque chose en attendant, il passa un *brevet* chez un avocat, tout comme il en aurait passé un chez un notaire, ou chez un médecin, se reposant sur son extrême jeunesse pour changer de route du moment où il serait persuadé que celle qu'il suivait provisoirement ne lui convenait pas. Comme ses moyens ne lui permettaient guère de faire autrement, il prit pension dans une honnête famille d'ouvrier, où on lui donna pour tout logement la petite chambre que vous savez.

Il y avait déjà près d'une heure que Charles était arrêté sur la même page de son livre, poursuivant dans son imagination des milliers de ces séduisants fantômes que la moindre des choses suffit pour évoquer à l'âge de seize ou dix-sept ans, et que la prose poétique de Chateaubriand plus que toute autre chose peut faire surgir en foule, lorsque la porte de la chambre s'ouvrit assez brusquement pour laisser entrer deux jeunes gens.

– Tu m'excuseras, mon bon Charles, dit l'un d'eux, si je viens te troubler dans tes études : mais il y a longtemps que j'ai promis à M. Henri Voisin, de lui procurer le plaisir de ta connaissance. En passant dans la rue nous avons vu de la lumière à ta lucarne, et j'ai pensé que l'occasion était bonne. M. Voisin vient justement d'être reçu avocat ; c'est un de mes amis, il aime passionnément la littérature, et il est bon patriote. Ce sont deux points sur lesquels vous sympathiserez.

Celui qui aurait pu examiner notre héros dans ce moment, aurait vu dans sa contenance embarrassée la réaction extérieure d'une vanité satisfaite au-delà de tous ses désirs. C'était pour lui un évènement tellement flatteur et inattendu que d'être ainsi recherché sur *réputation*, par un *monsieur* qui venait d'entrer au barreau, qu'il avait peine à y croire. Il craignit même un instant d'être la dupe d'une mystification.

Cependant, *monsieur* Voisin parut tellement enchanté de faire la connaissance de *monsieur* Guérin ; il se montra si bien au fait de l'histoire de sa famille, il lui parla avec tant d'intérêt, et de son frère, et de sa mère, et de sa sœur, il fit de si délicates allusions aux lauriers que Charles avait cueillis au collège, et aux succès beaucoup plus grands qui, disait-il, l'attendaient dans le monde, que le jeune étudiant de première année se crut pour tout de bon l'objet de l'admiration et des sympathies de toute la ville, et qu'il sut en même temps un gré infini à celui qui venait ainsi lui révéler son importance.

L'ami officieux qui s'était chargé de présenter *monsieur* Voisin à *monsieur* Guérin, se nommait Jean Guilbault. C'était un étudiant en médecine de seconde année, dont Charles avait fait son Pylade depuis cinq ou six semaines qu'il le connaissait. Fort heureusement, Jean Guilbault était un brave et loyal garçon, qui justifiait pleinement la confiance et l'amitié qu'on lui avait accordées si volontiers, pour ne pas dire si légèrement. Il y avait même plus, Jean Guilbault était un de ces jeunes gens rares, très rares, qui, au milieu de la licence générale, ont le courage de proclamer des principes sévères, et, ce qui vaut encore mieux, le mérite d'en faire une application constante. Gai, spirituel, enjoué, tant qu'il ne s'agissait que de choses permises, le jeune Esculape devenait intraitable, du moment que l'on se permettait quelque plaisanterie sur la religion, sur la morale, ou sur ce qu'il appelait ses convictions politiques. Il poussait jusque dans les détails les plus minutieux, jusque dans les choses les moins importantes en apparence, les conséquences rigoureuses de ses croyances sociales. Ainsi, persuadé que les liqueurs brûlantes et les draps brûlés que l'Angleterre nous vend au plus haut prix possible, contribuent à notre décadence et matérielle et morale, l'excellent jeune homme ne buvait absolument que de l'eau ou de la bière indigène, et il s'habillait de la tête aux pieds d'étoffes manufacturées dans le pays. Sa belle taille et sa figure intéressante rachetaient pleinement ce que sa toilette pouvait avoir d'étrange. Il pouvait passer pour excentrique aux yeux de ceux qui ignoraient les motifs de sa conduite : ceux qui les connaissaient éprouvaient pour lui une sorte de vénération. Dans tous les cas, peu lui importait ce que l'on disait de lui. Autant il respectait les préjugés du vulgaire dans ce qui lui semblait juste et utile (car il y a de bons comme de mauvais préjugés), autant il se plaisait à les braver dans ce qu'ils ont de funeste.

La conversation des trois jeunes gens ne tarda pas à se reporter sur la politique du pays en particulier, et sur la politique du monde entier en général. De quinze à vingt ans nos compatriotes sont tous plus ou moins des hommes d'État. Il y en a très peu, par exemple, qui le sont dans un âge plus avancé.

Quel dommage que tous ces précoces dévouements ne puissent être utilisés ! Quel malheur que les pulsations ardentes et rapides de tous ces jeunes cœurs se ralentissent et se refroidissent si vite au contact de la vie réelle !

Oh ! de quinze à vingt ans, que l'âme est noble et pure ! Qu'alors on aime bien son pays sans la moindre arrière-pensée ! Pourquoi faut-il que l'on manque de puissance alors que la volonté est si forte, et pourquoi, si rarement conserve-t-on si rarement la volonté lorsque le pouvoir nous est venu ?

De quinze à vingt ans on ne sait encore rien des dégoûtantes vérités de ce monde ; on n'a pas encore vu l'intrigue, cette impudente araignée, filer et nouer sa toile hideuse sur ce qu'il y a de plus saint et de plus vénérable ; on ne connaît encore ni les mots qu'il faut dire pour ne rien dire, ni le lâche silence plus dangereux que la parole ; on ne sait encore ni le prix que l'on doit offrir pour acheter ses ennemis, ni celui que l'on doit exiger pour vendre un ami ; on ne sait encore ni nier publiquement ce que l'on affirme privément, ni inventer les scrupules du lendemain, hypocrites expiations des fautes de la veille ; en un mot de quinze à vingt ans… ON MANQUE D'EXPÉRIENCE. C'est du moins ce que disent les vieilles prostituées politiques, et ce que répètent après elles les roués qui se forment à leur école.

S'il en est ainsi, un moment d'attention à ce qui se dit maintenant dans la mansarde de Charles Guérin, nous fera voir combien nos deux étudiants sont dépourvus de cette grande et précieuse vertu de ceux qui n'en ont pas : l'*expérience*.

Le départ de Pierre fournit tout naturellement un texte à la discussion.

– Comme cela, dit Jean Guilbault, ton frère nous a laissés, parce qu'il craignait de ne pouvoir gagner sa vie ? C'est se décourager bien vite.

– Je crois, dit le jeune avocat, d'après ce que m'a dit Guilbault des idées de votre frère, qu'elles s'accorderaient parfaitement avec les miennes.

– Quoi, toi aussi, Voisin, tu n'aimes pas mieux ton pays que cela ?

– Eh ! bon Dieu, est-ce que nous avons un pays, nous autres ? Vous parlez sans cesse de votre pays : je voudrais bien savoir si le Canada est un pays pour quelqu'un ? Deux longues lisières, à peine habitées, à peine cultivées, de chaque côté d'un fleuve, avec une ville à chaque bout : de petites villes, du milieu desquelles on voit la forêt qui se termine au pôle !

– Oh ! oui, Voisin est comme cela, il ne croit pas à notre nationalité : il dit qu'il faut s'anglifier.

– Ah ! si M. Voisin est un anglomane, tu as eu tort, mon cher Guilbault, de me le présenter comme un patriote. La politique, à mes yeux, n'est qu'un accessoire, un instrument qui sert à conserver notre nationalité. Que m'importe à moi que mes petits-enfants (dans la supposition que j'aurai des enfants pour commencer) vivent sous un gouvernement absolu, constitutionnel ou républicain, s'ils doivent parler une autre langue, suivre une autre religion que la mienne, s'ils ne doivent plus être mes enfants ? Tâchons d'être une nation d'abord, ensuite nous verrons comment nous gouverner.

– Ce que vous dites là, M. Guérin, est bien vrai. Cependant ce n'est que du sentimentalisme. Que nous importe ce que seront nos petits-enfants, après tout ? L'essentiel, c'est le bien-être matériel de la génération présente. Croyez-vous que nous y gagnions beaucoup à nous isoler, et que si nous étions anglifiés, complètement anglifiés, nous serions maltraités comme nous le sommes ? Voyons... là... de bonne foi... pourquoi les Anglais nous maltraiteraient-ils, si nous étions des Anglais comme eux ?

– Mon cher monsieur, je viens vous interroger à mon tour. Est-ce que vous pensez que nos *habitants* s'anglifieraient à volonté ? Pensez-vous qu'il n'y aurait qu'à dire : anglifiez-vous, et que demain, ils parleraient anglais, cultiveraient à l'anglaise, voyageraient à l'anglaise ?

– Non, c'est bien certain, mais cela viendrait petit à petit. Il faudrait commencer par la haute classe, et puis la classe instruite, et puis la classe moyenne, et puis la basse classe, et enfin tout le monde. Ça serait l'œuvre de cinquante années tout au plus.

– Et en attendant, que deviendrait la basse classe sans la protection de la classe, instruite ? Quel lien aurait celle-ci à celle-là, et pour quelle raison voudriez-vous, que nos gens instruits, une fois anglifiés, ne s'alliassent point avec les nouveaux venus, pour exploiter le pauvre peuple ? Pensez-vous qu'il y aurait beaucoup de sympathie entre l'homme de profession anglifié, et nos *habitants* ?

– Bravo, mon cher Guérin, bravissimo ! C'est précisément cela. C'est ce qui est arrivé à notre noblesse d'autrefois : aussi est-elle tombée, et dans l'opinion des gouvernants, pour qui elle n'avait de valeur qu'en autant qu'elle représentait une nationalité, et dans l'opinion du peuple qui, la voyant, elle, fière et opulente envers lui, ramper aux pieds du pouvoir, dans l'ignorance et les excès, l'a énergiquement flétrie du nom de *noblaille*, tout comme il aurait dit *valetaille*. Il y a une nouvelle noblesse, la nobles professionnelle, née du peuple, qui a succédé à la noblesse titrée. Qu'elle y prenne garde : si elle oublie son origine, si elle suit le même chemin... le même sort l'attend !

– Oh ! mais, c'est bien différent cela ! La noblesse, ou la noblaille, comme vous voudrez, s'est anglifiée pour se rendre encore plus aristocratique : ce n'est pas ainsi que je l'entends. L'anglification, gagnant peu à peu la masse du peuple, le préparerait à se fondre bien vite dans le vaste océan démocratique, qui…

– Halte-là ! Je n'aime pas les grandes phrases, et je n'aime pas qu'on me fonde ! La politique d'anglification en vient toujours là. Avec cela, il faut toujours être fondu. C'est une idée qui m'ennuie considérablement. Qu'en dis-tu, Guérin ?

– À présent, c'est *l'américanisation* que M. Voisin veut nous prêcher. Je t'assure que ça m'est bien égal. Mordu d'un chien ou d'une chienne… Je ne suis pas pour les fusions. Les peuples comme les métaux ne se fondent pas à froid : il faut pour cela de grandes secousses, une grande fermentation.

– Que voulez-vous y faire ? On ne vous demande pas si cela vous fera du mal ou du bien. On ne s'inquiète pas le moins du monde de vos sensations, si ça vous brûlera, ou si ça vous gèlera. On vous pose un fait : un fait, diable, que voulez-vous encore une fois ? On ne répond pas aux faits, on ne répond pas aux chiffres. Voyons, nous sommes serrés entre l'émigration d'Angleterre et la population des États-Unis. Il n'y a pas à regimber. Si vous ne voulez pas être Anglais, soyez Yankees : si vous ne voulez pas être Yankees, soyez Anglais. Choisissez ! Vous n'êtes pas un demi-million ; pensez-vous être quelque chose ? La France ne songe pas à vous : elle a bien de la peine à conquérir sa propre liberté…

– Oh ! elle l'a glorieusement conquise ! Cette année mil huit cent trente, qui vient de finir, est une grande année pour le monde ! C'est l'ère de la liberté ! La France libre et puissante dans l'ancien monde, pourquoi n'aiderait-elle pas, ne protégerait-elle pas une nouvelle France dans le nouveau monde ?

– Voilà bien de l'enthousiasme : mais, pour cela, il faudrait d'abord que la France nous connût.

– Nous nous ferons connaître ! Le premier réveil de son ancienne colonie, le premier cri de guerre, le premier coup de fusil d'une révolution attirera ici des centaines et des milliers de Français. Ne les a-t-on pas vus partout où il y a du danger et de la gloire ? Pourquoi ne feraient-ils pas pour la Nouvelle-France ce qu'ils ont fait pour la Nouvelle-Angleterre ?

Pourquoi ? Mon Dieu, je vous le répète : ils ne nous connaissent pas. Les coups de fusil que vous tirerez ici, ils ne les entendront pas. Entendons-nous siffler à nos oreilles la flèche de l'Indien ?

– Quant à cela, Voisin a raison. Il y a longtemps, pour la France, que nous sommes morts et enterrés. Nous ressusciterions qu'elle n'y croirait pas ; elle ne saurait pas ce que cela voudrait dire. Il n'y a pas de peuple qui soit plus dans l'ignorance de ce qui se passe hors de chez lui que le peuple français. Un de mes amis, qui a fait ses cours à Paris, prétend qu'on n'a jamais voulu le prendre pour un Canadien, parce qu'il n'avait pas le visage tatoué. Lorsqu'il est parti, on a voulu le charger d'une lettre pour Tampico, parce que c'était sur son chemin ! Et puis les peuples qui comptent sur l'étranger pour secouer le joug, comptent toujours sans leur hôte…

– Sur quoi comptes-tu, mon pauvre Guilbault ? car tu es un révolutionnaire.

– Moi, jamais ; pour une révolution, il faut un autre état de choses que le nôtre ; je t'ai parlé d'indépendance quelquefois ; c'est bien naturel. L'indépendance, surtout quand on est garçon et qu'on n'a que vingt ans… ça flatte toujours d'y penser.

– Penses-y bien, mon vieux, tu n'en jouiras peut-être pas longtemps. T'imagines-tu que ta femme te permettra de t'habiller en *étoffe du pays* de la tête aux pieds. Il n'y a pas de demoiselle comme il faut qui ne s'évanouirait rien qu'à te voir fait comme tu es là. Ma mère et ma sœur, qui vivent à la campagne, ont pleuré toute une nuit, parce que je voulais me faire faire un gilet et des pantalons d'une étoffe qu'elles avaient faite elles-mêmes.

– C'est que je me moquerai joliment de ma femme, quand il s'agira de mon pays !

– Oui-dà ! Je voudrais bien t'y voir. Je crois que M. Guérin a trouvé l'écueil où ton patriotisme fera naufrage.

– Je ferai mes conditions.

– Il n'y a rien de plus juste ; on dira comme toi, on sera patriote tant que tu voudras. Quatre chaises de bois faites dans le pays, avec du bois du pays et de la paille du pays, on n'en demandera pas plus. Une chaumière et son cœur ! Comme c'est touchant ! Cependant, il faudra bien un piano, ne fût-ce que pour s'accompagner en chantant *À la claire fontaine*. Voilà déjà un meuble qui court bien des risques de n'être pas du pays.

– Oh ! pour cela, je n'y ai pas d'objection. J'excepte tout ce qui tient aux beaux-arts.

– Bon ! voilà une fameuse brèche de faite. Les beaux-arts, ça mène loin, n'est-ce pas, M. Guérin ?

– Sans doute. Il faudra bien permettre à *madame* de faire quelques tapisseries en laine.

– C'est cela, un tabouret pour le piano.

– Oui, et il n'y aura pas moyen de ne pas faire monter cela en acajou.

– Justement, c'est si économique : les laines, le velours, l'acajou, le salaire de l'ouvrier, ne coûtent que sept ou huit fois le prix d'un tabouret en crin, que l'on achèterait tout bonnement dans la boutique d'un ébéniste.

– Mais, vous n'y pensez pas non plus ; quel progrès pour les beaux-arts !

Deux fauteuils en laine, montés en acajou, ce serait encore une grande économie et un grand progrès. Il ne faudra pas dire par exemple que les laines sont importées d'Allemagne tout assorties, et que l'acajou ne croît pas dans ce pays-ci.

– Ah ! voici où je vous prends ; mes fauteuils seront montés en *érable piqué*.

– De l'*érable piqué* ! Fi donc ! ça *tuerait* tout l'effet des dessins. Il faut quelque chose qui fasse paraître les couleurs avec plus d'avantage. Quand on veut se mêler de beaux-arts, il faut du goût, et le goût n'admet pas de compromis. Tes fauteuils seront brodés sur velours avec monture en acajou, c'est-à-dire en *mahogany* ; car les gens *comme il faut* ne parlent qu'à moitié français (et je suppose que madame Guilbault aura été bien élevée).

– À présent, il est impossible d'avoir un piano et des fauteuils, sans un sofa.

– Encore plus impossible d'avoir un sofa sans un tapis de Bruxelles…

– Fait en *Angleterre*, comme les tapis de *Turquie* et les vins de *Champagne* !

– Bref, mon cher Guilbault, te voilà *dans tes meubles* le plus patriotiquement du monde.

– Ce n'est pas tout, monsieur Voisin, vous oubliez la toilette. Croyez-vous, quand on a un salon semblable, et une femme qui s'habille en velours et en satin, que l'on porte de l'étoffe du pays ? Mais, c'est impossible au superlatif !

– C'est l'impossible élevé au carré, élevé au cube ; c'est l'impossible mathématique ! Je te vois d'ici, mon pauvre Guilbault, avec un habit de drap *extra-superfine*, un gilet de tout ce qu'il y a de moins indigène, des pantalons transatlantiques, des gants jaunes, en un mot toute la toilette que tu critiques si amèrement chez les autres.

– Mille tonnerres ! c'est vrai pourtant ! Les femmes sont la ruine du pays ! moralement et politiquement.

– En voilà-t-il un paradoxe !

– Comme s'il y avait des nationalités sans familles !…

– Et des familles sans femmes !

– Que diable aussi, vous êtes d'une exagération terrible tous les deux ! Vous m'avez meublé et habillé comme cela, sans que je m'en sois aperçu.

– Et c'est justement cela : tu t'en apercevras encore bien moins.

– Oui, est-ce qu'on s'aperçoit de quelque chose ?

– Mais à présent que j'y pense : quand on ne peut avoir le plus, on a le moins. Pourquoi toujours les gens qui vivent élégamment ne font-ils pas leur possible pour mettre à la mode les objets manufacturés dans le pays, les choses du pays ?

– C'est encore vrai. Ils ne savent qu'afficher un luxe imbécile. Leur vanité est si lourde, si grossière, qu'elle n'invente rien. Dans toutes ces maisons élégantes, vous trouverez des glaces d'un prix fou ; vous en verrez trois ou quatre dans le même appartement, mais je vous défie d'y trouver un seul tableau à l'huile. Nous avons des artistes ; qui est-ce qui achète leurs toiles ? des étrangers. Tandis que, en Europe, c'est le luxe le plus à la mode, ici on ne sait pas ce que c'est qu'un tableau de salon.

– Il y aurait bien des réformes à faire dans la société telle qu'elle est ; mais avant de la réformer, nous autres jeunes gens, il faudrait…

– Voyons, il faudrait quoi ?

– Il faudrait inventer un moyen de ne pas mourir de faim. Disons tout le mal que nous voudrons de ceux qui nous ont précédés dans la vie, mais convenons qu'ils ne sont pas morts de faim. C'est un grand point.

– Oui, ils nous ont laissé cela.

– Fameuse preuve de leur habileté !

– Ou de leur égoïsme.

– Ou de leur imprévoyance.

– Ou de tous les deux à la fois.

– Ce sera la preuve de tout ce que vous voudrez, *mais c'est encore un fait*. Comment diable voulez-vous gagner votre vie avec les professions dans l'état où elles sont ? Tout le monde n'a pas le courage de faire comme le frère de monsieur, de mettre à la voile.

– Je croyais, moi, que le barreau était une excellente carrière ; vous avez dû partager cette opinion, puisque vous avez été jusqu'au bout de vos études, et que vous venez d'endosser la toge.

– Si je crois cela ? Eh ! bon Dieu, demandez à tous les autres, s'ils le croient ! Chacun sait parfaitement à quoi s'en tenir là-dessus, mais chacun se considère comme une exception. On fait force jérémiades sur l'encombrement des professions, et c'est absolument comme le sermon du curé : on applique tout aux autres, et l'on ne garde rien pour soi. Au commencement de mes études, je savais bien qu'il n'y avait guère de place à se faire, mais je pensais qu'il y en aurait toujours pour un petit *phénix* comme moi. Il y a à peu près quinze jours que je suis détrompé ;

si c'était à commencer, je ne sais pas au juste ce que je ferais ;
mais je sais très bien ce que je ne ferais pas.

– Comment, est-il possible ? Vous n'avez pas d'espoir de
vous faire une clientèle ?

– Pas d'ici à dix ans.

– Dix ans ! Vous m'effrayez.

– Oui, c'est un peu long, dix ans à vivre sans manger ! On
s'y habitue difficilement, je vous assure.

– Mon cher monsieur, vous plaisantez. On gagne toujours un
peu, de quoi payer sa pension et de quoi s'habiller. La profession
peut bien d'ailleurs être exercée en amateur pendant quelque
temps. J'aimerais assez à plaider une cause, et pour commencer
je plaiderais pour rien.

– Ah ! vous croyez qu'on plaide, lorsqu'on est avocat ?
C'est encore une illusion. C'est bien difficile de se procurer une
affaire quelconque, mais, sur cent affaires, il n'y en a pas une qui
se plaide. Vous avez bien quelquefois une espèce de discussion
sur un point de forme, mais une cause à plaider tout de bon,
c'est une huitième merveille du monde !

– Il y a une chose qui me console, c'est l'étude du droit.
Quelle belle science, n'est-ce pas ? Quel enchaînement ? Quelle
logique ! Quelle admirable analyse du bon sens de toute
l'humanité !

– Certes, vous avez fait des découvertes. Vous êtes un
homme impayable ! Vous étudiez le droit comme une science ?
Et quel droit étudiez-vous, s'il vous plaît ? Car, l'analyse du
bon sens de toute l'humanité diffère essentiellement chez les
divers peuples du monde. Étudiez-vous le droit romain, le vieux
droit français, le nouveau droit français, le droit anglais, si droit
anglais il y a ? Nous avons de tout cela ici. Nous avons tous les
codes imaginables, ce qui fait que nous n'en avons pas du tout.
J'oubliais de vous parler de quinze ou seize volumes de lois
provinciales et de deux ou trois mille volumes de *law reports*,
publiés en Angleterre et aux États-Unis. Comme ces derniers
(non plus que le nouveau droit français) n'ont pas la moindre
force de loi, ce sont ordinairement des autorités invincibles,
auxquelles la conscience des juges ne manque jamais de se

rendre. À propos des juges, savez-vous que vous avez tort d'étudier ? Sérieusement, mon cher, si vous vous mettez trop de science dans la tête, la première fois que vous vous trouverez en contact avec ces messieurs, vous éprouverez un choc tel que votre raison aura de la peine à y tenir. Savez-vous que, lorsque j'ai plaidé ma première cause, pas plus tôt ni plus tard que la semaine dernière, le juge m'a cité les lois romaines, les lois d'un pays à esclaves, pour prouver qu'en Canada et au dix-neuvième siècle, un maître a le droit de battre et de fustiger son domestique tout autant que ça lui convient ?

– Eh bien ; mais, c'était savant cela, j'espère !

– Il aura pu citer le code noir, tout de même.

– Vous voyez, mon cher monsieur, que vous avez tort d'étudier la profession comme une science. Il vaut mieux l'apprendre comme un métier.

– Au fait, lorsque je réfléchis sur l'immense quantité de matières dont se compose cette étude, je ne conçois pas comment, sans professeur, on peut venir à bout de distinguer ce qui s'applique au pays d'avec ce qui ne s'y applique pas.

– C'est une distinction qui ne se fait guère non plus. Il n'y a pas de jurisprudence établie. Il n'y en aura jamais.

– Qu'importe, après tout, si à la longue on peut se faire une existence ? Qu'importe que tout cela soit absurde, si à la fin ça fait vivre son homme ?

– Oui, eh ! bien, vous vous trompez encore. On ne se fait pas d'existence assurée. Il n'y a rien de si fugitif que la clientèle ; elle vient à vous aujourd'hui, demain à un autre. J'ai vu de vieux avocats qui, après avoir été célèbres dans leur temps, n'avaient pas plus de causes que les jeunes. Ce sont les clients que vous servez avec le plus de soin, qui vous abandonnent le plus volontiers. Brouillez-vous avec un de vos amis, ou exposez-vous à vous faire suspendre de vos fonctions, par excès de zèle pour un client, et vous êtes certain qu'il vous abandonnera à la première occasion. Puis, vous n'avez aucune idée des intrigants que fait naître l'encombrement de la profession. Dans le bon vieux temps, un avocat de renom pouvait jeter ses clients par la fenêtre, ils rentraient par la porte. Aujourd'hui les vieux avocats craignent tant la concurrence des jeunes, qu'ils plaident presque pour rien ; et les jeunes sont obligés d'acheter des causes. Si cela continue, le métier de client vaudra beaucoup mieux que celui de procureur.

– Vraiment, vous me découragez. Vous m'enlevez une à une toutes mes illusions. Je n'avais pourtant pas besoin de cela. Tu sais, Guilbault, que je n'ai passé mon brevet chez mon Dumont qu'avec une extrême répugnance. Quand vous êtes entrés, il y a un instant, j'avais commencé à étudier les *Lois civiles* de Domat ; mais, quoique cette lecture soit plus supportable que celle des autres légistes, je n'avais pu y tenir longtemps. Que sera-ce donc après ce que monsieur vient de me dire ? Je vais manquer de courage tout à fait.

– Et à quoi bon, je t'en prie, manquer de courage ? Est-ce que tu ne vois pas que notre ami Voisin a la berlue ? Il voit tout en noir. T'imagines-tu que vous m'avez découragé avec vos plaisanteries sur mon patriotisme ? Vous m'avez prouvé que, à la rigueur, on ne pouvait pas se servir uniquement d'objets manufacturés dans le pays. Ça n'est pas une raison pour ne pas employer ce que l'on peut employer. Voilà comme sont les gens en politique : parce que leur parti ne réussit pas du premier coup, ils ne veulent plus rien faire.

– Et où penses-tu que tout ce qui se fait en vienne, quand je te dis que nous n'avons pas de pays : qu'as-tu à répondre ?

– Qu'il faut s'en faire un ! Crois-tu donc qu'il n'y a pas quelque chose de providentiel dans le développement prodigieux de notre population ? Quand nos pères sont devenus sujets anglais, quand ils ont brûlé leur dernière cartouche pour la France qui les a trahis, eux, leurs femmes et leurs enfants, ils ne formaient pas quatre-vingt mille âmes : à l'heure présente, nous sommes cinq cent mille ! Un homme qui serait né alors pourrait vivre aujourd'hui ; il n'y aurait pas de miracle. Durant le cours de sa vie, il aurait vu quintupler le nombre de ses concitoyens. Pourtant, il n'y a rien eu pour nous favoriser, n'est-ce pas ? Pensez-vous qu'une nationalité aussi vivace se détruise dans un jour ?

Une fois revenu à ce thème de prédilection, Jean Guilbault s'y livra sans réserve ; il passa en revue tous les évènements politiques depuis la conquête ; il exposa les raisons qui lui faisaient croire à un avenir national plus prospère, et il insista surtout sur l'exclusion du luxe, et la protection à donner à l'industrie locale, idée qui, selon nous, en vaut bien une autre. Pressé par ses amis, dont l'un surtout ne voyait de salut possible que dans l'*américanisation*, il leur expliqua comment, tout patriote ardent qu'il était, il voulait laisser accroître et décupler notre population, il voulait laisser faire son éducation et politique et matérielle, avant de la mettre en contact avec les millions d'Anglo-Saxons qui peuplent les États-Unis. Une vive discussion s'engagea entre nos *trois hommes d'État*, et à travers des objections sans nombre, les élans patriotiques des jeunes amis allèrent souvent au-delà des bornes de la simple prudence. Mais c'était sans aucun danger immédiat, et l'ordre de choses d'alors, qui ne valait guère mieux que celui d'aujourd'hui, ne fut pas le moins du monde ébranlé par cette lutte à huis clos.

La conversation dont nous n'avons pour bien dire reproduit que le prélude, se prolongea si tard que notre héros fut obligé de sortir pour demander à son hôtesse un bout de chandelle, que celle-ci ne lui donna qu'en grommelant. Cette circonstance fit soupçonner à M. Voisin qu'il était temps de se retirer ; et, en partant, il invita Charles à le visiter souvent et *sans cérémonie*.

V
Louise et Clorinde

Le lendemain, Charles reçut la lettre suivante, qui était bien la vingtième d'une correspondance très active entre lui et sa jeune sœur.

R... 16 janvier 1831.
"Mon bon Charles,
Je t'écris encore aujourd'hui, puisque tu veux que je t'écrive toutes les semaines. Je t'assure que c'est une tâche bien douce, et, quoique je t'aie écrit la semaine dernière, il me semble qu'il y a un mois. Ta dernière lettre était bien courte, tu dois avoir bien du temps à toi, et tu vas peut-être me gronder, mais on dirait que tu me négliges.
Depuis ma dernière lettre, il s'est passé une chose qui nous a bien surpris et qui va beaucoup te surprendre. Dimanche dernier, M. Wagnaër et mademoiselle Clorinde sont venus nous faire visite. Tu peux croire si j'étais embarrassée. Maman déteste tant ces gens-là ! Mais cette pauvre demoiselle a l'air si bonne et elle voulait tant se rendre aimable, que maman a fait bonne mine à son père, par considération pour elle.
Depuis la fois qu'il a demandé notre mère en mariage, M. Wagnaër, comme tu sais, n'avait pas mis les pieds dans la maison. On ne sait pas du tout ce que veut dire cette visite. Je pense que c'était seulement pour faire connaissance avec moi que Clorinde aura décidé son père à venir nous voir. Il n'y a que nous deux de jeunes filles de notre âge ici, et, comme elle me l'a dit, ce serait bien triste, si nous n'étions pas amies. Si tu savais comme elle est bonne pour moi, comme nous nous aimons déjà ! Elle m'a emmenée souper et passer la soirée chez elle, bien malgré maman. Elle a fait de la musique pour moi toute la soirée, justement comme elle aurait fait pour un *cavalier*. Elle m'a donné de belles fleurs qui poussent dans une serre, et elle m'a prêté de jolis petits livres ; mais maman ne veut pas que je les lise ; elle les a mis dans une armoire, et elle me les donnera dans quelque temps pour que je les rende à Clorinde tout de suite. Cela s'appelle " les Lettres à Sophie." Maman dit que c'est bien mauvais, et que Clorinde est bien malheureuse d'avoir un père qui ne prend pas garde à ce qu'elle peut lire.
Maman ne veut pas croire que ce soit seulement pour faire une amie que Clorinde me fait toutes ces amitiés-là. Elle dit que M. Wagnaër n'a pas fait une démarche comme celle-là sans avoir d'autres intentions. Depuis

cette visite de M. Wagnaër et de sa fille, cette pauvre mère n'a pas fermé l'œil des nuits. Il faut que ce soient des gens bien terribles, puisque leurs caresses font tant de peur ! Depuis le départ de Pierre, cette pauvre maman a peur de tout. Chaque fois qu'elle reçoit une lettre de toi, elle l'ouvre en tremblant. Elle a fait écrire, par M. de Lamilletière, en Angleterre et en France, pour avoir des nouvelles de notre frère. Heureusement personne ne lui a parlé du vaisseau qui a fait naufrage la nuit où tu nous a apporté cette mauvaise nouvelle. J'ai eu toute la peine du monde à faire taire les domestiques, et, chaque fois qu'il vient quelqu'un du voisinage à la maison, je reste là ; je me place toujours de manière à ce que maman ne me voie pas le visage, et quand ils viennent pour parler de cela, je leur fais des signes… des signes. Ce qui me console un peu, c'est qu'il paraît que la plus grande partie de l'équipage était descendue dans les chaloupes ; ils ont rejoint un autre navire, un peu plus bas. On n'a trouvé que trois noyés ; ils avaient l'air d'être plus vieux que mon oncle Charlot, de sorte que j'ai moins d'inquiétude.

Clorinde m'a beaucoup rassurée ; elle dit qu'elle a parlé de cela avec son père ; il lui a dit que notre frère ne pouvait pas être dans le *Royal-George* ; car ce vaisseau était prêt à partir et avait son équipage complet, longtemps avant que mon frère soit parti. J'ai trouvé Clorinde bien bonne d'avoir pris ces informations. Nous n'avons fait que parler de Pierre et de toi toute la soirée. Elle m'a dit tous ses secrets, et, si vous autres hommes vous n'étiez pas si babillards, je te conterais bien une curieuse chose qu'elle m'a dite… mais, après tout, tu vas faire un prêtre ou un avocat ; dans ces états, il faut de la discrétion. Voyons, j'espère au moins que tu n'en diras rien à personne.

M. Wagnaër est un drôle d'homme. Il ne parle presque jamais à sa fille ; il lui laisse faire tout ce qu'elle veut tandis qu'elle est fille ; mais il lui a bien défendu, d'aimer personne, parce qu'il veut la marier lui-même. Il a fait comme un marché avec elle : elle fera tout ce qu'elle voudra, excepté le jour où son père viendra lui apprendre qu'il va la marier. Seulement le secret qu'elle m'a dit, et qu'elle a surpris à son père, c'est qu'on ne la mariera qu'avec un avocat. C'est ce grand imbécile de Guillot, le commis, qui a dit cela à quelqu'un qui l'a répété à Clorinde. Nous avons bien cherché pour trouver la raison de cela. Toi qui es plus savant que nous, tu pourrais peut-être bien me la dire. Un seigneur, comme Jules de Lamilletière par exemple, un officier ou un docteur, c'est bien autant qu'un avocat. Encore s'il y avait quelqu'un que M. Wagnaër serait décidé à faire son gendre, mais tout ce qu'il y a de décidé, et bien décidé, c'est que Clorinde ne sera pas mariée à un autre qu'à un avocat. Dis-moi donc, sérieusement, est-ce qu'il y a des jeunes filles qui ne peuvent se marier qu'avec des hommes d'une certaine profession ? Et si c'est de

67

même, de quoi cela dépend-il ? Tu vas encore dire, comme de coutume, que je suis trop curieuse.

Clorinde et moi, nous avons beaucoup parlé de toi. Elle m'a montré, dans un livre de prières, une figure de jeune homme assis dans une barque avec un luth dans une main. Elle trouve qu'il te ressemble. Il faut qu'elle n'ait pas de préjugés contre nous autres, car je t'assure que ce jeune homme est beaucoup plus beau que toi.

Tu sais qu'elle a passé une partie de l'hiver à Québec, chez la mère de cette demoiselle qui était ici l'automne dernier, et qui se promenait si souvent dans la voiture de M. Wagnaër. Elle m'a montré les pas de plusieurs jolies danses qu'elle a apprises chez cette demoiselle. Elle dit que maman a tort de ne pas me faire montrer la danse ; moi, je trouve que maman a bien raison ; à quoi cela me servirait-il ici ? Maman ne veut pas que j'aille aux noces chez les *habitants*, et, à part de cela, il n'y a pas d'occasion de sortir.

Clorinde est bien mondaine ; je crains beaucoup pour son salut. Ce serait bien dommage qu'elle ne fût pas sauvée, une si jolie fille, et qui a l'air si bonne ! Maman dit que, si je la voyais souvent, elle me perdrait. Elle doit venir me chercher demain pour me promener avec elle ; je ne sais pas si maman voudra. Il me semble depuis que je la connais que je la trouve plus belle qu'avant. Elle est bien brune, mais elle a une si belle taille et de si beaux yeux noirs ! Elle m'a dit en riant qu'elle paraissait une négresse près de moi ; mais ça n'empêche pas que je voudrais bien avoir sa taille.

Pardonne-moi, mon bon Charles, si je t'écris toutes ces folies de petite fille qui ne doivent pas t'amuser du tout ; mais si je te voyais, je te les conterais, et quand je t'écris, c'est absolument comme si je t'avais ici, non plus sous le vieil orme, puisqu'il est tombé, mais au bord de l'eau, comme la veille du jour où Pierre est parti avec toi, pour ne plus revenir.

TA PETITE LOUISE."

Charles était encore au lit, lorsque son hôte vint lui remettre cette lettre. Il se fit donner son gilet, qui contenait une notable portion de sa fortune, à peine suffisante, cependant, pour payer le facteur.

– Ah çà ! dépêchez-vous donc, mon bon monsieur ; vous n'êtes pas *smart* ce matin. Le garçon de la *poste-office* attend. Il n'a qu'un *penny* de profit sur chaque lettre, et s'il lui fallait attendre partout aussi longtemps, ça lui ferait un mauvais *bargain*...

– Ce M. Voisin, qui dit qu'il faut anglifier la société par le haut, ne voilà-t-il pas que ça s'anglifie par le bas ? Le jour où les deux bouts se rejoindront, notre nationalité sera flambée !

– Pauvre jeune homme ! il rêve encore, dit l'ouvrier en se retirant. Heureusement qu'il est venu à bout de trouver les *nine pence* pour sa lettre. Ça dort-il un peu cette jeunesse-là ! On voit bien que ça vous a son pain gagné et que c'est pour *rouler avec les gros*.

À dire le vrai, le brave homme avait bien le droit de se scandaliser. Il était près de neuf heures du matin, et lui, pauvre diable, était debout et travaillait depuis quatre heures. Rien ne choque tant les pauvres gens que l'oisiveté des riches ou de ceux qu'ils croient riches.

Deux causes avaient contribué à retenir l'étudiant au lit plus tard que d'ordinaire : d'abord un froid assez vif qui recouvrait l'intérieur des vitres de la lucarne d'une épaisse couche de givre aux arborescences capricieuses, aux charmantes arabesques, illuminées et colorées par les rayons du soleil ; puis les souvenirs de la conversation de la veille, les conjectures, les projets, les rêves qui naissaient de ces réminiscences matinales, auxquelles on a quelquefois tant de peine à s'arracher. Fortement alarmé sur son avenir par les décourageantes paroles de M. Henri Voisin, il délibérait très sérieusement s'il n'allait pas quitter l'étude de M. Dumont, et entrer au *grand séminaire*.

Il y avait cela de peu édifiant dans ses velléités religieuses, qu'elles ne lui revenaient jamais si fréquemment que lorsqu'il se dégoûtait ou se désespérait. Ne vous imaginez point cependant que sa dévotion ne fût point sincère, qu'il regardât sérieusement l'état ecclésiastique comme un pis-aller ; mais c'est que l'homme est ainsi fait, que ses déterminations les plus vraies, ses affections les plus saines dépendent à son insu des prédispositions de son esprit. Charles se croyait plein d'un zèle évangélique, lorsqu'il n'éprouvait pas autre chose qu'un vague enthousiasme, qui ne l'aurait pas soutenu bien loin contre les fatigues et les périls d'une mission, ou l'ennui d'un séminaire ou d'une cure. Il se croyait pénétré d'un goût bien ascétique pour la retraite, lorsqu'il ne ressentait qu'un dégoût passager, ou un penchant secret vers une capricieuse oisiveté. Le matin dont nous parlons, son imagination l'avait déjà installé dans une des modestes chambres du séminaire de Québec, au-dessus du beau jardin qui appartient à cette maison ; il se voyait figurant dans les cérémonies religieuses, revêtu d'un blanc surplis, au milieu de l'encens et des fleurs ; il se voyait régent d'une classe ; il changeait la méthode d'enseignement suivie jusqu'alors ; il débitait à ses élèves les plus savantes leçons sur la littérature et sur l'économie politique ; en un mot, il bâtissait mille projets d'innovations et de perfectionnement, et il ne négligeait aucun détail, absolument comme s'il se fût déjà vu à l'œuvre.

Il en était là de sa vision quand on lui apporta la lettre de Louise ; la brusque apparition de son hôte lui rappela qu'au grand séminaire on ne lui permettrait pas de méditer aussi à son aise chaque matin, vu surtout qu'il y a là une certaine cloche qui réveille son monde un peu avant cinq heures et qui ne cesse ensuite de vous tourmenter jusqu'à l'heure du coucher. Cette réflexion changea un peu le cours de ses idées : et la lettre elle-même acheva de séculariser son imagination.

Si Charles avait eu un peu de connaissance du monde, il se serait persuadé, à n'en pouvoir douter, que M. Wagnaër voulait le marier avec sa fille, et que mademoiselle Clorinde elle-même était éprise de lui. Bien que notre jeune homme ne s'en tînt pas aux bénignes interprétations de sa bonne petite sœur, il ne fit qu'entrevoir ce qu'un autre eût compris à merveille, et il se demanda seulement s'il n'y avait pas un peu d'amour pour lui dans la grande amitié de Clorinde pour Louise. La jeune fille, qu'il connaissait à peine de vue, lui apparut comme une de ces beautés andalouses dont il avait lu, dans les romans à la mode, de si poétiques portraits. Ce fut en pensant à elle qu'il se leva, s'habilla, et, après une prière peu longue et peu fervente, fit disparaître un très frugal déjeuner, qui lui fut servi sur le coin de sa table d'étude.

La détermination bien positive de M. Wagnaër d'avoir un avocat pour gendre, lui donna du courage, et sans décider s'il mettrait de côté les antipathies de famille, auxquelles il tenait à honneur de se montrer fidèle, il se lit qu'il était toujours bon à quelque chose d'être avocat ; il se promit tout de suite de faire un Daguesseau ou un Merlin, et se drapant dans son manteau, il se rendit à grands pas à l'étude de M. Dumont, bien résolu à se lancer dès ce jour au plus creux du droit et de la chicane.

Devancé par tous les autres clercs, il s'empara bravement d'une *déclaration* très difficile à rédiger et à laquelle personne n'avait voulu mordre ; mais il n'avait pas encore parcouru la moitié des titres qu'il fallait analyser, que son imagination prit encore une fois la clef des champs, et lorsque, après une heure de travail, M. Dumont vint regarder par-dessus son épaule, afin de voir comment il se tirait d'affaire, il ne vit, sur une grande feuille de papier, que ces mots d'une belle écriture coulée :

PROVINCE DU BAS-CANADA, BANC DU ROI.
DISTRICT DE QUÉBEC. TERME SUPÉRIEUR.

– Tiens, s'écria le patron, vous m'avez fait l'ouvrage d'un *blanc*.

– C'est que M. Guérin ne travaille pas comme un *nègre*, observa malicieusement le premier clerc.

Blessé de ce méchant calembour, notre héros s'empressa de déclarer que la note qui accompagnait le dossier n'était pas suffisante, et que M. Dumont ferait peut-être mieux d'entreprendre lui-même un ouvrage trop difficile pour un clerc de première année. En revanche, il se jeta avec fureur sur d'autres documents qu'on lui présenta et se mit à griffonner avec une ardeur qui aurait fait honneur à M. Dumont lui-même, entassant allégués sur allégués, ajoutant les dits aux *susdits*, mettant la *cité* dans le *comté*, le *comté* dans le *district* et le *district* dans la *province* ; enfin n'omettant rien de tout ce qui pouvait rendre son style parfaitement barbare et inintelligible, et par là même parfaitement légal et irréprochable.

Cependant quelques jours plus tard, M. Dumont reçut deux superbes *exceptions à la forme* ; l'une d'elles alléguait 1° que la *défenderesse* ou la personne à qui l'*ordre* avait été signifié s'appelait Clara Smith et non pas Clorinde Smith ; 2° qu'elle, ladite défenderesse, avait été baptisée sous le nom de *Clara* ; 3° qu'elle, ladite défenderesse, avait toujours été connue sous le nom de Clara, et non pas sous le nom de Clorinde ; 4° que le bref ou *writ* de *sommation* assignait Clara Smith à comparaître devant la Cour, tandis que la déclaration se plaignait de Clorinde Smith ; 5° que Clara Smith ne pouvait pas être tenue à répondre aux demandes faites contre Clorinde Smith ; 6° que Clorinde Smith ne pouvait pas être condamnée sur la comparution ou le défaut de Clara Smith : 7° enfin que Clara Smith n'était pas et ne pouvait pas être la même personne que Clorinde Smith.

Tout cela était succinctement exposé sur dix-huit pages de papier. Cette dernière exception fut faite et *filée* par Mtre Henri Voisin, avec qui nous allons cultiver la connaissance que nous n'avons fait qu'ébaucher dans le chapitre précédent.

VI
La clientèle

Henri Voisin n'avait qu'une idée, mais cette idée n'était pas mauvaise (bien des gens trouveront même qu'elle était excellente) : Henri Voisin voulait se faire une clientèle. Le tableau décourageant qu'il avait si bien peint, ne le décourageait pas lui-même. Il voyait un bon nombre de gens qui, avec des talents médiocres et des connaissances bornées, s'étaient fait, à force de labeur, d'activité et d'astuce, une très lucrative position ; il se promettait de marcher sur leurs traces, et, autant que possible, sur leurs talons.

Ainsi qu'on a pu le voir, il n'était pas comme ces candides jeunes gens qui croient qu'écrire bien diligemment dans l'étude de leur patron, pâlir sur les livres de loi, suivre avec attention les décisions des cours de justice, se présenter au bout du temps à l'examen, payer son diplôme, louer une étude, et s'annoncer dans les journaux, qui croient, dis-je, que tout cela suffit pour faire fortune.

Il en avait trop connu qui, pour s'en être tenus à cette simple recette, avaient passé le reste de leurs jours dans l'aimable compagnie de leurs livres, acquérant beaucoup de connaissances et très peu d'argent. Il était convaincu, au contraire, que la clientèle dépend d'un concours de circonstances souvent fortuites, mais que l'on peut faire naître soi-même, pour peu que l'on s'en donne la peine. Là-dessus, il avait tracé un véritable plan de campagne, disposant d'avance de chaque situation qu'il croyait bonne, étudiant et les moyens d'agir directement ou indirectement sur tous ceux qui l'entouraient, et les moyens d'attirer dans sa sphère d'action ceux qui en étaient le plus éloignés ; bien décidé à ne rien négliger, à préparer les voies des années entières, s'il le fallait, et surtout (afin de donner le change) à crier plus fort que tout autre, contre l'intrigue et contre les intrigants.

Son premier soin avait été de se mettre en rapport avec quelques personnes capables de lui procurer de petits capitaux, et déjà il pouvait venir en aide à de braves gens, soit en achetant des droits litigieux, soit en prenant sur lui la responsabilité de bonnes et grosses dettes, au moyen d'un léger escompte que triplaient à son profit les frais de poursuite. C'était principalement dans la clientèle de son patron, que Henri Voisin avait marqué d'avance ceux qui formeraient le noyau de la sienne. Les procédés les plus officieux, accompagnés des insinuations les plus adroites sur l'insouciance et les bévues de leur avocat lui avaient déjà acquis les bonnes grâces de trois ou quatre plaideurs émérites et d'une couple d'honnêtes marchands. Le fait est que notre homme entrait au barreau avec plus d'affaires en main, que bien des personnes n'en peuvent montrer après deux ou trois ans de pratique. C'était cependant une faible curée pour son ambition, et loin d'être effrayé des grands intérêts confiés à son inexpérience, il ne faisait que doubler et tripler, par le désir, les honoraires qu'il allait gagner.

Le soir même où il s'était fait présenter à Charles Guérin, le jeune avocat trouva, à son retour chez lui, un personnage assez singulier qui s'était installé sans trop de façon dans sa chambre à coucher, et là fumait la pipe en attendant le maître du logis. Cet individu n'était pas autre que François Guillot, le commis de M. Wagnaër.

Pour expliquer sa présence et sa familiarité, il nous suffira de dire que, strictement parlant, Henri Voisin aurait dû signer Henri Guillot dit Voisin. De ces deux noms, il avait choisi celui qui lui avait paru le plus passable, sauf à se laisser appeler Guillot, dans l'occasion, par ses nombreux cousins, dont il chérissait et cultivait la parenté. La famille Guillot formait une immense confédération, qui enveloppait tout le district dans ses réseaux. Chacun des membres de cette famille, remarquable par son esprit de corps, son astuce, son activité et son amour de l'argent, devenait dans sa localité une espèce de courtier ou de limier faisant la chasse aux procès pour le plus grand profit de *son cousin l'avocat*.

François était, de tous les *Guillot*, le plus important, et il le savait bien.

– Comme tu as été longtemps, mon cousin, fit-il sans se déranger de la chaise à demi renversée sur laquelle il était étendu et dont il maintenait l'équilibre en appuyant ses pieds sur la cloison, à la manière des *yankees*.

– Je crois bien, j'ai étudié mon rival et maintenant je le sais par cœur.

– C'est comme je t'avais dit, n'est-ce pas ?

– C'est tout le contraire. Si je t'avais écouté, je me serais perdu à ne jamais me retrouver. Cet original-là n'a pas plus envie de se faire prêtre que moi d'aller me pendre.

– Oui-da ! Si on prenait *Man'zelle* Clorinde pour juge, elle dirait peut-être qu'il mérite moins d'être cloîtré que toi d'être pendu.

– À son cou, tu veux dire ?

– Pour cela, si joli garçon que tu te croies, je t'assure que l'autre lui a tombé dans l'œil. Le bonhomme rit sous cape. Ça lui fait son affaire.

– Tiens, mon cousin, dis ce que tu voudras, M. Wagnaër ne peut pas marier sa fille à Charles Guérin. C'est justement l'homme qu'il ne lui faut pas. C'est un esprit maladif et enthousiaste. Combien veux-tu gager qu'il ne sera jamais avocat ?

– Je sais ce que c'est. Tu iras à son examen et tu le feras fumer.

– Quelle bêtise ! Est-ce qu'il y a des examens ? On prend deux de ses amis, qui vous disent d'avance ce qu'ils vont vous demander. Malgré cela, bien souvent on répond de travers et on est toujours admis. Quand je te dis que le jeune Guérin ne sera jamais reçu, c'est qu'il n'ira pas jusqu'au bout de ses études. Il n'est pas tourné pour faire un prêtre, et s'il avait pris la soutane, il l'aurait déjà quittée. Il faut trop de persévérance pour cela. Je ne serais pas surpris par exemple que d'ici à trois ans, il se livrât à la médecine, au notariat, au commerce, à l'industrie, à toutes les carrières imaginables, pour n'arriver nulle part. Si tu l'avais vu découragé, au simple tableau que je lui ai fait des petites misères du métier ! En cultivant ses dispositions, on parviendra à n'en rien faire du tout, de ce beau garçon-là... Mais il faut que tu te hâtes de me présenter à cette demoiselle Wagnaër. Comment est-elle, d'abord ?

– Qu'est-ce que ça te fait ?

– Diantre ! qu'est-ce que cela me fait ? J'aime bien à savoir si je la trouverais de mon goût, pour jouer mon rôle comme il faut. En supposant que je ne l'aimerais pas, il faut que je paraisse l'aimer assez pour me faire aimer d'elle...

– Tu aurais bien de la bonté. C'est son père qui la marie : avocat contre clerc, ta chance ne serait pas trop mauvaise. M. Wagnaër dit toujours comme ça, *qu'un je tiens vaut mieux que deux je tiendrai* ; mais c'est cette terre qu'il lui faut absolument. Il a déjà acheté une quantité de *lots* pour faire du bois dans les concessions et dans les townships, et s'il n'a pas la *rivière aux Écrevisses*, tout cela lui sera inutile.

– Alors il faudra que je lui fasse avoir cette terre.

– V'là qui est pas mal drôle. Tu vas lui faire avoir une terre qui ne t'appartient pas ?...

– Écoute, François, tu es un garçon intelligent...

– Non, pas exactement. Je passe pour une bête ; mais ça ne fait rien... va toujours !

– Tu n'en es que plus fin : ne passe pas pour bête qui veut. Je t'affirme qu'il y a des fois que je voudrais bien avoir ton air.

– *Ça n'est pas la peine.*

– N'importe, tu comprends à merveille qu'avec Mlle Wagnaër j'ai une dot et une clientèle toute faite...

C'est comme si j'avais deux dots. Qu'est-ce que je dis là ?

C'est comme si j'avais sept ou huit dots. Un client en amène un autre.

Remarquez bien que la clientèle que me donnera M. Wagnaër, ne comprendra pas que ses affaires à lui ; il se mêle des affaires de tout le monde, et il étend son influence à dix lieues à la ronde. Il suffit que ça soit un étranger : tu sais comme sont les habitants. Ensuite on lui doit beaucoup, et c'est bien dur de refuser quelque chose à un homme qui peut faire vendre jusqu'à notre dernière chemise. Il n'y a pas de doute qu'en les prenant ainsi par le côté sentimental, mon beau-père me ferait avoir la confiance de tous les plaideurs des environs ; et c'est justement le beau-père qu'il me faut.

Il y a un axiome qui n'est pas dans Cujas, ni dans Barthole, mais qui n'en est pas moins vrai, c'est qu'un avocat doit se marier plus en vue de son beau-père qu'en vue de sa femme. Or, il n'y a que trois espèces de beaux-pères possibles : le beau-père avocat, le beau-père seigneur, et le beau-père gros marchand de campagne. Le beau-père avocat vous prend en société ; mais vous ne faites que partager avec un associé qui, dans neuf cas sur dix, est sur son déclin, la clientèle que vous auriez pu acquérir vous-même. Ça n'empêche pas que pour les gens qui ne savent pas se pousser, ça ne soit un grand avantage. Le beau-père seigneur est fameux pour les affaires de routine et les discussions d'immeubles. Mais le beau-père marchand est le meilleur beau-père qu'il y ait parmi toutes les espèces de beaux-pères connus. Il est toujours à présumer que le beau-père marchand deviendra seigneur : alors ça nous fait deux beaux-pères dans un. C'est une économie toute claire.

– Allons ; c'est arrangé, vous y gagnerez tous les deux : il n'y aura peut-être que c'te pauvre mam'zelle Clorinde qui y perdra. Il n'y a qu'une petite chose qui m'embarrasse. Je voudrais savoir ce que je gagnerai à me mêler de cette affaire-là.

– Le lendemain de mon mariage, je te fais entrer en société avec mon beau-père.

– Tu n'y penses pas : tu aimes trop à faire des économies de beaux-pères. Ça te ferait comme qui dirait un beau-père en deux, au lieu de deux beaux-pères dans un. Mais si tu disais la veille de ton mariage, ou bien un ou deux mois avant, ça te serait-il égal ? Je t'assure que, pour moi, ça ne me serait pas indifférent. Dépêche-toi de me promettre ça… autrement je ne dis pas un mot de toi à mon bourgeois, et tu t'arrangeras comme tu pourras.

– Allons… tu sais bien, mon pauvre François, qu'il ne faut pas vendre la peau de l'ours avant de l'avoir tué. Je ne peux pas te promettre comme cela, avant de savoir comment iront mes affaires. Tout ce que je puis t'assurer, c'est que je te ferai quelque avantage... d'une manière ou d'une autre.

– Eh bien ! ce que je te promets, moi, c'est que tu me feras ces avantages-là d'une bonne manière, et avant que de te marier. C'est une affaire décidée. J'entreprends ton mariage ; à moi le soin de faire mes conditions, et je ne m'oublierai pas ; car je te tiendrai comme il faut. N'oublie pas de descendre dans une quinzaine de jours. Bonsoir, mon cousin !

En disant cela, François avait pris brusquement congé du jeune avocat, qui ne fut point médiocrement surpris de lui trouver tout à coup un air aussi dégagé.

– Allons, se dit-il, il faut que le cousin soit un homme de génie. On ne dirait pas cela à le voir vendre de l'avoine au minot pour M. Wagnaër.

À la rigueur, il n'y avait rien de bien répréhensible dans le projet qu'ils venaient de former tous deux ; il ne s'agissait que de trafiquer de l'avenir d'une jeune fille à son insu ; et c'est ce qui se pratique depuis longtemps dans les sociétés les plus civilisées. Cependant, Henri Voisin prévoyait qu'il n'hésiterait devant aucune injustice, qu'il ne reculerait devant aucune intrigue, qu'il se soumettrait à tout pour s'assurer une position dont il avait calculé d'avance tous les avantages ; et, persuadé que François, une fois intéressé dans l'affaire, ne serait guère plus scrupuleux que lui-même, il éprouvait déjà pour son parent ce sentiment de défiance et presque d'aversion que l'on éprouve toujours instinctivement pour un complice. Une chose le préoccupait par-dessus tout : c'était de savoir si Charles Guérin avait, de son côté, quelques prétentions sur les beaux yeux et sur la dot de la jeune héritière. Tout le portait à croire qu'il en était ainsi. On a rarement vu un écolier de seize ans passer ses vacances dans une campagne, à quelques pas d'une jolie fille qu'il ne voit qu'à la dérobée, ne pas devenir amoureux de cette jeune fille, ne pas rêver à elle par le premier clair de lune venu et ne pas composer des vers en son honneur. Sans être beaucoup romanesque lui-même, notre spéculateur avait tenu compte de toutes ces circonstances ; et l'*ordre* sorti de l'étude de M. Dumont, qui lui fut remis quelques jours plus tard avec la fatale *variante* que l'on connaît déjà, confirma des soupçons qui n'étaient cependant point tout à fait fondés, parce que Charles n'avait songé un instant à Mlle Wagnaër qu'après avoir reçu la lettre de Louise. Cette découverte jeta comme un remords à travers ses projets. Il se dit que flétrir ainsi les premières espérances d'une âme jeune et naïve comme celle de Charles et écraser du même coup le dernier espoir, la dernière ressource d'une famille malheureuse, c'était trop d'égoïsme et de barbarie. Le mariage de Mlle Wagnaër avec ce jeune homme lui parut une de ces providentielles entreprises que mille circonstances semblent préparer et qui portent toujours malheur à quiconque ose les entraver. Avec les difficultés qui s'annonçaient, il voyait augmenter la dureté des moyens qu'il lui faudrait employer pour parvenir à son but, et comme son âme ne possédait pas encore cette précieuse insouciance du bonheur d'autrui que donne une longue habitude de l'intrigue, il se demanda un instant s'il ne trouverait pas le moyen de faire fortune sans ruiner personne. Mais son esprit reprenant bientôt son aplomb, il se dit ce que disent tous les ambitieux pour apaiser leur conscience : pourquoi ces gens-là se trouvent-ils dans mon chemin ?

Il n'y a rien, en effet, de si peu méticuleux qu'un homme qui, une fois pour toutes, a déclaré qu'il veut faire son chemin. L'ardente et rapide locomotive qui vole d'une montagne à l'autre, qui passe comme la foudre au-dessus des précipices, écrasant tout ce qu'elle rencontre, n'est pas plus impitoyable dans sa course que l'homme qui veut faire son chemin. L'honneur, l'amour, le devoir, la dignité humaine, la piété divine, le culte de la patrie, les liens de l'amitié, les nœuds de l'hymen, et jusqu'aux chaînes du vice, tout est renversé, culbuté, foulé, broyé par l'homme qui fait son chemin. Et il y a cela d'admirable dans la société, c'est qu'elle endure patiemment, de cet homme, une série d'actes injustes et souvent avilissants, qui, isolés, auraient suffi pour attirer sur vous ou sur nous l'indignation universelle… Mais que voulez-vous ? celui-là il *faut bien qu'il fasse son chemin* ! Il a su tellement se le persuader à lui-même, qu'il impose à tout le monde la même conviction. Il peut se vautrer dans la boue, si cela lui convient, personne n'en est surpris, personne n'en est révolté ; il sait bien, dit-on, ce qu'il fait : il *fait son chemin.* Il lui est permis d'insulter à ce qu'il y a de plus beau et de plus noble parmi les hommes, ou parmi les choses de son temps ; il ne fait pas cela par méchanceté, c'est seulement *pour faire son chemin.* Ce qui chez vous ou chez nous, serait tenu pour une indélicatesse extrême, chez lui n'est qu'une chose toute simple ; l'affront qui vous tuerait n'est qu'un jeu pour lui ; l'échec qui vous ruinerait ne l'inquiète point ; le trait qui vous irait au cœur effleure à peine son épiderme ; il est cuirassé, il est invulnérable, il *est parti pour faire son chemin.* Il s'est mis en route lui-même, sans que personne l'appelât, sans que personne l'envoyât ; seulement il s'est dit tout bas à lui-même, et il a répété bien haut à tout le monde, qu'il arriverait, et il arrivera. Il arrivera, malgré les préjugés, malgré ses torts, malgré ses ridicules, malgré ses fautes, il arrivera, c'est certain ; les plus envieux en ont pris leur parti, et la seule chose que fassent les plus habiles, c'est de s'arranger de manière à être le moins possible coudoyés ou froissés par lui.

Combien n'y en a-t-il pas dans toutes les carrières, dans tous les états, de ces hommes qui font leur chemin à tout prix, sans compter ceux qui l'ont fait ? Et parmi ces derniers en est-il un grand nombre à qui la société ose demander compte de leurs débuts ? Remonte-t-on bien souvent au petit ruisseau bourbeux d'où le fleuve large et fier est sorti ? Le scandale d'une première intrigue n'est-il pas toujours étouffé par le succès d'une seconde ? Comme le denier de Vespasien, l'or ne sent-il pas toujours bon, de quelque mine impure qu'il soit sorti ?

En jetant un rapide coup d'œil autour de lui, Henri Voisin avait compté toutes ces bénignes absolutions que la société prodigue aux fautes habiles que l'on commet pour faire son chemin ; il avait compté toutes les jeunes filles pauvres, délaissées pour de plus riches, tous les protecteurs honnêtement supplantés par leurs protégés, tous les amis vendus par leurs amis, et il avait trouvé que le monde après avoir crié à

80

l'indélicatesse, lorsqu'il aurait dû crier au vol, au meurtre, finissait toujours par accepter la solidarité de toutes les bassesses, en feignant de les oublier.

Pauvre et sans autres appuis que ceux qu'il savait se créer, lancé fatalement dans une route dont il appréciait tous les embarras, toutes les difficultés, il considérait le succès comme une condition de vie ou de mort ; il ne croyait pas qu'il lui fût permis d'avoir des égards pour personne sans manquer de prudence pour lui-même, tenant pour certain que non seulement tous ses efforts ne seraient pas de trop, mais craignant que ce ne fût pas assez. Il aurait préféré sans doute s'élever par son seul mérite, grandir à même sa propre substance, ne devoir rien de son bonheur au malheur d'autrui ; mais cela est difficile quand tout l'espace est occupé ; quand chacun n'a bien juste que sa place au soleil, celui qui veut alors se faire une part un peu large, doit se résoudre à diminuer la part de son voisin, sinon à l'absorber tout entière.

La corruption, qui faisait de si rapides progrès dans l'âme de Henri Voisin, était donc le résultat de la même maladie sociale qui avait chassé Pierre Guérin loin du toit paternel. Parmi les infortunés jeunes gens que le malheur de notre condition présente et les préjugés inhérents à cette condition forcent chaque année à faire un choix entre l'état ecclésiastique et trois autres professions encombrées au-delà de toute mesure, quelques-uns, en effet, s'épouvantent, se désespèrent et s'enfuient ; d'autres hésitent et tâtonnent longtemps pour n'arriver à rien ; d'autres se consument honnêtement et laborieusement dans l'obscurité et la misère ; d'autres enfin se jettent à corps perdu dans le charlatanisme et l'intrigue. L'émigration forcée, l'oisiveté forcée, la démoralisation forcée, voilà tout ce que l'on offre à notre brillante jeunesse, dont on s'efforce de cultiver et d'orner l'intelligence pour un pareil avenir ; de même (si nous osions nous permettre une comparaison un peu vieillie), de même que chez les anciens on engraissait et l'on paraît les victimes pour le sacrifice.

Cette comparaison pourrait aussi, tandis que nous y sommes, nous servir à peindre l'espèce de rapport qui ne tarda pas à s'établir entre le jeune avocat et le clerc de M. Dumont, dès que le premier se fut irrévocablement décidé à *faire son chemin* aux dépens de l'autre. Quoique leur position respective semblât devoir les tenir à une certaine distance, ils devinrent bientôt presque aussi intimes que s'ils eussent été camarades d'enfance ; ils passaient fréquemment la soirée l'un chez l'autre et sortaient souvent ensemble. Henri paraissait s'attacher surtout à ne laisser son jeune ami manquer d'aucun amusement. Il lui procura la lecture des romans les plus à la mode, l'introduisit dans deux ou trois maisons où l'on faisait d'assez bonne musique, le mena au spectacle aussi souvent que l'occasion s'en présenta, et lui fit faire plusieurs promenades dans les environs de Québec. Ce pauvre Charles, qui n'avait ni arrière-pensée ni prescience aucune, s'émerveillait à bon droit de la complaisance de M. Voisin, dont il admirait par-dessus tout la philosophie et le désintéressement. Il était impossible, à le voir ainsi, de le prendre pour autre chose que pour un charmant jeune homme, avide seulement de plaisirs, enchanté de faire partager à d'autres ses jouissances, insoucieux de l'avenir, et méprisant l'or *comme un vil métal*, et les billets de banque comme de prosaïques chiffons.

Ce qu'il y avait de plus aimable chez lui, c'était l'enthousiasme avec lequel il entrait dans tous les projets plus ou moins chevaleresques que formait notre héros. Ils pourfendaient ensemble les ennemis de la patrie et régénéraient la société dans un tour de main. La teinte d'ironie et de scepticisme qu'il n'avait pas réussi à dissimuler dans leur première entrevue, s'effaça comme par enchantement, et il devint, dans un clin d'œil, un patriote aussi chaleureux, aussi intraitable que Jean Guilbault lui-même. La condescendance toute gracieuse avec laquelle il caressait les illusions du jeune étudiant, s'évanouissait cependant devant un seul sujet, et chaque fois qu'il était question de ses futurs succès au barreau, Charles Guérin retrouvait dans son nouvel ami le prophète de malheur qui l'avait une première fois si fort effrayé.

En revanche, toutes les opinions littéraires ou artistiques qu'il émettait étaient reçues comme autant d'oracles. M. Voisin confessait volontiers son infériorité et traitait avec un véritable respect tout ce qui sortait de la bouche ou de la plume de Charles. Celui-ci, dont l'imagination s'était considérablement échauffée à la lecture des romans et à la représentation de quelques tragédies, se permettait d'écrire de temps à autre soit des vers, soit de petits essais en prose, qui, loués outre mesure, lui donnèrent une haute opinion de son propre mérite. Comparant l'attrait d'une existence toute littéraire à l'affreux métier de procureur, le mélodieux idiome de la poésie avec les accents enroués de la chicane ; opposant la douce pensée d'intéresser à son sort toutes les jeunes personnes un peu sentimentales qui ne manqueraient point de sympathie pour un poète de dix-sept ans, à la triste satisfaction d'étonner par sa faconde le vulgaire des plaideurs et des huissiers, il en vint à demander pourquoi l'on préférait ainsi les épines aux roses, et le terre à terre des professions aux sublimes inspirations du génie.

Il s'exalta même au point de former le projet de réaliser, dès qu'il le pourrait, tout ce qu'il possédait dans le pays pour aller vivre à Paris, où il comptait, avec le temps et du travail, éclipser le plus grand nombre des réputations du jour. Et, chose étrange, cette modeste entreprise ne reçut nullement l'improbation de Henri Voisin, qui avoua de son côté qu'il ne s'occupait de gagner un peu d'argent que pour se donner la satisfaction de visiter l'Europe, seule partie du monde où les intelligences d'élite pouvaient se trouver à l'aise. Il était bien entendu, cependant, qu'en bons patriotes, après avoir brillé dans l'ancien monde, ils reviendraient tous deux éclairer de leurs lumières leur commune patrie.

VII
Caprice et devoir

Si le bonheur de l'homme consiste dans l'accomplissement de ses devoirs, une disposition de l'esprit qui lui fait préférer à tout son plaisir du moment, doit finir par empoisonner son existence. Cette tendance, soit que l'on convienne de l'appeler caprice, fantaisie, légèreté de caractère, esprit romanesque, suivant les divers aspects sous lesquels elle se développe, devient une véritable tyrannie pour celui qui ne sait pas y résister dès le principe. Les plus beaux talents, les cœurs les plus généreux, ont été souvent frappés d'impuissance sans que personne ait pu s'en rendre compte ; des hommes d'avenir et de fortune sont quelquefois descendus degré par degré de leur haute position, au grand étonnement de la foule et à leur propre étonnement ; tandis que, en interrogeant le souvenir des luttes intérieures de leur âme, ils se seraient convaincus que bien loin d'acquérir de l'énergie en se rendant indépendante, leur volonté était devenue nulle par l'excès même de son indépendance, le jour où ils s'étaient dit pour la première fois : je ne ferai pas maintenant ce qui est utile, je ferai d'abord ce qui m'est agréable.

Il y a dans la vie un âge où l'on ne saurait être trop en garde contre ce danger : c'est le moment de la transition de l'adolescence à la virilité ; c'est l'époque de l'initiation à la vie réelle et active, au sortir de la vie méditative des études collégiales. Les jeunes gens qui ont plus d'imagination que de jugement et de sensibilité, se laissent aller plus volontiers que les autres à l'habitude de la fantaisie et du caprice, qui les éloigne des affaires sérieuses. La cupidité ou l'ambition en arrache un grand nombre à ces funestes hallucinations ; la sainte pensée du devoir en sauve aussi quelques-uns ; mais beaucoup succombent à cette étrange maladie de l'intelligence. La fougue des passions, à quelques excès qu'elle puisse nous porter, est moins dangereuse ; elle a son temps, elle fait un effort ; mais elle ne paralyse pas, elle n'anéantit point au même degré la volonté et l'action.

Le vampire de l'Inde, qui se colle amoureusement à la peau de sa victime, et l'endort par le bruit cadencé de ses ailes et le dangereux parfum qu'il exhale, ne produit pas une débilité, un engourdissement, une prostration plus complète que l'épuisement qui résulte à la longue de la constante recherche d'un bien-être imaginaire. Ce n'est que longtemps après que l'on s'est habitué à la préférence du beau à l'utile, du plaisant au sérieux, des évènements extraordinaires aux choses communes de la vie, de l'idéal au positif, du coloris, de l'ombre, de l'apparence à la réalité, que l'on s'aperçoit des ravages qu'elle a faits dans notre esprit ; mais alors il est trop tard, le temps perdu ne se retrouve plus ; l'on est resté à regarder la lune, les étoiles, le beau ciel bleu, les montagnes pittoresques, et tout le reste ; c'est bien poétique, mais, pendant ce temps, les autres qui ne regardaient point, ont marché, et le dépit de se trouver en arrière rend inutile le peu d'énergie qui nous reste : il faut rester là !

Le premier symptôme de cette maladie (car nous l'avons dit et nous le maintenons, c'est là une véritable maladie de l'intelligence) se manifeste par un dédain inexprimable pour les choses utiles et profitables, une aversion involontaire pour l'espèce d'occupation qui nous est imposée par notre devoir ou par notre intérêt. En même temps survient un vertige, une inquiétude, une impatience fiévreuse qui nous porte vers la chose du monde la moins prévue et la moins ordinaire. Un mot, une ligne, un coup d'œil, un son, un rayon de soleil, un souvenir, suffisent pour éveiller dans notre âme un goût nouveau qui devient tout de suite impérieux, irrésistible. Et voilà que, sans raison, sans motif apparent, sans l'avis de personne et souvent contre l'avis de tout le monde, on met de côté ou l'on néglige une étude importante des affaires sérieuses, une perspective honorable ou lucrative pour se livrer tout entier à la chimère qui nous poursuit. Et l'homme charitable qui viendrait nous avertir de notre erreur, celui qui voudrait chasser cette vilaine chimère

85

qui s'est cramponnée à notre imagination, celui-là, nous vous l'assurons, serait fort mal reçu. Il n'y aurait point d'épithète assez forte, de procédé assez brusque pour lui exprimer tout le mécontentement qu'il nous cause. Pendant quelque temps c'est un zèle, une ferveur, une activité dévorante pour l'étude, la personne, le divertissement, la passion ou la chose quelconque dont on s'est épris. Tout se rapporte à cette chose : ce qu'on lit, ce qu'on voit, ce qu'on entend, ce qu'on rêve : cette chose-là est dans tout. On prend en grippe tout ce qui ne s'assimile pas à l'unique pensée que l'on a. Ne me parlez point de ceci, je ne saurais m'occuper de cela ; voilà l'argument sans réplique avec lequel on repousse tout ce qui ne tombe pas dans nos idées du moment. On suppose aux autres, bon gré mal gré, la même passion ; on les entretient sérieusement de sa chimère, on les en croit enthousiasmés, on le croit tout de bon ; c'est comme un verre coloré que l'on porterait sur les yeux et qui nous ferait tout voir d'une même couleur.

Un bon matin, cependant, et c'est presque toujours au moment où l'on goûte les plus douces jouissances, au moment où l'on a déjà triomphé des plus insurmontables obstacles, au moment où l'on est sur le point de recueillir quelques fruits de ses peines, on se réveille sans sa chimère !... Qu'est-elle devenue ? Est-elle sortie par la porte, par la fenêtre ou par la cheminée ? On n'en sait rien ; mais ce qu'il y a de certain, c'est qu'elle est disparue. Alors tout ce qui a rapport à ce caprice d'hier, en attendant le caprice de demain, n'est plus tolérable pour un seul instant. Tout ce qui se rattachait de près ou de loin à ce charme rompu, tout ce qui rappelle par l'imagination, par la vue, par l'ouïe, par l'odorat, ou n'importe comment, cette illusion dissipée, est ennuyeux, cruel, odieux. L'ami plein de sollicitude, le même qui a voulu d'abord chasser votre chimère, mais qui ensuite l'a prise en pitié et a fini par s'en accommoder, cet ami converti avec tant de peines, si dans ce moment il vient vous parler de votre goût, de votre penchant qu'il croit de bonne foi devoir être éternel, ce pauvre ami est alors d'autant plus maltraité que, n'osant lui avouer ce qui en est, vous êtes forcé de lui chercher une querelle atroce pour donner cours à votre mauvaise humeur.

Quelquefois, à l'instant précis où le désenchantement vous est venu, vous saviez vous-même que vous étiez sur le point de réussir, vous touchiez de la main au succès ; il ne vous restait qu'à faire un effort moindre que tous ceux que vous aviez faits jusqu'alors ; mais c'est impossible, vous êtes frappé d'impuissance, la force mystérieuse qui vous soutenait vous a abandonné : il ne s'agirait que de lever le petit doigt, vous ne le pourriez pas, vous ne le voudriez pas !

Le malaise, l'ennui, le dégoût qui forment cette nouvelle phase de la maladie ne sauraient se peindre. On est mécontent de l'univers et de soi-même. Fort heureusement cela ne dure pas. La crise que l'on éprouve ne tarde pas à enfanter un nouveau caprice qui se termine comme le premier, et ainsi de suite jusqu'à l'épuisement et a l'ineptie.

Ce qu'il y a de plus triste, c'est qu'il ne reste rien de tout cela. Il y a une fatalité qui veut que rien n'arrive à terme et qui porte l'homme capricieux à détruire lui-même son ouvrage. Il semble même ne travailler qu'à la condition expresse qu'il ne restera aucune trace de ses efforts. Du moment que son œuvre menace de devenir utile à lui-même ou à la société, il s'arrête et ne va pas plus loin dans l'hallucination continuelle qu'il éprouve ; il arrange la veille sa journée du lendemain, et si quelque évènement imprévu vient y changer quelque chose, serait-ce l'occasion de faire sa fortune, il s'estimerait vraiment malheureux ; mais il n'est jamais si exaspéré que lorsqu'il se voit arraché à ses rêves par un devoir qu'il lui faut remplir.

Le devoir est, en effet, l'ennemi juré du caprice. L'un commande et l'autre désobéit. Tandis que l'un prêche avec gravité et avec onction, l'autre ne fait que rire, chanter et se moquer. Tandis que l'un bâtit avec courage des monuments de granit, l'autre élève des châteaux de cartes. Avec l'un, c'est la jouissance d'abord et le dégoût à la suite ; avec l'autre, c'est le travail d'abord et ensuite la jouissance. Le devoir redoute le caprice, tout en le méprisant, le caprice se rit du devoir et le hait parce qu'il l'estime. Le devoir nous commande rudement pour commencer ; il ne gagne nos bonnes grâces qu'à la longue ; le caprice nous enchante et nous séduit pour se rendre maître ; puis, quand il est maître, il nous tyrannise sans relâche. Le devoir, c'est la prière humble et fervente, c'est le travail modeste et assidu, c'est la raison lucide, c'est la charité héroïque, c'est l'économie discrète et prévoyante ; le caprice, au contraire, c'est l'extase folle et orgueilleuse, l'oisiveté dédaigneuse, la volupté exigeante, l'insoumission railleuse, le sophisme inconséquent, l'égoïsme étroit, le luxe corrupteur et ruineux.

Nous avons dit que cette maladie du caprice prenait naissance dans les rêves et la mélancolie qui suivent les dernières années des études scolastiques et accompagnent beaucoup de jeunes gens à leur entrée dans le monde ou dans l'état religieux. L'incertitude, le malaise, l'irrésolution où les plonge cette funeste alternative d'un choix limité dont nous avons déjà parlé plusieurs fois, contribue puissamment, chez un grand nombre, à augmenter ces dangereuses prédispositions de l'âme et à les livrer pieds et poings liés au redoutable ennemi que nous venons de peindre.

C'est précisément ce qui arrivait à Charles Guérin dans le temps où M. Voisin cultivait son amitié. Pendant quelques jours, les gracieux fantômes que la lettre de Louise avait évoqués bien innocemment dans son imagination firent tous les frais de ses rêveries. Une alliance avec Clorinde Wagnaër lui ouvrait en effet une perspective des plus riantes. Il assurait par là, du même coup, et son bonheur, et celui de sa famille, et il s'épargnait à lui-même la tâche de défendre contre la cupidité de M. Wagnaër l'héritage paternel, tâche qui lui était dévolue par le départ de son aîné. On sait que, malgré la recommandation de Pierre, madame Guérin tenait plus que jamais à ses propriétés. L'espoir de la fortune et du repos et la piété filiale s'alliaient donc à la poésie et au roman pour embellir Clorinde, dont Louise, sa nouvelle amie, n'avait point fait un trop vilain portrait. Clorinde fut donc pour notre étudiant la dame *de ses pensées* et en son honneur il affronta les études les plus ennuyeuses et attaqua les articles et les commentaires les plus rébarbatifs de la *Coutume de Paris* avec tout le dévouement d'un véritable chevalier.

Cela ne dura pas longtemps. Il lui vint à l'idée qu'il serait peu noble de devoir tant de choses à une femme, à la fille unique d'un ennemi de sa famille. Peut-être mademoiselle Wagnaër tiendrait-elle quelque chose du caractère de son père et reprocherait-elle un jour à son mari ce bien qu'elle lui aurait fait. Peut-être l'antipathie de famille ne se dissiperait point tout à fait, et sa mère et sa sœur auraient à souffrir dans leurs affections par la position nouvelle que leur ferait cette union. Combien plus poétique et plus noble ne serait pas un mariage dans lequel, *lui*, donnerait le bonheur, la richesse, la considération à une jeune fille pauvre et obscure qui *lui* devrait tout et dont la vie ne serait qu'un tissu d'amour et de reconnaissance ! D'ailleurs, parmi les romans que lui faisait lire son ami Voisin, il ne s'en trouvait pas un seul où l'homme fût obligé à la femme pour son existence ; au contraire, l'héroïsme et le désintéressement procédaient toujours de la plus vilaine portion du genre humain. Il en était de même aussi dans toutes les romances qu'il entendait chanter. Une jeune fille n'avait jamais autre chose à donner que son cœur. En conséquence, mademoiselle Wagnaër avec sa taille élancée et ses cheveux noirs, et malgré sa dot, ou plutôt à cause de sa dot, ne fit qu'une bien courte apparition dans les rêves de Charles Guérin. Il ne fut pas amoureux d'elle plus de quinze jours.

En même temps disparut la belle passion de l'étude du droit, passion peu durable de sa nature, nous l'avouons, et qui a besoin d'être excitée et fortifiée par quelque puissant motif.

Dès ce moment, notre héros prit place parmi cette nombreuse catégorie d'étudiants qui, suivant l'expression tout à fait pittoresque de M. Dumont, font leurs études *à cheval sur un roman*. Disons à la louange de Charles qu'il multipliait *les relais* et qu'il dévorait avec une inconcevable rapidité volumes après volumes. Dans un de ces livres, il lui arriva une fois de rencontrer un couple d'amoureux qui s'étaient vus la première fois de leur vie dans un bois, en faisant chacun de son côté une excursion botanique. L'auteur profitait de cette circonstance pour intercaler dans son ouvrage un éloge pompeux de la *flore* de son pays ; trois ou quatre chapitres étaient occupés par des descriptions scientifiques, dans lesquelles on n'avait pas omis la moindre graminée de la terre natale. Charles trouva cela admirable, et il se prit à l'instant même d'une passion tout à fait touchante pour la botanique. Il lui fallait un herbier, sans cela il ne pouvait plus vivre. Le temps était mal choisi : c'était dans l'hiver. Faute de mieux, il se vit forcé de se rabattre sur les lichens et autres cryptogames qu'il se procura à grande peine sur les murs des fortifications, sous la neige et le verglas ; il passait des soirées entières à les examiner à la loupe et il y découvrait des mondes de merveilles. Un jour, M. Dumont le surprit qui contemplait avec intérêt une *moisissure* au fond de son encrier, et comme le vieux procureur parut s'étonner de cette sorte d'occupation, notre homme en prit occasion d'enseigner à son patron tout ce qu'il avait appris dans Linnée, Jussieu et de Candolle ; mais le bonhomme ne tarda pas à interrompre le jeune savant pour lui faire remarquer qu'il ne poussait point de cryptogames au fond des encriers, lorsqu'on avait soin de les vider et de les emplir alternativement ; observation dont la justesse était accablante pour le pauvre Charles, qui n'avait pas écrit une ligne depuis plus d'une semaine.

Une autre fois, il tomba sur une *nouvelle*, dans laquelle un jeune homme était devenu éperdument amoureux d'une jeune fille, rien qu'à voir sa silhouette se dessiner le soir sur le mur vis-à-vis de sa demeure ; tout de suite il ne rêva plus que silhouettes. Tous les soirs, de sept à neuf heures, accompagné de son ami Voisin, qui feignait de partager son enthousiasme pour les profils, Charles parcourait la rue Saint-Louis et la rue Saint-Jean, faisant la chasse aux silhouettes. Il faillit devenir amoureux d'une très grosse et très laide épicière dont l'ombre lui apparut un soir entre une caisse de thé et un pain de sucre. Heureusement qu'une visite faite à son comptoir sur-le-champ lui prouva qu'il ne fallait pas toujours prendre les silhouettes au sérieux. Il en fut quitte pour une demi-livre de café qu'il se vit dans l'obligation d'acheter.

Si d'un côté Henri Voisin riait sous cape des extravagances encore très modestes de son futur rival, dont il montait à plaisir l'imagination, d'un autre côté, M. Dumont s'alarmait à bon droit de l'étrange conduite de son clerc, qui n'écrivait que très peu, étudiait encore moins, et lui tenait des discours auxquels lui, homme positif, avait de la peine à trouver le sens commun.

M. Dumont était un avocat de la vieille école, honnête, laborieux, modeste, savant, très *chérant* envers les clients riches, très indulgent envers les pauvres et, au demeurant, le plus intrépide chicanier du barreau. Au physique, c'était un petit homme sec, se redressant de son mieux dans sa petite taille, toujours scrupuleusement vêtu de noir et *cravaté* de blanc, vif, gai, spirituel, lorsqu'il n'était point tracassé par les plaideurs, très brusque et très maussade parfois, et aussi intelligent que le donnait à croire son large front chauve, ses yeux brillants, son nez aquilin, et tout l'ensemble de son expressive physionomie.

Il avait été le compagnon d'études et l'ami intime de M. Guérin et il prenait le plus grand intérêt aux succès de Charles. Quoique très indulgent pour les erreurs et les folies de la jeunesse, M. Dumont ne les considérait que comme un délassement et une diversion et il eût volontiers pardonné à son nouveau clerc quelques escapades semblables à celles que lui-même avouait avoir commises dans son jeune temps, s'il eût montré quelque goût pour la profession, quelque zèle pour la besogne du bureau... Mais lorsqu'il voyait tous les matins, ou plutôt tous les après-midis, M. Charles Guérin arriver à l'étude d'un air soucieux et dégoûté, ne faire d'ouvrage que tout juste ce qu'on lui prescrivait et s'en acquitter très mal, distraire les autres clers, en leur parlant sans cesse littérature, théâtre, musique, botanique et le reste, se jeter, dès qu'il avait un moment à lui, sur quelque roman qu'il cachait sous son pupitre, M. Dumont hochait la tête et disait : voilà un jeune homme qui ne fera rien de bon.

Il délibéra même s'il n'écrirait pas à madame Guérin pour l'informer du peu de dispositions que manifestait monsieur son fils à l'égard de la science profonde du droit, et de la science aussi noble à ses yeux de la procédure : mais par pitié pour la pauvre mère, il avait résolu d'attendre encore quelque temps, lorsqu'il reçut la visite d'un de ses beaux-frères, riche cultivateur d'une des plus belles paroisses du district de Montréal.

M. Jacques Lebrun était resté veuf de bonne heure, avec une fille unique qu'il avait eue de son mariage avec Mlle Dumont. Quelques affaires de succession qu'il avait à régler et le désir de voir la capitale où il n'était jamais venu l'avaient amené à Québec. En entrant dans l'étude de l'avocat, il fut vivement frappé de la physionomie intéressante de Charles, mais il ne tarda pas à remarquer l'air ennuyé et un peu maladif du jeune homme. Comme nos bons habitants déguisent rarement leur pensée, M. Lebrun ne put s'empêcher de dire : " Mon Dieu, voilà un monsieur qui aurait un terrible besoin de la campagne ! Pour le sûr que, s'il bûchait une demi corde de bois tous les matins, il prendrait bien vite meilleure apparence."

Là-dessus, enchanté de trouver un prétexte de se débarrasser pour quelque temps de notre héros dont les manières d'agir lui déplaisaient de plus en plus, et pensant aussi qu'une promenade à la campagne lui rendrait peut-être un peu d'énergie, M. Dumont fit à son beau-frère la proposition d'emmener effectivement avec lui M. Guérin, si toutefois, ajouta-t-il, cela convenait à l'un et à l'autre.

Charles, comme tous les gens romanesques, amateur par-dessus tout du neuf et de l'imprévu, faillit accepter sur-le-champ ; mais comme ce voyage devait être un des premiers actes d'indépendance de sa vie d'étudiant, il demanda une journée pour se décider et résolut de consulter ses amis Jean Guilbault et Henri Voisin.

Le soir même il réunit ce grave aréopage dans sa mansarde, et après *mûr délibéré*, il fut dit, d'une voix unanime, que le voyage se ferait. Nous n'entrerons point trop avant dans les motifs de cette décision en ce qui concerne l'un des trois amis : nous dirons seulement que Jean Guilbault, pour sa part, en envoyant son ami à soixante et quelques lieues de Québec, n'avait point d'autre objet en vue que d'aider à rompre, par une diversion un peu longue, la trame des illusions dangereuses dont il le voyait obsédé.

Comme ils causaient ensemble de leurs goûts et de leurs inclinations, Charles avouait qu'il avait éprouvé un instant une prédilection toute particulière pour l'étude du droit, prédilection qui s'était changée bien vite en une aversion profonde. Henri Voisin assurait, au contraire, que la loi et la procédure lui avaient toujours paru en elles-mêmes des choses détestables, mais qu'il s'y était cependant livré avec ardeur, malgré tous ses dégoûts, ce dont il ne pouvait se rendre compte.

– Je comprends bien cela, dit Jean Guilbault : c'est que toi, Charles, tu travailles par caprice, et toi, Henri, par intérêt.

– Et toi, donc ? dirent-ils tous deux.

– Moi, reprit l'étudiant en médecine, moi ? *je travaille par devoir.*

Seconde partie

I

Marichette

Jacques Lebrun, depuis la mort de sa femme, s'était imposé les plus grands sacrifices pour donner à sa fille unique ce que l'on appelle une bonne éducation ; c'est-à-dire qu'il l'avait renfermée pendant trois ans dans un couvent où, grâce au progrès qu'ont faits ces maisons d'éducation, elle avait appris une foule de choses qui contrastaient singulièrement avec sa position. Ainsi, mademoiselle Marie Lebrun était de première force sur le piano, et elle n'avait à sa disposition d'autre instrument de musique que la chaudière de fer-blanc dont elle se servait pour traire elle-même les vaches de la ferme. Elle s'était donné beaucoup de peine pour apprendre l'anglais, et il ne se trouvait pas autour d'elle une seule personne qui comprît un mot de cette langue. Elle savait broder et peindre, et le jour même de son retour à la maison paternelle, il lui avait fallu se mettre au métier à tisser de la grosse étoffe. Enfin, au couvent, elle avait déclamé *Athalie*, et au village on l'appelait *Marichette*.

Fort heureusement pour la jeune fille, le couvent ne l'avait pas dégoûtée du village. Elle y rapportait un esprit exempt de tout orgueil déplacé, de tout dédain sot et ingrat ; et elle reprit sa place auprès de son père avec autant de candeur, de respect et d'amour, que si elle ne l'eût jamais quittée. Elle sut dissimuler à merveille les premières répugnances qu'elle éprouva involontairement pour les humbles et rudes travaux de la campagne ; elle prit même à tâche d'effacer tout ce qui causait entre elle et ceux qui l'entouraient une disparité choquante, et cela au grand désappointement de son père, qui trouvait fort mal que sa fille ne sût pas mieux faire la *grosse demoiselle*. Ce mécompte était d'ailleurs amplement compensé par le bonheur qu'elle lui procurait. Marichette ne se démentait pas un seul instant : les attentions les plus délicates, la plus naïve soumission, les plus tendres caresses trompaient l'ennui du bon cultivateur, qui se décida à vivre uniquement pour sa fille. Il sortait rarement, et passait les soirées à écouter, bouche béante, les lectures qu'elle lui faisait. Son voyage de Québec créa même quelque étonnement ; une aussi longue absence était tellement en dehors de ses habitudes, qu'elle intrigua vivement toutes les commères de la paroisse. Quant à la pauvre enfant, le départ de son père était pour elle un véritable chagrin, le premier qu'elle éprouvait depuis sa sortie du couvent. Les sept grandes journées qui s'étaient déjà écoulées, et qu'elle avait passées seule avec une vieille voisine, lui avaient paru sept grands mois. Le soir du huitième jour, plus long et plus ennuyeux encore que ceux qui l'avaient précédé, était arrivé, sans ramener celui qu'elle attendait avec une impatience qui devenait de l'inquiétude, car six ou sept jours au plus étaient le temps convenu d'avance pour ce voyage.

On était alors dans le carême, c'est-à-dire au milieu de mars, époque de l'année sur laquelle les prières et les offices lugubres de l'Église, jointes à l'impression qui résulte du premier réveil de la nature, lorsque le printemps qui dans notre climat est si long, commence à poindre lentement, jettent un certain reflet de tristesse que beaucoup de personnes, nous en sommes certain, ont observé avant nous. Assise près de la fenêtre du pignon de la maison, d'où elle pouvait voir de plus loin sur le grand chemin, Marichette profitait des dernières lueurs du crépuscule pour achever une pieuse lecture qu'elle avait commencée à l'église. Si dévote qu'elle fût, on croira sans peine que le moindre bruit attirait son attention. Chaque fois que le tintement grêle et lointain des grelots d'une voiture arrivait jusqu'à elle, la jeune fille appuyait son front sur les vitres et restait là, immobile, jusqu'à ce que le cheval et le traîneau qui s'étaient ainsi annoncés fussent passés près de la maison. Plusieurs voitures passèrent ainsi, les unes après les autres, faisant naître d'abord une espérance qu'elles emportaient en s'éloignant avec cet air froid et insolent qu'on trouve toujours aux choses qui nous contrarient. Lorsqu'il fit tout à fait noir, elle mit son livre de côté, et s'agenouillant sur la tablette de la croisée, elle se prit à regarder fixement au dehors, comme si elle eût voulu percer l'obscurité avec ses regards ; mais elle ne vit rien que de larges flocons de neige qui tombaient, éclairés de distance en distance par la lumière que projetaient les fenêtres des quelques maisons qui bordaient la route. Nul bruit ne se faisait entendre, si ce n'est de temps à autre l'aboiement d'un chien, ou le bruit parfois triste et cadencé, parfois rapide et joyeux des sonnettes des traîneaux, qui passaient toujours, quoique à de plus longs intervalles.

Dans toute autre circonstance, cette scène peu récréative aurait été bien propre à attrister la jeune fille ; mais si l'on songe que, prédisposée comme elle l'était d'ailleurs, si l'on excepte la vieille voisine, qui marmottait son chapelet, et le chien de la maison qui ronflait roulé sur lui-même près du foyer, elle était seule avec son ennui et son inquiétude croissante, on trouvera bien naturel de la voir donner un libre cours à ses larmes ; ce qui ne dérangea pas le moins du monde ni le chien dans son sommeil, ni la vieille voisine dans sa prière.

Il y avait longtemps que la pauvre Marichette pleurait, lorsque tout à coup, Castor (c'était le nom du chien) fit entendre une sorte de grognement joyeux et courut vivement vers la porte. Il n'en fallut pas davantage : Marichette s'élança à sa suite, et dans un clin d'œil, sans tenir compte de l'obscurité et de la neige, elle se trouva, sans autres vêtements que son mantelet et sa jupe, à courir sur la grande route en compagnie de Castor, qui tantôt la précédait et tantôt la suivait. Au bout de quelques arpents, elle s'arrêta, et jeta à son compagnon un regard de reproche, que celui-ci comprit à merveille, car il s'arrêta aussi lui, et après avoir flairé un instant, il recommença à courir, se retournant de temps à autre pour inviter sa maîtresse à le suivre.

Comme pour rendre justice à l'instinct de la bête, un bruit de sonnettes à peine perceptible parvint alors à l'oreille attentive de la jeune fille : elle se remit en chemin, pleine d'espérance, hâtant le pas à mesure que le bruit devenait plus distinct. Jugez de son désappointement lorsque à un détour de la route, elle aperçut deux personnes au lieu d'une dans la voiture si impatiemment attendue ! Par bonheur, ce dernier contretemps ne fut pas de longue durée.

– Marichette ! Marichette ! Quand on pense que c'est Marichette ! s'écria une voix bien connue…

Sans prendre garde à l'étranger qui accompagnait son père, la pauvre enfant, tremblante de joie, sauta dans le traîneau, et Castor non moins joyeux qu'elle en fit autant de son côté.

– Allons ! allons ! nous allons être une fameuse *carriolée*, bêtes et gens… par chance qu'il n'y a pas loin. Tiens, c'est vrai ! Excusez ma petite Marichette, monsieur Guérin. Elle a été joliment poussée aux études pour une *créature*, mais elle est sans gêne : elle ne connaît pas les façons du grand monde.

Il ne fallait pas moins que cette apologie en forme, pour faire sentir à la jeune fille la présence du tiers malencontreux que son père venait de nommer. Elle se retourna vivement pour voir qui était ce M. Guérin, à qui on la présentait d'une manière si peu avantageuse ; mais l'étudiant était tellement enveloppé dans une épaisse robe de buffle, dont le capuchon lui recouvrait entièrement la figure, qu'il était tout à fait impossible de se faire une idée de ce personnage. Cependant, pour la première fois de sa vie, elle eut honte de s'entendre appeler Marichette ; ce nom lui parut avec raison un sobriquet peu élégant. L'étranger

97

ne répondit pas un mot aux paroles que Jacques Lebrun lui avait adressées, et cela pour la meilleure raison du monde : la fatigue du voyage, l'obscurité, le bruit monotone de la voiture, et le peu d'intérêt qu'il trouvait à la conversation de son compagnon, avaient endormi notre héros si profondément, qu'il n'avait eu aucune connaissance de ce qui venait de se passer. Marichette put donc gronder son père tout à son aise, sur la longueur prolongée de son absence ; et celui-ci put donner à sa fille toutes les explications possibles, qui cependant ne le justifièrent pas tout à fait.

À la porte de la ferme il fallut réveiller, non sans quelque difficulté, le monsieur *de la ville*, et presque le tirer du traîneau, où le retenaient ses fourrures appesanties par la neige. Une fois dans la maison, Jacques Lebrun crut devoir réitérer à peu près dans les mêmes termes la présentation de sa fille. L'étudiant, tout en se frottant les yeux, répondit à peine par un salut nonchalant et distrait aux très belles et très savantes révérences que s'empressa de lui faire la *petite habitante*. Sur un ordre de son papa, Marichette, avec la meilleure grâce possible, aida l'étranger à se débarrasser de son lourd capot, service pour lequel elle n'obtint pas un seul mot de remerciement. Voilà, pensa-t-elle, un monsieur qui, avec ou sans sa peau de bête, a joliment l'air d'un ours mal léché. Si cela doit continuer, papa aurait aussi bien fait de le laisser où il était.

Comme pour justifier ce premier jugement porté sur son compte, la conduite de Charles pendant le repas qu'on lui fit prendre, et jusqu'au moment où il jugea à propos de se retirer dans la petite chambre qui fut préparée pour lui, fut non seulement exempte de toute galanterie, mais même très blessante pour la fille de son hôte, dont il parut ne pas faire plus de cas que si elle eût été la servante de la maison. Bien loin cependant de se montrer maussade, il lui aurait fallu, au contraire, déployer beaucoup d'amabilité pour se faire pardonner sa présence, dans un moment où le père et la fille se revoyaient après ce qu'ils croyaient naïvement une longue absence, et où ils avaient tant de choses à se dire.

Jacques Lebrun, très fatigué lui-même, mit l'impolitesse du jeune homme sur le compte de la fatigue et du sommeil qui l'accablaient. En cela il se montrait bien indulgent, car il y avait, outre ces deux causes, un peu de mauvaise volonté chez notre héros. Charles était parti pour la campagne avec l'intention bien arrêtée d'y changer tout à fait de régime, au moral comme au physique. Il voulait substituer pendant quelque temps le travail du corps à celui de l'âme, se donner beaucoup d'exercice, et faire le moins de frais possible en fait d'imagination et de sentiment. C'était là son dernier caprice du moment, et il y tenait plus qu'à tous ceux qui avaient précédé. Il n'avait emporté avec lui que quelques livres de science bien arides, quoiqu'ils n'eussent point trait à la jurisprudence, et il se proposait de les feuilleter, lorsqu'il ne pourrait pas aller bûcher dans la forêt. Il avait laissé à la ville, à dessein, toute sa bibliothèque de romans ; et il fut horriblement choqué de trouver, toute rendue au terme de son voyage, ce qui ressemblait beaucoup à une héroïne en chair et en os, une petite paysanne à prétentions, qu'on lui disait instruite, et que, pour comble de malheur, il ne put s'empêcher de trouver jolie. Il jugea tout de suite que le seul moyen de tenir à son projet, c'était d'éviter tout rapport avec cette jeune personne, qu'il considérait d'ailleurs comme bien au-dessous de lui.

On sait combien les familles riches et distinguées établies dans les campagnes, se pensent supérieures aux habitants qui les entourent. Le père de Charles n'était pas sorti, comme on dit, de la cuisse de Jupiter ; cependant la position que l'honnête marchand s'était faite, et l'éducation qu'il avait eue, l'avaient mis en droit de tenir ses voisins à une respectueuse distance. Depuis sa mort, loin de s'affaiblir, l'orgueil de sa famille s'était accru. Madame Guérin avait, pour son propre compte, quelques prétentions à la noblesse, et la décadence de sa fortune, par une réaction bien légitime, exagérait chez elle le sentiment de sa dignité. Ses enfants, qu'elle ne voulait pas voir complètement déchus, avaient été élevés dans des idées presque aristocratiques. Cela explique comment notre héros, campagnard lui-même, aurait cru déroger en portant des attentions à la fille d'un habitant, si bien élevée et si gentille qu'elle fût.

De son côté. Marichette n'ignorait point ce qu'elle valait. Toute bonne princesse qu'elle se montrât dans son village, elle appréciait parfaitement la grande distance qu'il y avait entre elle et ceux qui l'entouraient. Elle avait refusé, sous un honnête prétexte, la main d'un jeune homme qui passait pour un des meilleurs partis de la paroisse. Ses prétentions n'allaient pas jusqu'à vouloir exclusivement d'un *monsieur de la ville* ; mais elle aimait à croire à la possibilité d'un mariage où le chef de la communauté n'aurait pas été de beaucoup inférieur à son associée. Le peu de cas que faisait d'elle le premier jeune homme instruit qu'elle rencontrait, l'humiliait donc cruellement. C'était prendre au fond de son âme une illusion qu'elle y cachait, qu'elle n'osait s'avouer à elle-même, et la détruire à ses yeux avec un froid mépris.

Rentrée dans sa chambre, la pauvre petite oublia presque la joie que lui avait fait éprouver le retour de son père, pour se livrer à sa mauvaise humeur. La dissonance qui existait entre une moitié d'elle-même et l'autre moitié, entre l'acteur et la scène, entre le tableau et le cadre, entre la culture de son intelligence et les manières pour bien dire incultes qu'elle avait substituées de bonne grâce à celles qu'on lui avait enseignées, se présenta plus vivement que jamais à son esprit. La rusticité de ses vêtements, de sa demeure, de son nom, de son langage, qu'elle avait altérés à dessein, lui parurent un odieux travestissement : elle eut honte d'elle-même, et faut-il le dire ? encore un peu, et elle allait avoir honte de son père. Heureusement cette pensée lui parut si monstrueuse, quoiqu'elle ne fit que l'entrevoir à peine, que son cœur et son esprit, engagés dans une mauvaise voie, rebroussèrent chemin tout à coup. Sa vanité avait déjà pris des proportions si gigantesques qu'elle en eut peur. Elle essuya quelques larmes qui avaient commencé à couler le long de ses joues, et se promit de rendre au nouveau venu mépris pour mépris, et, comme elle le disait tout bas avec un petit air mutin que nous voudrions pouvoir peindre, *gestes pour gestes, grimace pour grimace*. Il y avait réaction de l'orgueil sur la vanité, et la dignité féminine, qui se compose de l'équilibre de ces deux ingrédients, s'en retirait saine et sauve pour le quart d'heure.

Le lendemain, Marichette ne fit pas autrement que s'il n'y avait pas eu le moindre étranger à la maison. Charles qui, par parenthèse, se leva vers midi, put, tout en faisant sa toilette, voir la demoiselle Lebrun, dans le costume le moins recherché, courir de la maison à la grange, de la grange à l'étable, de l'étable à la laiterie, de la laiterie à la demeure peu élégante du plus prosaïque de tous les quadrupèdes, et cela avec une alacrité et une gaieté qui ne trahissaient certainement pas le moindre dégoût.

Voilà, pensa-t-il, une jeune fille qui a bien du mérite. Au moins, puisque je ne veux pas me compromettre avec elle, il faudra que je tâche d'être convenable à son égard. Cette concession faite en lui-même, l'étudiant sortit de sa chambre, aussi beau, aussi frais que les instruments de toilette à sa disposition lui avaient permis de se faire, et daigna porter ses pas vers la première pièce de la maison, qui servait de cuisine et de salle d'entrée, et bien souvent de salle à manger, comme c'est le cas partout dans nos campagnes.

Marichette venait de rentrer. Elle avait perdu le moins de temps possible, et déjà elle était assise sur une chaise avec une autre chaise devant elle, occupée à tailler de petites tranches de pain qui devaient faire partie de la *soupe aux pois* de rigueur. L'attitude qu'elle avait, était tellement dépourvue de toute grâce et de toute coquetterie, que, pour la conserver en présence du jeune homme, il lui fallait un courage que nos lectrices apprécieront, nous en sommes certains.

Charles, avec un air tout à fait bienveillant, lui adressa quelques phrases banales sur le trouble qu'elle se donnait, compliments auxquels elle répondit en s'informant poliment de sa santé, sans toutefois lever à peine les yeux de sur le panier de bois dans lequel elle faisait tomber, une à une, les petites tranches de pain.

La vieille voisine avait été retenue à la ferme par une prudence bien louable de la part du maître de la maison. Cette duègne d'une nouvelle espèce crut faire plaisir à la jeune fille en lui offrant de se charger de toute sa besogne, *pour qu'elle pût jaser plus à son aise avec le beau monsieur qui voulait lui faire la cour.* Cette proposition, faite à voix basse, fut accueillie par un froncement de sourcil et une petite moue très significative.

Charles essaya plusieurs sujets de causerie : il reçut à chacune de ses phrases une réponse parfaitement convenable ; mais pas un mot qui tendît à prolonger ou à ranimer la conversation. – Après un petit quart d'heure, il abandonna la partie et se retira dans une fenêtre, où il se mit à battre la mesure sur les vitres, en même temps qu'il fredonnait quelques couplets entre ses dents. De fenêtre en fenêtre, il fit ainsi le tour de la maison. Il en était rendu à la dernière fenêtre et à son dernier couplet, lorsque la vieille femme vint lui dire que le dîner était servi. Il se retourna et fut tout surpris de voir, dans la principale chambre où il était, une table très proprement mise, mais avec un seul couvert.

– Où est M. Lebrun, demanda-t-il ?

– Il est allé au bois.

– Il m'avait promis de m'emmener.

– Ah ben oui, c'était ben aisé aussi de vous emmener ; il aurait donc fallu emporter vot'lit. J'avons été cinq ou six fois pour vous réveiller, et vous nous avez parlé de toutes sortes de choses ous'que j'avons pas compris un mot ni une parole.

– C'est bon,… mais la demoiselle, est-ce qu'elle ne dîne pas ?

– Mam'zelle Marichette ? Sûrement qu'elle dînera avec nous autres. Seigneur de Dieu, que c'est pas fière c'te créature-là ! Ç'a pourtant été indiqué comme c'est rare. Ça chante comme un rossignol, ça coud, épi ça brode, épi ça file, épi ça tricote comme une invention. Ça lit dans les plus gros livres, ça sait son catéchisme mieux qu'aucun curé ;… épi ça jase, épi ça prêche, épi…

– C'est superbe, la vieille, mais *ça doit manger aussi.* Pourquoi ne dîne-t-elle pas avec moi ?

– C'est c'que j'y avons dit ;… mais c'est si peu fier, vous voyez ben… j'cré qu'elle estime mieux manger avé moé et les deux engagés, comme j'avons coutume.

– Où est-elle donc ?

– Elle est sortie pour aller joliment loin, d'ousqu'elle reviendra pas avant une heure. Vot'soupe va frédir ; ça s'rait ben dommage, mam'zelle Marichette arrange si ben l'ordinaire. C'est pas comme ces p'tites fillettes qu'ça fait les fières, épi qu'ça s'marie qu'ça sait tant seulement pas faire la soupe : comme par exemple la fille à…

– Mais c'est qu'elle doit avoir des prétendants en nombre, dites donc, la bonne ?

– Jour du ciel ! que'qu'vous dites là ? Si elle voulait s'amuser aux garçons, la maison vid'rait pas. Elle a refusé Louison Martin, l'fils du meunier, et l'garçon au bonhomme Richard,… qu'c'est ben nommé *richard* ; car ça vous a des piastres à plein coffre… si c'était pas si crasseux, sauf vot'respecte, ça roul'rait-y un peu ces gens-là !… J'avons encore refusé le petit Jean,… le clerc notaire, et jusqu'au bedeau, qu'est veuf avé trois enfants, qu'est ben venu faire la grand-demande ;… parce que j'avons tant ri,… j'avons tant ri !

– C'est qu'elle n'aime pas les garçons, apparemment ?

– Ah quequ'vous dites là, mon bon monsieur ? mais c'est dévot comme un ange c't enfant-là ! Par exemple quand elle aura dîné, elle prendra son beau livre de prières, épi elle ira passer l'après-dînée dans l'église… Mais pourtant… vous comprenez ben… qu'c'est pas à dire que mam'zelle Marichette s'marierait pas. Dame, si ça s'adonnait… quequ'un qui serait ben genti, épi qu'aurait ben dl'inducation, épi un bon comportement,… je dis pas qu'y aurait pas un'chance ;… mais c'est pas les jeunesses de par icite qu'auront c'te chance-là.

La vieille et loquace voisine continua ainsi à chanter les louanges de mam'zelle Marichette jusqu'à l'épuisement de ses facultés oratoires, et bien longtemps après qu'elle eut lassé l'attention de son auditeur.

Tout en savourant le potage, qui soutint à merveille la réputation qu'on venait de lui faire, Charles apprenait ainsi bien des choses qu'il aimait à savoir, sans compter toutes celles dont il ne s'inquiétait guères. Le programme tracé par la voisine s'accomplit du reste à la lettre. Marichette ne rentra qu'une heure après, dîna bien à la hâte et alla passer l'après-midi tout entière à l'église. Cela était aussi peu compromettant que notre héros pouvait le désirer ; en même temps, c'était peut-être un peu plus ennuyeux qu'il ne l'aurait voulu. Il se décida à sortir, mais la couche de neige trop molle qui venait de tomber, ne lui permit pas de faire une bien longue excursion. L'après-midi passa lentement ; Jacques Lebrun revint du bois très tard et il fut obligé de promettre à son hôte de l'emmener avec lui le lendemain, dût-il l'enlever endormi et le conduire dans son traîneau.

On est toujours porté à s'en prendre aux autres des mécomptes qui nous arrivent ; Charles était presque fâché contre la jeune fille pour l'ennui qu'elle lui avait laissé éprouver. Il oublia qu'elle ne faisait que tenir la conduite qu'il s'était prescrite à lui-même. Il pensait qu'il devait être, après tout, bien peu aimable, puisqu'il avait fait si peu d'impression sur cette petite *habitante* ; il s'étonnait de voir qu'elle ne fît point plus d'attention à lui qu'aux jeunes gens sans instruction qui lui avaient fait la cour ; son amour-propre en souffrait, et il était assez injuste pour ne pas songer qu'il l'avait dédaignée le premier, et que Marichette n'était pas autre à son égard qu'il ne l'avait souhaité en la voyant.

II
La mi-carême

Écoutez donc, vous autres, savez-vous que j'avons un grand personnage dans la paroisse ?

– Quoi, c'te p'tite jeunesse que Jacques Lebrun a amenée de la ville ?

– Justement. On dit qu'il va s'marier avec Marichette

– Pas si bête, Lebrun, d'aller comme ça chercher un mari à sa fille…

– Écoute donc, papa ; c'te année, c'est les filles qui d'mandent les garçons. Quand t'iras en ville, tu m'en apporteras un !

– Tiens, voyez donc… c'te Françoise, comme c'est espiègle !

– C'est beau d'voir comme la Marichette se rengorge.

– Excusez. C'est pu Marichette, pas en toute… c'est mam'zelle Marie, gros comme le bras.

– Mademoiselle Marie Lebrun, si vous plé !

– Elle a laissé la p'tite jupe de *dragué*, et le mantelet *d'inguienne*.

– Elle faraude comme un'grand'dame.

– Elle ne met plus *d'câlines* ; elle se coiffe en ch'veux.

– Comm'si l'bon Dieu nous avait pas tous coiffés de même !

– Elle travaille pu, pas en toute. C'est la mère Paquet qui fait tout le train d'la maison et du dehors.

– Elle doit en suer, la vieille. Mais c'est égal ; j'suis sûre qu'elle trouve ben encore l'moyen de jaser. Elle en a un moulinet !

– C'te Marichette ! J'm'étonne pas, avec son p'tit air doucereux, qu'elle trouvait toujours des si bonnes raisons pour r'fuser les garçons.

– Ça s'pourrait ben qu'elle s'en mordrait les pouces.

– Et les doigts avec !

105

– Ça s'pourrait ben, en effette !

– Qu'est-ce qui sait c'que c'est que c'te trouvaille que son père a été faire en ville ?

– Après tout, c'est p't'être ben rien d'bon.

– Queuqu'p'tit *commichon* !

– Queuqu'sauteu d'escaliers !

– Queuqu'polisson !

– L'fils de queuqu'banqueroutier anglais !

– Queuqu'*restant* de la ville !

– Queuqu'mauvais sujet dont les parents n'savent qu'en faire !

– Queuqu'rien qui vaille !

– J'allons voir ça tantôt.

– Vous les avez invités, père Morelle, n'est-ce pas ?

– C'est bien sûr. Faut-il pas avoir toute sorte de monde pour s'amuser comme il faut ?

– C'est ça. S'ils pensent faire des gestes, par exemple, je promets ben que j'leu-z-en f'rons rabattre un peu.

– Soyez tranquilles, vous aut', je les mettrai à leur place.

– Et moé aussi !

– Épi moé itout !

– Épi moé d'même !

– Dites rien. Y'aura moyen, s'ils veulent tirer du grand, d'leu jouer queuqu'bon tour.

– Vous trouvez pas qu'Jacques Lebrun est pas mal fou d'laisser sa fille toute seule avec ce gibier-là ?

– Dame, c'est pas trop édifiant. Not'curé a pourtant fait un fameux sermon su l'compte des amoureux, l'aut'dimanche.

– Dites donc, mère Tremblay, est-ce que vous les avez pas vus passer rien qu'tous les deux en voiture ?

– Jour du ciel ! n'm'en parlez pas. Il y parlait quasiment l'visage dans son chapeau. Queu scandale ? Épi ils allaient d'un train... d'un train.

– Pas trop laid pour c'te p'tite dévote, qu'on y aurait donné l'bon Dieu sans confession.

– Faites donc induquer vos enfants après ça !

106

– C'est joliment risqué, c'te créature-là ; hein, père Morelle, qu'en dites-vous ?

– Dame ! *tant va la cruche à l'eau qu'à la fin elle se casse*, comme dit le proverbe.

– Ah ben, puisque vous parlez d'cruches, faut qu'Jacques Lebrun en soit un'fameuse, lui qu'a rien qu'ça d'enfant !

Ce qui précède n'est qu'un fragment bien imparfait de la conversation qui se tenait quatre ou cinq jours après l'arrivée de Charles dans la paroisse, chez le père Morelle, riche habitant de l'endroit, le soir du dimanche de la *mi-carême*.

Les différents interlocuteurs dont nous avons rapporté les paroles aussi textuellement que nous l'avons pu, étaient :

D'abord, le père Morelle lui-même, gravement assis dans un grand fauteuil de bois près de la cheminée, sa pipe à la bouche, n'ôtant sa tuque bleue que pour saluer chaque nouvel invité à mesure qu'il entrait, et laissant tomber avec une bonhomie pleine d'insouciance les quelques phrases qu'il mêlait à la conversation.

Puis ensuite, les deux demoiselles Morelle, grandes, minces, noires et laides, justifiant pleinement, par leur extérieur et leur caquet, les garçons du village, qui leur avaient permis d'atteindre dans le célibat l'âge respectable de trente-sept et de trente-huit ans.

Puis, assis ensemble sur un large coffre bleu (classique témoin de tous les amours de la campagne), le *garçon au bonhomme Richard* (le même que Marichette avait refusé), et la petite Rose Tremblay, sa première *blonde*, qu'il avait abandonnée pour Marichette, et auprès de laquelle il avait été bien venu de nouveau, après avoir été éconduit par sa rivale…

Puis la mère Tremblay qui trouvait, comme de raison, beaucoup à redire sur le compte de toutes les jeunes filles de la paroisse, la sienne exceptée.

Puis enfin, et ce n'était assurément pas, de tous ces personnages, ni le moins joyeux, ni le plus charitable, le bedeau de la paroisse, qui n'avait pas encore pu trouver à se remarier.

En attendant une compagnie beaucoup plus nombreuse que le père Morelle avait invitée à fêter avec lui la *mi-carême*, ces braves gens s'amusaient à médire de tout le monde en général, et de Marichette et du jeune étranger en particulier, signe certain de la sensation profonde qu'avait causée dans l'endroit l'arrivée de ce dernier.

La salle où se réunissaient les conviés du père Morelle était éclairée d'abord par la lumière qui s'échappait de la porte, des fentes et du tuyau d'un grand poêle en fer *à deux étages*, chauffé presque au rouge ; et ensuite par la lumière beaucoup moins vive que donnait une vieille lampe de terre cuite, en forme de navette, clouée au bord d'une des poutres et dont la mèche fumante n'était séparée du plafond que de la distance que mesurait la saillie de la poutre.

Sur le poêle, et dans le fourneau du poêle, on pouvait admirer d'énormes chaudrons remplis de mélasse et de sirop d'érable qui bouillonnaient avec un grésillement tout à fait appétissant. La maîtresse du logis elle-même agitait de temps à autre avec une large cuillère de bois, la précieuse liqueur de plus en plus épaisse, mais qui n'avait pas encore atteint le degré de consistance et de ductilité requis pour la métamorphose qu'on se proposait de lui faire subir. Deux enfants accroupis sur leurs talons près du poêle, suivaient avec un intérêt tout particulier la cuisson de la mélasse et se seraient laissé rôtir plutôt que de perdre de vue un des mouvements de la mère Morelle.

Le poêle, le grand fauteuil de bois, le coffre bleu dont nous avons parlé, avec une huche à mettre le pain, une table à jambes croisées et quelques chaises bien basses, formaient tout l'ameublement de cette première pièce. Au plafond, sur des perches clouées transversalement aux poutres comme un second plancher, de longs fouets, des lignes pour la pêche, deux fusils de chasse, et deux violons avec leurs archets, étaient étendus avec une précaution qui prouvait que c'étaient là les objets favoris des *garçons* du père Morelle. Les fusils et les violons, avec un peu de bonne volonté, pouvaient rappeler la lance d'Ajax et la lyre de Tyrtée.

La seconde pièce ne recevait de lumière que de la première et de la troisième. C'était une salle à peu près vide, sauf deux lits parés, dont l'éblouissante blancheur tranchait dans le clair-obscur. Les trois chambres contiguës avaient leurs portes sur une même ligne, de sorte que de la première on pouvait apercevoir dans la troisième, illuminée par plusieurs chandelles, une longue table dressée avec un luxe de vaisselle qu'on ne trouve point chez les cultivateurs d'aucun autre pays. Le père Morelle avait ainsi, *salon de réception, salle de danse* au besoin, et *salle à manger*. Que peut-on exiger de plus, même de l'hôte le plus aristocratiquement situé ?

Les convives arrivaient les uns après les autres, secouant la neige de leurs vêtements, et échangeant ensemble des quolibets plus ou moins heureux sur la vitesse de leurs chevaux. La gaieté était déjà devenue si bruyante, qu'il n'y avait presque plus moyen de s'entendre, lorsque la porte s'ouvrit pour laisser entrer Marichette, et le *Monsieur de la ville* qui passait pour son *cavalier*.

Aussitôt chacun se tut, autant par curiosité que par politesse. Le père Morelle se leva, éteignit sa pipe avec son doigt, la serra précieusement avec sa blague de peau de loup marin, mit sa tuque sous son bras et, s'avançant vers le jeune étranger, lui serra cordialement la main.

– Monsieur, dit-il, vous êtes le bienvenu. Vous escuserais le peu qu'y aura. Ma bonne femme, mes deux filles, et mes deux garçons que v'la, j'f'rons de not'possible pour vous ben divertir. Et j'espérons que toute la compagne qu'est icit', qui sont tous d'nos voisins et de nos bons amis, feront comme nous autres.

Si Charles et Marichette avaient pu comparer le petit bout de conversation que nous avons rapporté en commençant ce chapitre, avec l'accueil bienveillant que leur faisait le père Morelle et que tout le monde leur fit à son exemple, ils en auraient conclu que, au village comme à la cour, les absents seuls ont tort. Il y avait cependant autant de sincérité dans les compliments qu'il y en avait eu dans les critiques ; celles-ci du reste n'étaient que comminatoires et il dépendait de notre héros de leur donner tort ou raison. Quelques saluts gracieux, quelques bonnes poignées de main, quelques propos gais et sans gêne, lui auraient concilié tout de suite ceux mêmes qui avaient fait sur son compte les suppositions les moins charitables. Mais soit fierté, soit gaucherie ou distraction, Charles ne répondit à l'accueil de ces braves gens que par une civilité froide et guindée.

– Ah çà, ma bonn'femme, dit le père Morelle, à c't'heure que tous nos gens sont rendus, j'allons tâcher de s'mouver et d'avancer à queuqu'chose. J'allons nous rendre dans la p'tite chambre là-bas, ous'qu'il y a un coup et une croûte qui nous attendent ; pendant c'temps-là, les jeunesses qui resteront icit'vont s'mouver à faire *la tire*, parce que une mi-carême ou une Sainte-Catherine *sans tire*, ç'aurait guère plus d'bon sens qu'un jour de Pâques en maigre.

Là-dessus, le vieillard offrit galamment la main à la mère Tremblay, et, avec non moins de grâce qu'en eût déployé en pareille occasion un seigneur de la cour de Louis XIV, il la conduisit à table.

Le *coup et la croûte* dont il parlait si à son aise, consistaient en un souper où tout était servi avec profusion ; les énormes pâtés au poisson, les galettes appétissantes, les tartes de toute espèce, les ragoûts et les plats de *fricassée* gigantesques se pressaient sur la nappe et furent bientôt rejoints par les *crêpes*, que l'on apportait toutes bouillantes au sortir de la poêle. C'étaient de véritables noces de Gamache, excepté toutefois que Sancho Pança n'y aurait pas *écumé la moindre poularde*, attendu que tout était scrupuleusement conforme à l'observance du carême. Le petit coup de bon rhum de la Jamaïque n'était pas oublié, et il y avait même à chaque extrémité de la table deux belles carafes pleines d'un vin blanc que le bedeau assura valoir celui dont le curé se servait pour dire sa messe.

La partie la plus mûre de la société s'était placée à table, et par une exception faite en sa faveur, Charles, sur l'invitation expresse du père Morelle, s'était assis auprès de Mlle Lebrun, qui, elle aussi, se trouvait ainsi séparée d'avec les autres jeunes personnes.

Les deux salles, celle où se donnait le repas, et celle où se faisait la *tire*, prirent bientôt l'aspect le plus gai et le plus animé. Dans l'une, c'étaient le choc joyeux des verres et des assiettes, les bons mots, les saillies heureuses, les bonnes vieilles histoires et les bonnes vieilles chansons du bon vieux temps. Dans l'autre, c'étaient les éclats de rire des jeunes garçons et des jeunes filles qui, tout barbouillés de mélasse, se poursuivaient et s'agaçaient avec de longues *filasses de tire* semblables à des écheveaux de fils d'or et d'argent. On se poussait, on se pinçait, on se jetait de la neige que l'on allait chercher dehors, on se faisait des *niches* de toute espèce, on se donnait des chiquenaudes et des coups à rompre bras et jambes ; et plus on s'aimait, plus on se maltraitait ; car c'est ainsi que l'on comprend l'amour dans nos campagnes.

Quand la *tire* fut bien tressée et coupée par petits bâtons, disposés symétriquement sur de grands plats de faïence, on la porta comme en triomphe dans la salle du festin. Il n'est pas besoin de dire que l'apparition du mets que le père Morelle considérait avec raison comme la partie essentielle et le trait caractéristique de la fête, et le renfort puissant que présentait une douzaine de jeunes personnes en bon train de faire du vacarme, portèrent à son comble la bruyante gaieté de tous les convives.

Deux personnes restaient à peu près étrangères à toutes ces joies. Charles, à la grande surprise de tout le monde, ne répondait que par des monosyllabes à tout ce que lui disait sa charmante voisine. Il refusa obstinément de boire un seul verre de rhum : à peine daigna-t-il tremper ses lèvres dans un verre de vin pour trinquer avec le père Morelle. Il ne mangeait guère plus qu'il ne buvait, et, prié de chanter, il s'en défendit jusqu'au bout, malgré les vives instances de toutes les bouches, qui n'étaient en cela que les interprètes de toutes les oreilles, désireuses on ne peut plus de savoir comment devait chanter un personnage tel que celui-là.

Marichette, malgré toute sa bonne volonté d'être aimable, partageait un peu la mélancolie du jeune homme ; elle avait beau s'efforcer de rire des moindres choses qui se disaient et répondre le plus vivement du monde à toutes les agaceries dont elle était l'objet, il lui arrivait souvent de trahir sa préoccupation par un regard triste et furtif ou par un froncement de sourcils involontaire.

Cela n'échappa point au père Morelle, observateur comme le sont tous les hommes d'expérience.

– Regarde donc, Jérôme, dit-il à voix basse à l'un de ses fils placé près de lui, comme c'te pauvre p'tite Marichette a l'air en peine à côté de c'butor... c'est un butor, va !... Ça n'boit, ni ça n'parle, ni ça n'chante, ni ça n'mange, ni ça n'fait rien qui vaille. Ça m'a l'air d'un fameux sournois. Être si près d'un'jolie p'tite créature de même et pas en faire plus de cas ! Car elle n'est pas *indifférente* la Marichette ! Sacristi ! Jérôme, si j'étions à son âge et à sa place, à c'morveux-là !

– Vous avez raison, not'père... J'ai-t-i pas rencontré c't'original-là qui marchait dans la neige sans raquettes ;... il en avait jusqu'aux genoux. Hier qu'y faisait si mauvé, a-t-i pas passé à ch'val au grand galop ! A-t-on jamais vu, aller à ch'val quand on a ben d'la peine à résister dans un'voiture ! Épi Jacques Lebrun m'a dit qu'dans l'bois, quand i'y a été avé lui, i's'mettait à parler tout seul à pleine tête, quasiment comme s'il eût prêché... Y a pas à dire... il a queuqu'chose icite qui n'va pas ben !

Et en disant cela, le brave Jérôme se frappait légèrement le front avec le doigt. Il allait continuer, lorsque trois coups vigoureusement frappés à la porte firent tressaillir tous les convives.

– Ouvrez à la *mi-carême* ! ouvrez donc ! fit entendre du dehors une petite voix nasillarde et évidemment contrefaite.

– Oui, oui, ouvrons à la *mi-carême* ! dirent tous nos gens en se levant de table.

– Voyons, la mi-carême, comment es-tu faite c't'année ? Veux-tu un p'tit coup d'rhum, pauvre vieille, pour te réchauffer ?

– C'est pas de refus, père Morelle. J'sommes ben fatiguée. J'marchons sans arrêter depuis l'Mercredi des Cendres... Vous avez trouvé que j'mettions ben du temps à v'nir, vous autres, hein, les jeunesses ? Mais c'est égal. Ceuze-là qui m'ont-z-attendue avé patience, j'vas les récompenser,… et ceuze-là qui ont pas voulu m'attendre, vont s'en repentir. On va voir tout ça tantôt. En attendant, père Morelle, le p'tit coup, si vous plé !

Le personnage allégorique qui s'exprimait ainsi était une vieille femme littéralement courbée en deux et dont on découvrait difficilement le visage au fond d'un vieux chapeau en forme d'entonnoir, lequel avait dû servir à quelqu'un de ces mannequins que l'on met dans les jardins pour en éloigner les oiseaux. Elle marchait appuyée sur un gros bâton ferré et portait une énorme poche sur son dos. Le plus apparent de son costume consistait en un affreux assemblage de torchons de cuisine et de guenilles de toute espèce, auxquels étaient suspendues des queues et des arêtes de poisson. Le peu que l'on voyait de son visage était tout barbouillé de jus de tabac et une paire de lunettes sans vitres, à cheval sur un nez déjà bien grotesque par lui-même, complétait cette étrange toilette. De francs et fous éclats de rire accueillirent cette réjouissante apparition, et la *mi-carême* seule dut conserver un sérieux imperturbable.

Le petit coup de rhum une fois pris, elle s'avança, balayant presque le plancher avec les bords de son immense chapeau, jusqu'à Marichette, et déposant à ses pieds la besace toute trouée qu'elle avait sur le dos, elle en tira un beau *cornet* de papier blanc : " Tenez, mam'zelle Marichette, dit-elle, l'bon Dieu, vot'papa, épi moé, j'sommes satisfaits de vous comme c'est rare. Vous avez pas manqué au maigre un'seule foé ; même qu'y a qu'vous devriez pas jeûner si souvent, car ça endommage notablement vot'santé… Ça pourrait vous ôter vos belles couleurs et y a d'aucun p'tit frisé de la ville qui pourraient ben le trouver à r'dire… Mais par exemple vous en avez ben qu'trop à c't'heure des couleurs… Voyons, voyons, vous fâchez pas contre la *mi-carême*, qui vient de ben loin pour vous apporter ce beau cornet, ous'qu'il y a du sucre, des dragées et toutes sortes de bonnes choses.

Cette allocution, débitée avec les gestes les plus comiques, eut, comme on peut bien le croire, un succès prodigieux, qui ne fut rien cependant, comparé aux applaudissements qu'obtint le discours suivant adressé au *frisé de la ville* : " Ah çà, toé, j'cré que j'devrais t'donner plus qu'un cornet de dragées. Après tout j'suis qu'la *mi-carême*, et avec ton air de mauvaise humeur et la face pâle, t'as ben d'l'air d'être un carême tout du long ! … T'as beau faire le fier, va ; j'te connais ben, et j'sais ben qu'en ville tu t'te gênes pas de manger du lard avant l'jour de Pâques… Tu fais la grimace, hein ?… mais j'm'en moque pas mal ! J'ai vu d'plus gros messieus qu'toé… et j'en verrai encore ben d'autres ; car tu sauras que j'suis v'nue au monde du temps des apôtres et que j'roulerai tant que l'monde s'ra monde… C'pendant comme t'as fait un fameux bout d'carême c't'année, grâce à mam'zelle Marichette, je vais toujours ben t'donner un *cornet*, à toé aussi. Seulement il faut qu'tu m'embrasses !

Nous ne saurions donner une idée de la joie que causa cette proposition à toute la compagnie.

– En v'la-t-il un'fameuse farce !

– Va-t-i en avaler du tabac, l'messieu !

– J'estimerais ben autant embrasser n'importe quoi !

– Farçeuse de mi-carême, va !

– Tiens ! i s'décide… i va l'embrasser !

– Non, il l'embrassera pas !

– Gageons un'bouteille de rhum qu'il l'embrassera pas !

– Gageons en effette !

– Cré vieille sorcière, va !

– Perdue la bouteille :… le v'là qui l'embrasse !

– Vive la mi-carême !

– Hourra pour la mi-carême !

– J'donnerais pas ça pour cent louis !

Charles s'était en effet exécuté, et en retour de son obéissance, il avait reçu aussi lui un *cornet* de bonbons. La vieille fit ainsi le tour de la salle, parlant à tout le monde avec la même franchise impertinente que son rôle autorisait. Aux enfants qui avaient veillé exprès pour recevoir cette visite impatiemment attendue depuis plusieurs semaines, elle fit des cadeaux calculés sur la bonne ou la mauvaise conduite de chacun d'eux : à ceux qui avaient été sages, des dragées ou du sucre ; à ceux qui avaient été méchants, des patates gelées ou des écales de noix soigneusement enveloppées dans du papier, mystification qui faisait beaucoup rire les parents, et pleurer les pauvres petits malheureux.

Quand la vieille eut épuisé sa besace et ses drôleries, quelqu'un proposa de terminer la fête par une danse ronde. Le bedeau, consulté là-dessus, donna comme son opinion que cela pourrait très bien se faire, attendu que ça n'avait pas été prémédité, et que, bien qu'il fût défendu de danser dans le carême, on pouvait se permettre, dans une occasion comme celle-là, une simple danse ronde ; d'autant plus, ajouta-t-il, que ça n'exigeait point de violon, et que personne au dehors ne pouvait être scandalisé. Il en serait bien autrement s'il s'agissait de danser des menuets ou des *reels*, ou des *gigues* ou des rigodons. Cette morale un peu relâchée ne fut pas du goût de la *mi-carême*. Une discussion théologique s'éleva entre ces deux personnages, et avant la fin de la thèse, le bedeau, tout bedeau qu'il était, se serait peut-être vu enterré par les arguments de son adversaire, si le père Morelle n'avait point bravement tranché la question, en formant lui-même la chaîne et en entonnant vigoureusement cette ronde bien connue :

Bonhomme, bonhomme,
Que sais-tu bien faire ?

Après cette danse bruyante et grotesque, c'en fut une autre, puis une autre, puis encore une. Dans chacune de ces rondes, il était toujours question

D'un baiser à la plus belle,

et quand le hasard conduisait Charles au milieu du cercle, ce baiser était invariablement destiné à Marichette, au grand dépit de la petite Rose Tremblay, qui ne manquait point de l'agacer chaque fois, et qui finit par leur faire à tous deux des yeux aussi terribles que ceux que Junon fit au berger Pâris, lorsqu'elle conçut contre lui l'immortelle rancune qui nous a valu l'Iliade et l'Énéide. La dernière fois, cependant, notre héros se sentit saisir par le bras c'était la *mi-carême*.

– Tiens, dirent plusieurs voix, la vieille est jalouse !

115

– C'est tout juste : c'est-i'pas *sa blonde* ?

– V'là qu'a-i'dit des secrets, à c't'heure !... Et tout le monde de rire et d'applaudir.

Charles, en se baissant, reconnut la mère Paquet, la duègne de Marichette.

– Monsieur Lebrun, lui dit-elle, m'a envoyée icite pour avoir soin d'mam'zelle Marie ; mais je peux pas rester plus longtemps. Les gens qui doivent me ramener vont partir. Défiez-vous ben, en vous en retournant, y en a qui veulent vous jouer queuqu'mauvais tour.

Cet avis charitable fut cause qu'une demi-heure après, Charles, avec celle qu'on lui donnait déjà pour fiancée, glissait rapidement sur la neige, emporté par un cheval vigoureux qu'il excitait de la voix, et laissant loin derrière lui la maison du père Morelle, encore tout illuminée, et où l'on continua les rires, les chants et les danses presque jusqu'au jour.

III
Un premier amour

Une lieue et davantage séparait la maison de M. Lebrun de celle où venait de se fêter si dignement la *mi-carême*, espèce de saturnale où le peuple, un peu lassé de la vie mortifiée que l'Église lui prescrit, prend sa revanche des privations passées et semble narguer les jeûnes à venir.

Pendant la plus grande partie du trajet, tout en s'efforçant de conduire sans encombre son léger traîneau à travers les *cahots* et les *pentes* de la route, Charles repassait en lui-même les diverses circonstances de son petit voyage, depuis son départ de Québec jusqu'à ce moment.

À l'âge de notre héros, et au sortir du collège, on est assez disposé à tenir compte des moindres évènements et, aux premières aspérités de la vie, à s'écrier comme le rat du bon La Fontaine :

Voici les Apennins, et voilà le Caucase !

Ce n'était que par degrés et grâce, pour bien dire, aux exigences de leur position qu'une douce intimité s'était établie entre Charles et Marichette. Dans ce moment les mille et une petites choses qui l'avaient rapproché de la jeune fille, semblaient à l'étudiant autant de déplorables fatalités, tant il avait trouvé niais le rôle de *cavalier* que tout le monde paraissait lui assigner. Comment avait-il proposé à *mademoiselle Marie* (il ne l'appelait jamais autrement) quelques promenades qu'elle avait acceptées ? comment s'était-il engagé à l'accompagner chez le père Morelle ?

C'était ce dont il ne pouvait se rendre compte, surtout lorsqu'il comparait sa conduite à ses premières résolutions. Ce n'était cependant point sa faute à elle. Elle n'avait fait aucune démarche : c'était lui, au contraire, qui avait recherché toutes les occasions de lui parler, et il n'avait jamais été si heureux que quand pour la première fois elle avait substitué à ses réponses froidement polies une conversation expansive et pleine de charmes. D'un autre côté, elle n'était pas, malgré tout, exempte de tout reproche à ses yeux. Pourquoi s'avisait-elle d'avoir un regard si mélancolique et si doux, de si beaux cheveux qu'elle disposait si habilement, un sourire si caressant et si intelligent, un teint si frais et si pur ; et par-dessus tout, pourquoi se permettait-elle de parler un langage plus correct, plus élégant, plus poétique que celui de la plupart des femmes qu'il avait rencontrées jusque-là ? Était-ce sa faute à lui si, d'une petite fillette assez vulgaire, elle s'était rapidement métamorphosée en une jeune personne pleine de séductions ?

Et cependant, il n'aurait pas voulu pour beaucoup entamer un *roman* aussi absurde, et dont le dénouement, éloigné, incertain, pour bien dire impossible, l'aurait rendu bien malheureux. Cette étude de ses sentiments et de ses impressions (de ceux au moins qu'il s'avouait à lui-même, sans compter ceux qu'il n'osait s'avouer) avait été la cause de sa taciturnité pendant tout le festin.

La vitesse du traîneau commençait à se ralentir, la nuit n'était pas bien froide, quoiqu'elle fût bien sereine, la neige, molle et blanche plus qu'un duvet, avait cessé depuis longtemps de tomber (la neige, suivant le dicton populaire, *c'est le froid qui tombe*) : un vent léger embaumé par les exhalaisons des sapins soufflait par intervalles, les étoiles par myriades scintillaient au firmament, le silence régnait partout, à moins qu'une corneille effarouchée ne s'élevât de temps à autre au coin d'un bois, en poussant un cri plaintif : enfin sur la vaste plaine blanche semblable à un océan de neige qui s'étendait d'un horizon à l'autre, le jeune homme et la jeune fille pouvaient se croire seuls dans la création, et ils auraient même pu se croire transportés dans un monde idéal, si de temps à autre les rudes secousses des *cahots* ne les avaient rappelés au sentiment de la réalité.

– Mon Dieu ! j'ai failli tomber hors de la voiture !... Mais vous allez me dire au moins pourquoi vous m'avez fait partir si vite de chez le bonhomme Morelle, et pourquoi vous nous avez menés si grand train ;... vous trouviez donc cela bien ennuyeux ?...

Marichette n'eut pas le temps d'en dire davantage. Ils étaient arrivés en ce moment à un endroit où il fallait passer un pont étroit jeté sur une petite rivière qui formait une coulée profonde. Le cheval s'arrêta brusquement et fit mine de retourner sur ses pas. Comme Charles essayait de lui faire franchir ce pas assez difficile, il s'aperçut, mais trop tard, de ce qui causait la terreur de la pauvre bête. À l'autre bout du pont, trois ou quatre sapins qui avaient été placés le long de la route, à différentes distances, pour servir de *balises*, avaient été entassés les uns sur les autres, de manière à obstruer complètement le chemin ; et sur un d'eux planté perpendiculairement, on avait étendu un grand drap blanc qui figurait une espèce de fantôme. Le jeune homme voulut alors rebrousser chemin ; mais le cheval était trop effrayé, il se cabra, puis se jeta tête baissée dans le précipice.

Le traîneau dans sa chute frappa avec force contre les débris d'un vieux tronc d'arbre, et la violence de la secousse lança le jeune homme d'un côté et la jeune fille de l'autre, mais de manière que l'un fut sauvé et l'autre dans le plus grand danger. Charles, en se relevant, put voir Marichette qui serrait de toutes ses forces la tige dure et flexible d'un arbuste, précisément au-dessus de l'endroit le plus perpendiculaire de la coulée. Il n'hésita point un instant, sauta par-dessus le cheval et la voiture, enfoncés dans la neige amoncelée autour du tronc d'arbre, et s'élança au secours de la malheureuse enfant. Mais il mit trop d'ardeur dans son dévouement, le pied lui glissa et à son tour il se vit suspendu entre la vie et la mort. Tombé de manière à ce que sa tête dépassait l'angle d'un rocher recouvert de glace, il se sentait glisser lentement dans l'abîme... Toute la puissance de sa volonté concentrée par l'instinct de sa conservation, toute la force de ses muscles contractés, tous les efforts qu'il pouvait faire avec ses mains et ses genoux qu'il raidissait en vain sous lui, ne servaient qu'à lui faire regagner péniblement un demi-pouce de chaque pouce de terrain qu'il perdait. Au-dessous de lui il voyait bien distinctement la frêle couche de glace qui emprisonnait la petite rivière au fond de la coulée, et que le poids de son corps devait, pensait-il, bientôt briser. Il voyait aussi de chaque côté la neige à travers laquelle perçaient quelques arbrisseaux ; et la large bande noire que formait la rivière entre deux bandes blanches, figurait avec raison à son imagination un vaste drap mortuaire. Un vent froid qui semblait caresser les bords du précipice, glaçait son front, tandis qu'une sueur abondante ruisselait de tous ses membres. La jeune fille n'était séparée de l'abîme que par la longueur du corps du jeune homme : s'il tombait, elle allait être attirée dans sa chute ; si elle lâchait la tige de l'arbuste, elle poussait Charles devant elle et tombait après lui. Se touchant presque, ils ne pouvaient se secourir : pas un mot ne sortait de ces poitrines oppressées par la terreur… Il ne leur était pas même possible d'échanger un regard… Déjà la seule puissance de l'équilibre retenait Charles, et cette dernière ressource allait être détruite, lorsqu'il éprouva une douleur aiguë à l'une de ses jambes et se sentit remonter de quelques pouces sur la glace… À l'aide du secours inespéré qui lui venait sous cette forme un peu brutale, il put enfin, après beaucoup d'efforts, décrire une demi-courbe sur lui-même, et en se relevant, reconnaître pour son sauveur… *Castor*, le gros chien de ferme de Jacques Lebrun. Tandis que le vigoureux animal arrachait notre héros à la mort, son maître avait enlevé dans ses bras, comme une plume légère, la jeune fille évanouie : et tout cela avait pris moins de temps que nous n'en avons mis à le décrire. Prévenu, par la vieille voisine, du complot qui avait été formé contre son hôte et sa fille, le cultivateur s'était mis tout de suite en route, sur ses raquettes, et il était arrivé, comme on voit, au moment où l'on avait le plus grand besoin de lui.

Marichette ne tarda pas à revenir à elle ; son père, aidé de l'étudiant, parvint après bien des efforts à dégager de la neige où ils étaient enfoncés, le cheval et la voiture, et aussi à défaire l'épouvantail dressé à l'autre bout du pont. Quoiqu'il n'eût tenu qu'à un cheveu que cet obstacle sur la voie publique ne causât la mort de deux personnes, il était bien probable cependant que ceux qui avaient imaginé et exécuté cette mauvaise plaisanterie, avaient voulu seulement faire une bonne peur à nos jeunes amis, et que, au fond, rien de sinistre n'était entré dans leurs calculs. On sait que, autrefois surtout, la moitié d'une paroisse était toujours occupée à jouer de semblables tours à l'autre moitié, qui les lui rendait ; plusieurs évènements tragiques, sans compter une foule de procès, ont été la conséquence de ces bizarres amusements. Le père de Marichette paraissait assez familier avec les affaires de cette espèce, car tandis que Charles appelait avec toute l'indignation dont il était capable, la vindicte des lois et les foudres du ciel sur les scélérats qui lui avaient tendu un si infâme guet-apens, M. Lebrun lui répondit sans s'émouvoir. " Ça n'est rien, c'est un tour des jeunesses qui vous auront trouvé trop fier… On tâchera de savoir qui c'est, et on leur-z-en rendra un pareil."

Cette aventure que le brave homme réduisait ainsi à sa plus simple expression, n'en prit pas moins dans le cerveau exalté de notre étudiant les proportions les plus gigantesques. Les remerciements, nous pouvons dire les actions de grâces que lui rendait la jeune fille, l'éloge exagéré mais sincère qu'elle faisait du courage avec lequel il avait volé à son secours, lui persuadèrent qu'il était son sauveur, et, comme tous les sauveurs et tous les protecteurs, il s'attacha tendrement à sa protégée.

Les jours qui suivirent, de longues et intimes conversations toujours prétextées par la reconnaissance d'une part, et par le souvenir du danger passé, de l'autre, amenèrent enfin le moment où Charles, après bien des soupirs étouffés, bien des regards suppliants, bien des phrases inachevées, et mille autres réticences dont nous faisons grâce à nos lecteurs, osa dire à voix basse, lentement et mystérieusement, comme cela se dit toujours : " Marie, je vous aime !…"

– C'est-à-dire que vous croyez m'aimer, reprit la jeune fille sans trop d'étonnement… Combien cela durera-t-il ? Dans cinq ou six jours au plus, vous partirez pour Québec, et la pauvre petite paysanne sera bien loin de vous et de votre pensée.

– Marie !… qui voulez-vous que je vous préfère ?… Vous êtes la première femme à qui je parle d'amour, et je ne vous ai dit ces mots qu'après y avoir bien pensé.

– Certes, il faut y penser aussi !… Savez-vous le tort que vous me feriez si vous me trompiez,… combien je resterais triste, délaissée, malheureuse en moi-même, et ridicule pour tous ceux qui devineraient la cause de mon chagrin ?… Je suppose, bien entendu, que je vous aime de mon côté,… et que je sois assez folle pour vous le dire…

– Et cette supposition, mademoiselle, n'a rien d'impossible, j'espère ? Marichette devint rouge comme une cerise. La supposition qu'elle avait faite équivalait, malgré toutes ses réserves, à un aveu naïf et bien explicite ; et le ton satisfait avec lequel Charles lui faisait cette question lui prouvait qu'elle n'avait été que trop bien comprise.

– Je vois bien, dit-elle, après un assez long silence, qu'une petite fille de la campagne aurait bien de la peine à jouer un rôle de coquette ; et il vaut autant que je vous parle franchement que de chercher à vous cacher… ce que vous devinez si vite. Vous devez bien croire qu'après avoir reçu un peu d'éducation, j'ai dû vous apprécier,… surtout en vous comparant à tous les garçons qui m'ont fait la *grand-demande*,… comme on dit tout bonnement ;… et fussiez-vous moins aimable que vous n'êtes (ici ce fut Charles qui rougit à son tour), vos attentions m'auraient toujours paru bien flatteuses… Si vous m'eussiez parlé d'amour à votre arrivée, j'aurais cru que vous vouliez vous moquer de moi ; mais comme vous n'avez pas été trop poli, dans les premiers jours, si je m'en souviens bien, il faut qu'il y ait quelque sincérité dans ce que vous me dites… Seulement, si vous alliez vous tromper, ce serait bien peu de chose pour vous, n'est-ce pas ?… Vous en seriez quitte pour avoir un peu honte en vous-même (vos amis et le grand monde que vous voyez à la ville ne le sauront seulement pas) d'avoir été le *cavalier* d'une petite *habitante* pendant une quinzaine de jours, et tout sera dit… Tenez, avouez que votre air inquiet et votre peu de gracieuseté chez le père Morelle, venaient justement de cela ! … Vous avez changé tout à coup, je le sais bien ; j'ai eu le tort de me faire un peu demoiselle pour vous plaire ;... je vous ai même récité mon grand rôle d'Athalie à force d'être tourmentée par mon père et par vous ; tout cela a changé vos premières impressions ; mais si j'allais redevenir Marichette ?...

– Mais, mon Dieu, cela n'est pas possible, dit naïvement le jeune homme d'un air assez alarmé pour faire sourire son interlocutrice... D'abord vous allez laisser ce vilain nom.

– Cela n'est pas certain, monsieur, et puis on ne se débarrasse pas comme on veut bien d'un nom d'amitié que son père vous a donné, le croyant bien beau. À part de cela, comme il y a beaucoup de poésie et de roman dans votre amour, d'après ce que vous me dites, et que ces choses-là s'en retournent comme elles viennent, je cours grand risque de redevenir Marichette au premier moment, dans votre imagination du moins. Et puis, à vous dire le vrai, j'aurai peut-être bien de la peine à me soutenir ainsi longtemps au-dessus de mes habitudes, pour vous plaire.

– Après tout, qu'est-ce que tout cela doit vous faire, si je veux vous aimer Marie ou Marichette ; si je vous jure que je vous trouve encore plus aimable avec votre petit mantelet, votre grande câline et votre jupe de *droguet*, qu'avec votre belle robe à la mode ?...

– Oui, à la mode il y a deux ans, à la mode du couvent encore, s'il vous plaît !... Quand j'y pense, je dois être un peu moins bien comme cela qu'autrement.

– Laissez-moi donc dire... Si je vous jure que, sous quelque nom que je me rappelle votre souvenir, quelque chose que je puisse refaire de vous dans ma pensée, j'adorerai toujours ce nom, je chérirai toujours ce souvenir...

– Eh bien, quand vous aurez juré tout cela ?

– Oui, quand j'aurai juré cela...

– Il ne vous restera plus qu'à le tenir. On m'a toujours dit que c'était le plus difficile.

– Vous avez bien mauvaise opinion de moi !

– Non, c'est vous qui avez aujourd'hui une trop haute idée de moi : cela s'évanouira à votre retour à Québec.

– Mais vous me faites fâcher. Ne dirait-on pas qu'il y a dans ce pays-ci une si grande différence entre les gens de la ville et ceux de la campagne ? Y a-t-il beaucoup d'élégantes à Québec qui s'expriment aussi bien que vous ? Et puis encore, ne dirait-on pas que je me crois un prince ?

– Quant à cela, on a vu des rois épouser des bergères, n'est-ce pas ? C'est qu'il faut être roi pour cela... Et puis vous vous croyez du pays ? Vous vous trompez !

– Allons ! de quel endroit suis-je, à présent ?

– Mon Dieu ! vous ! vous êtes de Paris plus qu'aucun Parisien ; vous ne faites que parler des duchesses et des marquises, et des élégantes dont vous lisez les portraits dans les romans et les nouvelles ; votre cœur et votre imagination ne sont pas avec nous, ils sont là-bas avec vos rêves,... dans des salons qui ne ressemblent guère à cette chambre ; à l'opéra, au bal masqué, enfin je ne sais où.

– Comme vous êtes injuste !... Je ne rêve qu'à vous ; et, sans flatterie, quand même votre langage élégant me rappellerait les héroïnes des romans que j'ai lus, où serait le mal ?

– Le mal serait qu'il n'y aurait pas de bon sens dans un pareil rapprochement.

– Vraiment, à mon tour je commence à croire que vous vous moquez de moi... Tout hors de moi, je vous dis que je vous aime, que je vous adore, et vous entreprenez une thèse de philosophie pour me prouver que je me trompe... Si vous m'aimiez, vous n'en parleriez pas si à votre aise.

– C'est que j'y ai pensé avant vous, mon beau monsieur ; d'abord j'ai été piquée (et c'était bien naturel) de votre peu de galanterie ; et ensuite à mesure que je m'élevais jusqu'à vous, pour ne pas être méprisée de vous, je me suis aperçue que je réussissais... comment dirai-je bien ?... au-delà de mes désirs ; et j'ai eu peur de ce que je faisais. J'ai eu peur pour vous et pour moi. Mon bonheur ne m'appartient point. Sans cela, je le risquerais peut-être pour vous. Mon bonheur, c'est le bonheur de mon père, de mon père qui n'a que moi dans le monde. Vous m'avez souvent parlé de votre mère, du chagrin mortel que lui a causé le départ de votre frère... Cependant si votre frère ne revient pas, votre mère vous aura toujours, votre sœur et vous. Pensez-vous que mon père serait moins à plaindre de n'avoir qu'une fille dans le monde, et de la voir malheureuse et triste auprès de lui ? Cela serait encore pire que de la savoir morte. Il ne faut donc pas que j'écoute comme cela, bien tranquillement, ce qu'il vous plaît de me dire de votre passion. J'ai assez pleuré depuis une couple de jours pour être calme à présent. Mon père a déjà remarqué que je n'étais pas la même ; il voit un peu tard l'imprudence qu'il a faite de vous amener ici, et il a déjà dit hier qu'il avait un autre voyage à faire prochainement à Québec... Que dites-vous de cette idée-là ?

– Une infamie ! Me chasser, à présent, parce que j'ai le malheur de vous aimer ! Vous tenez beaucoup, mademoiselle, à votre bonheur et au bonheur de votre père ;... mon bonheur à moi compte pour peu de chose...

– Non, certes, votre bonheur y est aussi pour quelque chose. Si j'acceptais l'offre que vous semblez disposé à me faire... et qu'il vous fallût plus tard manquer à votre parole, je ne crois pas après tout que vous seriez heureux au dedans de vous-même. Mais si c'est moi qui vous refuse... Ah ! j'oubliais !... Vous comprenez bien qu'après ce que vous venez de me dire, je ne dois pas rester si longtemps seule avec vous. Tant que vous avez gardé un certain petit air dédaigneux, il n'y avait pas grand mal à causer ensemble. À présent, je crois qu'il vaudra mieux que je ne vous parle plus, d'ici à ce que je me sois décidée à conter tout cela à mon père... Et alors si ce bon papa n'a pas toujours le voyage de Québec en tête...

– Encore ! Et vous avez voulu presque me faire croire que vous m'aimiez ? Il y a beaucoup trop de philosophie, à mon goût dans cet amour-là...

– Ah !... eh ! bien, oui... je suis un peu philosophe.

– Et où avez-vous pris cela à votre âge ?

– Dans quelques livres que je lis quand je n'ai rien à faire. Ils sont là sur cette petite armoire. Il y en a que l'on m'a donnés, il y en a d'autres que j'ai achetés avec mon pauvre argent, et il y en a que l'on m'a prêtés. Il arrive aussi que, tout en travaillant, je pense,... et en pensant ainsi, et en lisant, je trouve tous les jours quelque chose de nouveau. Je suis bien obligée de réfléchir un peu, voyez-vous, je n'ai pas de mère qui pense pour moi.

125

Et, tenez, à présent par exemple, je vais me retirer dans ma petite chambre : il sera peut-être bien tard quand je dormirai… Bonsoir, monsieur Guérin !

Ce *bonsoir* fut dit d'un ton inimitable ; Charles en resta tout stupéfait ; il ne sut que dire pour retenir auprès de lui la jeune fille. Quand elle fut sortie, il se dirigea vers la petite bibliothèque, et d'un air boudeur et distrait, il culbuta du revers de la main tous les volumes qui la composaient ; puis il se mit à les feuilleter l'un après l'autre.

Voici quels étaient les titres de ces ouvrages :

L'*Imitation de Jésus-Christ*,
L'*Éducation des filles*, par Fénelon,
Les *Aventures de Télémaque*,
Le *Théâtre de Racine*,
L'*Introduction à la vie dévote*, par saint François de Sales,
Les *Fables de La Fontaine*,
Les *Caractères de La Bruyère*,
L'*Histoire de la Nouvelle-France*, par Charlevoix,
Les *Lettres de madame de Sévigné*,
Adèle et Théodore, par madame de Genlis,
Paul et Virginie.

Charles ne put s'empêcher de sourire, en trouvant dans celui de ces livres qu'il ouvrit le dernier, le passage suivant :

L'amour est actif, sincère, pieux, gai et agréable : il est fort, il est patient, il est fidèle, il est prudent, il est persévérant, il est courageux, et ne se cherche jamais lui-même ; car dès qu'on se cherche soi-même, on cesse d'aimer.

"L'amour est circonspect, humble et équitable, il n'est ni lâche, ni léger, il ne s'arrête point à des choses vaines, il est tempérant, il est chaste, il est ferme, il est tranquille, et il fait bonne garde à tous ses sens."

Cette incomparable définition lui parut une de ces fines leçons que la Providence nous envoie au moment où l'on s'y attend le moins ; et, à dire le vrai, il y trouva d'autant plus d'à-propos qu'il se sentait le désir et le besoin d'aimer Marie d'une manière digne d'elle. La jeune fille, après avoir captivé son cœur, venait de subjuguer son esprit.

Mais, loin d'en être rendu à cet amour héroïque et sage qu'on venait de lui décrire sous le nom d'amour divin, il était au contraire en proie à cette vague souffrance de l'âme, à ce tumultueux réveil des sens, à ce délirant cortège de pensées et d'images séduisantes, si dangereux dans le moment, mais si doux au souvenir, lorsque à travers les glaçons à peine transparents de la vieillesse, on entrevoit encore, dans un passé lointain, la flamme vive et légère *d'un premier amour*.

IV
Ne m'oubliez pas

Deux jours s'étaient passés, et fidèle à sa résolution, Marie avait évité toute conversation particulière avec Charles hors de la présence de son père. Le matin du troisième jour, plus pâle que d'ordinaire, toute tremblante, et comme honteuse d'elle-même, elle s'approcha du jeune homme, qui de son côté n'était pas moins ému.

Il tenait à la main une longue lettre qu'il venait de lire, et qui, tachée de graisse, usée à tous ses plis, sentant le tabac d'une lieue, n'en était pas moins de la jolie petite écriture de Louise. La pauvre missive n'était arrivée à sa destination qu'après huit jours, bien que la poste n'en eût mis que trois à la transporter de chez madame Guérin à la paroisse voisine de celle où se trouvait notre héros. Alors, avant de l'envoyer à M. Lebrun, aux soins de qui elle était adressée, ceux chez qui on l'avait remise, avaient jugé convenable de lui faire passer une couple de jours derrière un miroir ; après quoi, ils avaient songé à la remettre à un habitant qui l'avait passée toute une journée à un autre, qui, après l'avoir fait séjourner dans sa poche, en compagnie de sa blague, ne s'était décidé que le lendemain à la rendre à son adresse.

Cette lettre, après tant d'aventures, a bien quelques droits à l'attention de nos lecteurs : aussi allons-nous lui laisser la parole.

Mon cher frère,

Nous n'avons reçu qu'hier la lettre que tu nous as écrite avant ton départ. Je te dirai bien qu'en voyant en haut de la page ces deux petits mots : *je pars*, maman a tremblé de toutes ses forces. C'était bien naturel. Et même, quoiqu'il ne s'agisse que d'une promenade, cette pauvre mère n'aime pas cela. Elle dit que ça lui déplaît et que ça l'inquiète de te savoir plus éloigné de nous. Du matin au soir, elle ne parle que de toi et de Pierre. On ne peut rien trouver que ça ne lui fasse dire : Pierre aimait cela, ou bien : Pierre faisait comme cela ; Pierre disait cela ; Pierre s'y prenait de même ; ou bien encore : si Charles était ici, il dirait cela. Je voudrais bien pourtant qu'elle pût se faire une raison, et ne plus penser à notre frère, puisque nous ne sommes plus pour le revoir. Je le lui dis souvent ; mais je me surprends à en parler la première.

Quelques minutes après avoir reçu ta lettre, nous avons eu la visite d'un de tes amis, un avocat, qui se nomme M. Voisin. Il me semble que j'ai vu ce nom-là quelque part dans tes autres lettres. Il se dit bien intime avec toi. Il nous a fait une visite qui ne finissait plus, et il nous a remis une lettre de ton patron, M. Dumont. Celui-ci ne se plaint pas de toi, mais on dirait qu'il a quelque chose de mauvais à nous dire sur ton compte et qu'il n'ose pas. Tu peux bien croire que je n'ai pas fait remarquer cela à maman ; mais elle a paru plus triste encore après avoir lu cette lettre. Je ne veux pas te faire des sermons, je pense bien que tu te moquerais joliment de moi, si je voulais t'en faire. Tu feras bien pourtant de te faire aimer de ton patron et de le contenter. Je n'aime pas ce qu'il dit à la fin de sa lettre, que c'est lui qui t'a conseillé ce voyage dans les environs de Montréal ; que cela te ferait du bien ; que la ville n'est pas toujours bien bonne pour les jeunes gens qui n'ont pas d'expérience. Franchement, y a-t-il quelque chose là-dessous ?

Quant à ton ami M. Voisin, il ne tarit pas en éloges sur ton compte. Il te met au-dessus de tout. Maman, qui ne demande pas mieux que de parler de toi, en a dit bien long sur ses espérances ; et ils ont parlé bien longtemps ensemble de choses que je n'ai pas toujours comprises. Il paraît, d'après ce qu'il dit, que Pierre n'a pas eu tort de partir : il court une grande chance de faire fortune en pays étranger. M. Voisin prétend, comme Pierre le disait dans sa lettre, qu'il n'y a plus d'avenir du tout dans les professions. Là-dessus, maman a dit qu'elle n'avait pas envie de te faire perdre ton temps ni de te forcer à faire un avocat malgré toi, si ça ne te plaisait pas. Elle a parlé de te mettre à la tête de grandes entreprises et pour cela de te faire… comment donc disent-ils cela ?… de te faire émanciper. M. Voisin a beaucoup approuvé cette idée-là.

Je l'ai encore rencontré le soir chez M. Wagnaër ; Clorinde m'avait fait demander de passer la soirée avec elle. Je ne sais pas si ton ami s'est fait présenter dans cette maison avec quelque intention ; mais il a été bien peu galant pour cette pauvre Clorinde ; il n'a fait que parler avec M. Wagnaër. Il a encore fait mille éloges de toi. Il dit que tu feras un grand littérateur, et que tu ferais fureur dans les salons. Il trouve qu'avec tes talents tu as bien raison de ne pas aimer les professions. Il a conté plusieurs choses de toi, bien spirituelles apparemment, car M. Wagnaër et un autre homme qui était là, ont bien ri. M. Wagnaër a dit une chose que je n'ai pas comprise, je ne sais pas si c'est un bon ou un mauvais compliment : il a dit que tu n'étais pas *un homme pratique*.

Ton M. Voisin peut bien être un bon garçon, je suis sûre qu'il t'aime de tout son cœur ; mais moi, je ne l'aime pas de même. Il a une figure qui me déplaît. Il ressemble à une belette ; il n'y a rien de plus fin qu'une belette, et cependant en même temps il ressemble à Guillot le commis. Toute la différence est dans les yeux. On a bien de la peine à voir ceux de Guillot qu'il tient toujours baissés ; et quand on les voit, on ne voit rien de bien beau : deux vilaines prunelles vertes comme celles d'un chat, mais qui ont l'air de dormir. Ton M. Voisin, lui, vous a des petits yeux gris perçants qui cherchent ce que vous pensez. Son nez long et mince, et sa bouche pincée qui a toujours l'air de se cacher sous son nez, pour rire sous cape, et son visage de parchemin me déplaisent aussi beaucoup. Ça n'est pas, au moins, pour te faire de la peine que je te dis cela : je suppose que vous autres hommes, quand vous avez un ami, vous vous occupez fort peu qu'il soit beau ou laid.

Ce sont encore là des idées de petite fille. Encore une de ces idées. Il y a eu un moment, où M. Wagnaër, M. Voisin, et Guillot le commis, se sont parlé à voix basse : je les ai trouvés si laids tous les trois, qu'ils m'ont presque fait peur. Ça ressemblait à une consultation de sorciers.

Je vois que je t'ai assez conté de folies comme cela : il est temps que je finisse. Maman me charge d'une commission pour toi. Elle dit que, puisque tu as bien trouvé le moyen d'aller sans sa permission passer une quinzaine de jours chez des gens que tu ne connais pas, il est bien juste que tu viennes nous voir aussitôt que la neige sera partie.

À ce compte-là, tu peux croire si j'ai hâte que le duvet blanc qui couvre nos prairies disparaisse, et si toute la neige qu'il y a dans la paroisse voulait fondre le même jour, j'y consentirais, au risque d'une inondation !

TA PETITE LOUISE.

Marichette fut surprise, en levant les yeux sur le jeune homme, de l'expression de tristesse et d'hésitation qui régnait sur sa figure. Cette lettre l'avait vivement impressionné. Les soupçons de Louise, les reproches à demi voilés de M. Dumont, ceux si adoucis de madame Guérin, n'étaient que trop mérités. Un remords, qui n'est pas le moins inexorable des remords, la pensée du temps qu'il avait perdu, assiégeait son imagination. Qu'avait-il fait depuis le départ de son frère ? Comment s'était-il préparé à remplacer l'appui qui venait de manquer à sa mère et à sa sœur ? Qu'avait-il acquis, et que lui restait-il de tous ses plans, de tous ses rêves, de tous ses travaux ?... Ses travaux ? ... hélas ! pensait-il, son imagination seule avait travaillé : sa mémoire, cette armoire dont la porte se referme si vite, et qu'il faut tant se hâter d'emplir, sa mémoire était vide des choses qu'il lui importait le plus de posséder. Il était bien vrai que six mois seulement s'étaient écoulés sur le temps de son brevet : ce n'était qu'un huitième de ses quatre années d'étude, ... ce n'était rien en comparaison de l'immense carrière qu'il voyait béante devant lui... Trois ans et demi !... comme cela est long à l'âge de notre héros ! On ne s'imagine pas que tant de jours puissent jamais passer. Mais enfin, se disait-il en lui-même, le commencement décide de tout, et était-ce ainsi qu'il devait commencer ? Était-ce là ce que sa bonne mère devait attendre de lui ? N'avait-il pas manqué au respect, à l'obéissance qu'il lui devait, en entreprenant un voyage sans attendre son consentement ? Et que dirait-elle donc, si elle savait où il en était déjà rendu ; si elle savait que, sans lui dire un mot, il avait déjà fait la folie impardonnable d'engager son avenir d'une manière à peu près irrévocable, irrévocable du moins en honneur et en conscience ! Quelle équipée !... Était-il maître de lui-même pour se jeter ainsi sans plus de réflexion, sans autre sauvegarde que la *philosophie* d'une petite fille et la profonde *expérience* d'un étudiant de première année, dans une affaire aussi sérieuse, qui allait décider de son avenir et lui procurer peut-être, en fin de compte, des dégoûts et la misère ?

Ces préoccupations, si Marie avait pu les deviner, n'auraient pas été jugées par elle bien flatteuses ; et même, sans savoir au juste ce qui en était, elle fut offensée de la singulière réception que Charles lui faisait, lorsqu'elle venait, confiante en lui et triomphant de ses propres résistances, lui annoncer une décision qui, pensait-elle, allait le rendre plus heureux qu'un roi.

– Certes, dit-elle, il faut que cette vilaine lettre vous ait appris de bien mauvaises nouvelles, puisque vous paraissez si sérieux. Y aurait-il quelque malheur dans votre famille ?

– Non, mademoiselle, seulement on me gronde un peu. On trouve que je prends bien mon temps pour m'instruire... et, à dire la vérité, si je continue comme j'ai commencé,... ma foi, je ne serai pas *juge en chef* de sitôt.

– Et tenez-vous beaucoup à être juge en chef ?

– Bien peu, je vous assure ; je tiens à vivre,… et à vous aimer.

– Ah ! je commençais à croire que vous aviez tout à fait oublié… que vous m'aimiez. Vous vous rappelez ce que je vous avais dit, que je ne voulais plus vous écouter parler de votre amour, avant d'en avoir parlé moi-même à mon père…

– Et votre père, qu'a-t-il dit ? Vous prenez plaisir à me tourmenter. Vous n'avez donc rien à m'apprendre et je n'ai rien à espérer ?

– Est-ce que vous tenez à avoir une réponse ? Il me semble que vous n'avez pas paru bien empressé d'abord.

– Marie, vous êtes bien cruelle ! Vous vous jouez de mon amour. Vous ne savez pas qu'à peine vous ai-je connue, je vous ai aimée. Je vous aimais avant de vous l'avouer,… de me l'avouer à moi-même. Comme à vous, cet amour me faisait peur, parce que, après tout, c'était quelque chose de sérieux pour vous et pour moi. Eh ! bien, quitte à voir tous les malheurs du monde fondre sur moi, quitte à rester isolé de tout le reste du genre humain, avec vous, Marie, je serai heureux. Je serai heureux d'un regard, d'un sourire, d'une parole d'amour. Si vous me dites que vous êtes décidée à me fuir, l'aveu que vous m'avez fait à moitié, que je veux avoir tout à fait, adoucira cette séparation et me laissera quelque espérance. Parlez donc,… et soyez sérieuse, vous qui vous dites philosophe, dans un moment que je considère comme le plus important de ma vie, et qu'il vous est libre de rendre aussi le plus beau.

Cette magnifique tirade paraîtra peut-être à nos lecteurs, en contradiction avec les dispositions d'esprit que nous venons d'indiquer chez notre héros ; mais ses pensées noires étaient déjà dissipées ; les quelques paroles de Marie et sa présence, beaucoup plus encore que ses paroles, avaient chassé le brouillard importun et fait reparaître, plus serein que jamais, un amour qui ne devait jamais finir, chose bien certaine, puisqu'il durait déjà depuis près de quinze jours. Il y avait donc dans son langage un accent de vérité qui émut vivement la jeune fille. D'un ton bien sérieux cette fois, elle exposa au jeune homme leur position mutuelle, leur avenir à tous deux, ce qu'elle avait résolu, et cela de manière à répondre, sans le savoir, aux objections qu'il se faisait à lui-même.

Tout ce qu'elle connaissait des dispositions de son père lui persuadait qu'il ne refuserait pas son consentement à son mariage avec Charles, du moment qu'il pourrait y voir autre chose qu'un projet dangereux par son incertitude. Elle avait donc arrêté que son père ne saurait rien pour le présent : elle épargnait ainsi un aveu bien embarrassant pour elle-même et bien inquiétant pour lui.

D'un autre côté, nier à Charles ce qu'elle lui avait déjà dit, ou vouloir imposer silence à un sentiment qu'elle partageait, c'était folie : échanger de tels aveux sans les légitimer par un lien ou par une sanction quelconque, c'était légèreté ; exiger de Charles sa parole irrévocable sans lui donner le temps de consulter sa famille, c'était égoïsme. Après avoir bien pesé toutes ces difficultés, elle en était venue à la détermination généreuse de laisser à Charles sa liberté, sans conserver la sienne. Elle allait lui promettre sur-le-champ de n'avoir jamais d'autre époux que lui, et lui, de son côté, après avoir consulté sa mère, devait contracter, s'il était toujours dans les mêmes sentiments, un engagement semblable, et demander lui-même à M. Lebrun la main de sa fille. Tout cela n'avait d'inconvénients que ceux qui pouvaient résulter d'un tête à tête trop prolongé dans de semblables circonstances ; et comme elle était aussi courageuse que bonne, Marie ne donna au *beau monsieur de la ville* que deux jours pour faire ses paquets et ses adieux, au grand regret de la vieille voisine, qui trouva bien vilain de chasser si vite un si joli garçon, uniquement parce qu'il avait le tort d'aimer et d'être aimé. Il est inutile de dire que la mère Paquet était parfaitement au courant de tout ce qui se passait et en savait beaucoup plus long que M. Lebrun. En pareille matière, tromper une femme, jeune ou vieille, c'est chose impossible.

Les deux jours de grâce furent employés à arrêter les détails du plan dont on était convenu. Il fut dit entre autres choses que Charles tâcherait d'amener sa mère à Québec pendant l'été, et que Marie s'y rendrait de son côté pour se rencontrer avec elle, ce qui était facile, grâce à la parenté des Lebrun avec

M. Dumont. Il était bien probable que madame Guérin ne consentirait pas à accepter pour bru une jeune fille dont elle n'avait pas encore fait la connaissance et qu'elle tiendrait à s'assurer par elle-même de toutes les merveilles que Charles allait lui conter. Une telle inspection devait répugner beaucoup à Marie ; mais elle avait au fond assez bonne opinion d'elle-même pour braver cette épreuve, et Charles la rassura tout à fait en lui peignant sa mère, avec raison, comme la meilleure des femmes.

Le point de vue financier de la question ne fut pas oublié, et quoiqu'il s'agît d'un mariage d'inclination, ils s'arrêtèrent un moment à la prosaïque inquiétude de savoir comment ils se procureraient cette *médiocrité d'or* (aurea mediocritas), heureuse aisance à laquelle le poète a accolé le nom du plus précieux des métaux, sans doute pour nous rappeler que l'or, ou tout au moins un peu d'argent et de cuivre, par-ci par là, ne nuit pas à la félicité humaine.

Marie calcula ce qu'elle pouvait attendre de son père en se mariant ; Charles lui dit ce qu'il avait à espérer de son côté, et avec cela ils supputèrent un petit capital qui devait fournir aux dépenses du ménage pendant une couple d'années, espace de temps dans lequel l'étudiant comptait se faire une clientèle : bien entendu que le mariage se célébrerait quinze jours, au plus tard, après son admission au barreau ; c'est-à-dire dans trois ans et demi. On sait que des engagements à échéance aussi éloignée se contractent tous les jours par des aspirants aux professions libérales, et que l'on voit ainsi des constances de quatre, de cinq, de six années, et même au-delà, ce qui constitue un trait de mœurs locales qui n'est pas à dédaigner.

Sur le chapitre de sa profession, Charles ne put s'empêcher de faire à la jeune fille une sincère confession de ses torts. Il lui dit avec franchise quelle aversion il éprouvait parfois pour le *métier* qui allait être leur unique gagne-pain ; et combien peu il avait jusqu'alors contrôlé ses répugnances et ses caprices. Cela lui attira une assez verte semonce. Marie fut alarmée de tant de légèreté chez un homme qui paraissait avoir tant d'esprit et de talents ; elle lui dépeignit avec une énergie qui l'étonna, les malheurs qui les attendaient lui et elle, s'il ne se décidait point à prendre l'existence plus au sérieux, et en cela comme en tout le reste elle lui répétait avec un rare bonheur, tout haut, ce qu'il se disait tout bas. D'un autre côté (et c'était ce qu'il désirait), elle lui fit voir qu'il était bien fou de se décourager pour six mois qu'il avait perdus, qu'un peu d'application et de constance était tout ce qui lui manquait et qu'il ne tenait qu'à s'y mettre. Elle n'eut pas de peine à lui faire promettre de faire mieux et de chasser une bonne fois pour toujours, les chimères qui hantaient son imagination : et, grâce à elle, rien ne manqua à ses bonnes résolutions, ni le repentir, ni l'espérance. Ajoutons qu'un aussi joli prédicateur en valait bien un autre, surtout prêchant un converti.

Ces sermons, au reste, n'étaient pas sans quelque utilité pour le prédicateur lui-même : ils formaient une heureuse diversion aux propos beaucoup trop passionnés que se permettait notre héros. Charles voyait accroître l'ardeur de ses sentiments à mesure qu'il voyait diminuer le temps qui lui restait pour les exprimer. Avec cette exagération si naturelle aux amants, et dont il était plus susceptible que tout autre, il lui parut qu'il n'avait commencé à vivre que depuis deux jours, et quand vint le moment de la séparation, il crut qu'il allait mourir.

Il fallait bien partir, cependant, car dès quatre heures du matin son hôte lui avait annoncé, en le secouant vigoureusement dans son lit pour le réveiller, que la bonne petite jument noire était attelée, et qu'ils auraient à peine le temps de déjeuner, s'ils voulaient profiter de la *gelée de la nuit et ne pas laisser briser les chemins*.

Une larme furtive, qui s'échappa bien involontairement de l'œil de la jeune fille, fut tout ce qui aurait pu trahir son amour, en présence de son père ; et encore celui-ci pouvait et devait l'attribuer à son propre départ. Seulement, quand les deux voyageurs furent bien établis dans leur traîneau, et au moment où un fouet retentissant donna le dernier signal, Marie qui était demeurée sur le seuil de la porte, cria d'un ton qu'elle s'efforça de rendre le moins tragique possible : " Adieu, M. Guérin… ne m'oubliez pas ! "

– Qu'est-ce qu'elle veut donc, la Marichette ? Est-ce qu'elle vous aurait chargé de queuqu'commission ?

– Oui, une bagatelle, elle m'a dit de vous faire penser à lui acheter...

– Des oignons de tulipes pour son jardin ?

– Justement.

– Il ne faudra pas y manquer au moins... c'te pauvre enfant ! Ah ! çà, M. Guérin, vous n'oublierez pas, j'espère, de me rappeler ça.

– Soyez tranquille, M. Lebrun, reprit Charles, souriant malgré lui, et appuyant sur les dernières paroles ; soyez tranquille : *je ne l'oublierai pas* !

V
Le premier jour de mai

Quelques jours après son retour à Québec, Charles répondit à la lettre de Louise, et lui annonça qu'il irait passer à la maison paternelle les premières semaines du mois de mai. Il obtint aisément de M. Dumont ce nouveau congé, par forme de compensation au voyage que ce bon patron lui avait fait faire sans le consentement de madame Guérin. Le brave suppôt de Thémis se contenta de penser en lui-même que, de vacances en vacances, son élève ne prenait pas le chemin de devenir pour lui un rival bien dangereux, et qu'il n'avait pas à craindre pour son propre compte ce qui arrivait déjà au ci-devant patron de M. Henri Voisin.

Cependant l'intervalle d'un mois, qui s'écoula entre les deux excursions de l'étudiant, fut sagement employé. On se rappelle qu'au sujet de Clorinde Wagnaër, dont il avait été amoureux en imagination pendant près de quinze jours, notre héros avait entrepris de sérieuses études que la maladie funeste du caprice, aidée, développée chez lui par un ami perfide et intéressé à son malheur lui avait fait bientôt abandonner. L'amour réel qu'il éprouvait pour Marie et les pressantes recommandations de la jeune fille, qui retentissaient constamment dans sa mémoire, eurent un résultat plus positif. Au bout de quelque temps il sut assez de droit pour pouvoir en montrer aux autres clercs de l'étude. Il avait lu et médité d'un bout à l'autre le *Traité des Obligations*, cet excellent livre qui met les patrons si à leur aise, lorsqu'ils l'ont une fois placé entre les mains de leurs élèves, en leur disant pour tout commentaire : Lisez Pothier, monsieur, et quand vous l'aurez lu, relisez-le. Cette phrase laconique et superbe, accompagnée d'un geste plein de majesté, par lequel on indique au jeune homme quelle vénération on doit avoir pour le volume qui contient ainsi toute la loi et les prophètes, tient lieu ordinairement des leçons et des cours publics que suivent les aspirants au barreau dans les autres pays.

Suivant sa promesse, le premier jour de mai, Charles était de retour au milieu de sa famille. Bien qu'arrivé tard la veille, et quelque peu moulu des fatigues du voyage, il s'était levé de bonne heure. C'était une journée décisive pour lui, qui allait commencer : à peu près ce qu'est pour un général d'armée (qu'on nous pardonne la comparaison) le jour d'une grande bataille. Ne devait-il pas en effet attaquer une position importante ? N'allait-il pas combattre contre un adversaire beaucoup plus expérimenté que lui ? N'avait-il pas disposé pendant la nuit les batteries qu'il devait faire jouer le jour ? N'avait-il pas fait une marche forcée pour arriver sur le champ de bataille ? Enfin, pour couper court et faire grâce à nos lecteurs de toute autre métaphore, n'avait-il pas résolu d'avouer à sa mère tout ce qui s'était passé, de braver son mécontentement, d'opposer une raison meilleure à chaque bonne raison qu'elle placerait en travers de ses projets ; de mettre enjeu tous les ressorts qui peuvent agir sur l'esprit d'une femme et le cœur d'une mère : en un mot de combattre et de vaincre par tous les moyens possibles ? Il avait même, dans ses appréhensions, surexcité son courage au point d'imaginer un moyen odieux, du moins à notre goût : c'était de menacer sa mère d'une incartade semblable à celle de son frère aîné, et de laisser le pays plutôt que de renoncer à celle qu'il aimait.

Une insomnie fiévreuse l'avait chassé de son lit, et à cinq heures, comme sonnait l'*Angélus*, il se promenait sur la grève depuis longtemps et avait déjà parcouru plusieurs fois cette partie de l'anse qui se trouve entre la *rivière aux Écrevisses* et la route qui descend à l'église.

La journée qui, dans les prévisions de notre héros, devait être si importante, s'annonçait comme une des plus belles du printemps. Les flots de lumière que répandait le soleil levant, éclairaient avec magnificence l'admirable paysage qu'aucun objet sur l'eau ni sur la terre ne troublait dans sa majestueuse immobilité. Une neige éblouissante tranchait avec l'azur du firmament sur le sommet des hautes montagnes de l'autre côté du fleuve. De larges taches blanches, que l'hiver semblait avoir oubliées au flanc des coteaux et d'espace en espace dans les champs, contrastaient avec les noirs sapins et l'herbe nouvelle qui déjà recouvrait la terre comme une mousse épaisse ; de petits ruisseaux formés par la fonte des neiges, emprisonnés sous la glace de la nuit, commençaient à retrouver leur chemin avec un roucoulement semblable à celui des oiseaux. Des nuées d'alouettes, seuls êtres vivants qui paraissaient éveillés dans cet endroit solitaire, s'élevaient en tourbillonnant au-dessus de la petite île et des deux pointes de l'anse, saluant de leurs joyeuses chansons le lever de l'astre du jour.

À part de ces quelques légers changements de décor, tout, dans le tableau que nous avons fait une première fois, était resté dans le même état ; pas une maison de plus, pas une clôture, pas un arbre de plus ; ce qui nous fait souvenir, cependant, qu'il y avait un arbre de moins, le vieil orme abattu par la tempête. Ce lieu et ce moment étaient donc bien propres à rappeler en foule, à la pensée du jeune homme, tout ce qui lui était arrivé depuis la dernière fois qu'il avait contemplé avec son frère les beautés de leur endroit natal.

Il fut bien vite détourné de ses réflexions par un bruit qu'il entendit du côté de la maison de M. Wagnaër. C'étaient plusieurs groupes d'habitants armés de fusils qui s'avançaient dans cette direction. Charles crut d'abord que l'on avait fait quelque prisonnier, arrêté quelque voleur ou quelque meurtrier pour les conduire de *capitaine en capitaine* jusqu'à la ville. Mais à l'air de gaieté, à la toilette rayonnante de ces braves gens, tous plus ou moins endimanchés, il reconnut bien vite qu'il s'agissait d'une fête, et non pas des sinistres préparatifs d'une instruction criminelle. En effet, il put distinguer, l'instant d'après, portée sur les épaules de plusieurs habitants, une longue pièce de bois, semblable au grand mât d'un navire, entourée de branches de sapin, de rubans et de banderoles de toutes les couleurs. Ce n'était rien moins qu'un *mai*, que l'on venait planter devant la maison de M. Wagnaër, récemment promu au grade de major dans la milice provinciale.

Deux hommes à cheval paraissaient chargés du commandement. L'un était le plus ancien capitaine de la paroisse ; un large ruban rouge feu entourait son chapeau, et une ceinture de même couleur suspendait à son côté un vieux sabre dont le fourreau peu solide était ficelé sur tous les sens. Il était difficile d'ailleurs, avec cet accoutrement militaire, d'être plus content de soi que l'était le capitaine Martin, à la tête de l'*élite* des deux compagnies de la paroisse. L'autre cavalier était Guillot le commis, qui, sans avoir le moindre grade dans la milice, n'en paraissait pas moins l'ordonnateur de la fête.

– Arrêtez donc, vous autres ! cria le capitaine à ses miliciens, lorsqu'ils furent près de chez M. Wagnaër, Qu'est-ce que vous faites donc ? Vous avez l'air d'une bande de moutons et vous jasez comme des femmes ! Puis, prenant le langage technique qui convenait à la situation : Halte, miliciens ! Silence dans les rangs ! Deux de front,… fusil à l'épaule,… en avant ; marche !

Les cinquante ou soixante hommes défilèrent en assez bon ordre devant la maison et formèrent la ligne sur deux de hauteur, le dos tourné à la grève.

– À c'te heure, mes amis, dit le capitaine, il faut réveiller not'major. C'est *prouvable* qu'il doit dormir encore ; comme c'est un gros messieu… Voyons, chargez vos fusils… Attention ! bon… c'est bien… Feu !… Une fusillade très vive, quoique peu régulière, épouvanta les alouettes de la grève et fut répercutée au loin par les échos.

À ce signal, la porte de la maison s'ouvrit, et le *major* parut sur le seuil, en robe de chambre, et dans un négligé qui paraissait vouloir dire : quelle surprise vous me faites ! En même temps, Mlle Clorinde ouvrait une persienne et se montrait à la fenêtre, dans une toilette assez étudiée pour démentir l'étonnement que simulait le digne auteur de ses jours.

Le capitaine Martin, qui se piquait de parler *dans les termes*, ôta son chapeau (ce qui, sans contredit, était beaucoup plus *civil* que *militaire*) et dans un discours amphigourique, parsemé de grands mots empruntés partie aux prédicateurs, partie aux avocats, qu'il avait entendus dans le cours de sa pieuse et processive existence, parvint à exprimer à M. Wagnaër, assez difficilement, tout le contraire de ce qu'il voulait lui dire. Heureusement celui-ci n'était pas difficile sur la qualité de l'encens que l'on brûlait en son honneur, et il prit en bonne part les pompeuses injures qui lui étaient adressées. Il prononça à son tour une harangue qui fut trouvée admirable, grâce à l'accent étranger de l'orateur, et grâce bien davantage à l'excellente conclusion qu'il eut soin d'y mettre. Il invita, en effet, tous les assistants à se rendre à l'auberge du village, où on leur verserait généreusement du meilleur rhum de la Jamaïque, dont il venait de recevoir les quatre plus belles tonnes qui fussent jamais entrées dans la paroisse. Cette péroraison éloquente prouvait au reste ce fait consolant, que l'éclat des grandeurs n'éblouissait point trop l'habile parvenu, et que chez lui le major savait, dans l'occasion, ne pas oublier le marchand.

Un second feu roulant, plus énergique et mieux nourri que le premier, succéda aux deux discours, et le *mai* s'éleva comme en triomphe au milieu des cris de joie d'une foule de femmes et d'enfants accourus de tous côtés, et aux sons du *God save the King*, que Guillot le commis exécuta tant bien que mal, sur un vieux cor de chasse emprunté pour la circonstance.

Cette musique étrange, les naïves acclamations des spectateurs, la vive fusillade, les costumes pittoresques des habitants, les bonnets rouges et bleus qu'on agitait en l'air, les banderoles du *mai* qui flottaient au vent frais et léger du matin, la gaieté et la bonhomie des nombreux acteurs de cette scène, le sérieux grotesque de M. Wagnaër et du capitaine, formaient un tableau de genre des plus charmants, encadré dans le plus magnifique paysage et éclairé par les plus beaux rayons d'un soleil de printemps.

Mais si quelque chose contribuait surtout à embellir ce spectacle, à coup sûr, c'était la personne de Clorinde. Debout sur une chaise, dans la fenêtre, de manière que sa taille élancée parût dans toute sa grâce, elle semblait la reine ou plutôt la déesse à qui tous ces honneurs étaient rendus. Aussi prenait-elle le plus vif intérêt à ce qui se passait. Ses beaux yeux noirs humides d'émotion étincelaient en même temps de plaisir ; elle semblait rire et pleurer tout ensemble, son teint brun était animé par les plus vives couleurs, et, rayonnante à la fois de grâce, de beauté, d'amour filial, de vanité satisfaite (sentiment qui ne contribue pas médiocrement à embellir une femme), elle semblait respirer avec volupté, comme un délicieux parfum, l'odeur de la poudre mêlée aux âcres exhalaisons du varec et des autres plantes marines que les vagues du grand fleuve rejetaient sur le rivage. Du geste et de la voix, elle remerciait et encourageait les miliciens, et les plus jeunes d'entre eux, enthousiasmés, comme on peut bien le croire, épuisèrent tout ce que leurs poumons pouvaient leur fournir de cris de joie, et tout ce qu'on leur avait donné de munitions.

Charles, surpris et étourdi de tout ce tapage, auquel se mêlaient les hurlements des chiens et les cris de tous les animaux des habitations voisines, n'avait pas encore eu le temps de s'expliquer bien clairement ce que tout cela voulait dire, lorsqu'il aperçut Louise qui sortait de la maison, en rajustant de son mieux la modeste toilette qu'elle venait de se faire bien à la hâte. Il courut à elle.

– Bon, te voilà, Charles, fit la jeune fille. Je suis bien contente, tu vas venir avec moi.

– Et où vas-tu de ce pas ?

– Chez Clorinde sûrement, lui faire mon compliment de tous les honneurs qu'on vient de leur rendre.

– Ah ! tu sais donc ce que ça veut dire ?

– C'est bien certain. Est-ce que tu ne vois pas le *mai* qui est planté près de la maison ? M. Wagnaër a été fait major, et ils sont venus à l'improviste lui donner cette fête-là. Crois-tu, quelle surprise !

– Une surprise ! Ça doit en être une bonne en effet. Et où diable les gens de la paroisse ont-ils été pêcher tout cet amour-là pour M. Wagnaër, que personne ne pouvait souffrir ?

– Ne dis donc pas cela. Nous avons eu des préjugés contre lui, mais je t'assure que maman en est bien revenue. Clorinde est si bonne, et tout le monde l'aime tant.

– Passe pour ta Clorinde. Elle est assez jolie fille, ma foi ! Et c'est seulement bien dommage qu'elle paraisse si fière de toutes ces singeries… Mais dis donc, ma petite sœur, comment se peut-il qu'elle soit si richement mise ?... Si c'est là sa toilette quand on la surprend, qu'est-ce donc quand elle veut surprendre son monde ?

– Tiens, tu es un méchant. Mais il faut absolument que tu viennes avec moi. Voyons, ne fais pas l'ours. C'est bien assez que tu sois resté sur la grève, comme si tu avais eu peur des coups de fusil.

– Laisse donc, je me tenais à une distance respectueuse pour tout voir. Je serais curieux de savoir ce qu'ils se sont dit, le capitaine et le major. J'ai entendu par-ci par-là des mots longs comme d'ici à demain...

– Voyons, mon bon Charles, pour ne pas me faire de peine, viens avec moi.

– Mais tu es folle ! Une visite, à cette heure-ci, chez des gens que je connais à peine !

– En voilà des cérémonies ! N'as-tu pas dit toi-même que Clorinde était en grande toilette ? Viens donc ! Et en disant cela, Louise prenait son frère par le bras et l'entraînait sans trop de résistance de sa part ; car on pouvait les voir de chez M. Wagnaër, et il n'aimait pas à paraître trop sauvage.

La plupart des miliciens, profitant de l'invitation de leur major, s'étaient rendus à l'auberge voisine, et il ne restait plus que le capitaine Martin et quelques-uns des plus anciens et des plus respectables habitants qui causaient avec M. Wagnaër. Clorinde vint au-devant de Louise et l'embrassa, et, sans attendre qu'elle lui présentât son frère, elle échangea avec lui une cordiale poignée de main. M. Wagnaër de son côté fit un accueil charmant à son jeune voisin, et l'invita tout de suite à un déjeuner magnifiquement servi, qui se trouvait sans doute préparé par un effet *de la surprise*, comme tout le reste. M. Wagnaër retint aussi à déjeuner les habitants qui causaient avec lui.

Après le déjeuner, qui se prolongea assez tard dans la matinée, Louise et Clorinde firent de la musique pendant quelque temps ; puis Charles obtint un congé d'une heure seulement, pour aller faire une toilette plus convenable, car il était invité à dîner. Les autres convives étaient le curé, Jules de

143

Lamilletière, fils aîné du seigneur, et le notaire de la paroisse. Le repas fut des plus gais et arrosé d'excellent vin de Champagne fabriqué à Jersey par un des compatriotes et correspondants du major. Après le dîner, Louise et Clorinde exigèrent que Charles les accompagnât dans une excursion à cheval ; le jeune de Lamilletière fut aussi de la partie. Enfin, après le thé, il fut question d'aller à un bal qui se donnait à l'auberge aux frais de M. Wagnaër. Charles se défendit de son mieux de ce dernier divertissement qu'on lui imposait, mais il n'y eut pas moyen. Ce bal devait être si drôle, si amusant, disaient les jeunes filles ; et puis Louise fut sur le point de pleurer. Ainsi, malgré qu'il eût bien hâte d'avoir avec sa mère l'explication qu'il méditait depuis si longtemps, notre héros fut obligé de céder.

Le bal fut en effet des plus divertissants. Jules de Lamilletière dansa avec Louise et Charles avec Clorinde. Les amours de Guillot le commis avec la fille vieille et laide d'un riche cultivateur, égayèrent surtout les deux jeunes couples. Ce ne fut qu'assez tard dans la nuit que Charles et Louise rentrèrent à la maison.

Madame Guérin avait veillé pour les attendre, et après s'être fait conter tout ce qui s'était passé, et comme quoi Clorinde n'avait pas voulu permettre à Louise de s'absenter et avait pris soin de sa toilette, qu'il lui avait fallu faire à plusieurs reprises, elle dit à Charles : " Mon pauvre enfant, il est bien tard et tu dois avoir un grand besoin de repos. Après un voyage comme celui que tu as fait, avoir passé une journée pareille ! J'avais pourtant des choses bien sérieuses à te dire : je voulais avoir une longue conversation avec toi ; mais ça sera pour demain. Il faut, mon pauvre enfant, que tu t'occupes d'affaires importantes, car, vois-tu, maintenant, il n'y a plus que toi sur qui nous comptions. Tu es l'espoir de la famille. Ainsi, après t'être bien amusé aujourd'hui, demain matin, tu viendras entendre la messe avec moi et ensuite nous parlerons d'affaires."

Charles pâlit à ce discours. Sa mère avait-elle su d'avance ce qu'il avait à lui dire ? Quelles étaient ces grandes affaires dont elle voulait l'entretenir ? Il était pour le moins bien étrange qu'elle lui offrît ainsi l'occasion d'une explication qu'il désirait si fort. Toutefois, comme il la redoutait presque autant qu'il la désirait, il ne fut pas fâché de la voir ajournée au jour suivant, et las des fatigues de la veille et des plaisirs du jour, il s'en fut dormir, la tête pleine de projets, de craintes et d'espérances pour le lendemain.

VI
L'espoir de la famille

Chez nos voisins des États-Unis l'autorité paternelle se réduit maintenant à peu de chose. L'individualisme a remplacé l'esprit de famille. Chaque citoyen, satisfait d'avoir assuré à ses enfants le plus profitable de tous les héritages : une bonne instruction pratique, qui peut faire de chacun d'eux, soit un cultivateur éclairé, soit un manufacturier inventif, leur abandonne le soin de se frayer eux-mêmes un chemin dans le monde, s'occupe peu de leur laisser une fortune à partager entre eux, et risque sans scrupule, dans la spéculation la plus hasardeuse, tout leur patrimoine. L'enfant, de son côté, choisit de bonne heure l'état qui lui convient, va où il veut, souvent au bout du monde, en revient quand il le peut, se marie quand il le veut et comme il lui plaît ; et, quelque chose qu'il fasse, il lui vient rarement à l'idée de prendre l'avis de ses parents. Ils n'ont rien à voir dans ses affaires, et ce n'est que juste : on ne s'affranchit d'un devoir qu'en renonçant à un droit.

Chez nous, quoique les mœurs intimes, les choses du foyer domestique se modifient de jour en jour au contact des institutions libérales, l'absolutisme des parents, surtout dans les familles riches, se ressent encore beaucoup de l'ancien régime. Nous ne prétendons pas dire que l'autorité paternelle se montre dure et inexorable ; mais elle a assurément une large part d'influence sur les actes les plus importants de la vie : le choix d'un état, et celui d'une épouse. Les meilleurs parents, par leurs instances et leurs larmes, violentent quelquefois des décisions qui devraient être libres, par cela même qu'elles sont irrévocables.

Il n'est même pas rare de voir cette influence exercée par la mère, à l'exclusion du père, et de grands garçons, très capables de penser par eux-mêmes, adopter, avec une soumission sans doute bien louable, la manière de voir plus ou moins éclairée de leurs mamans sur leur propre avenir. Il en résulte quelquefois que celui qui aurait fait avec beaucoup de peine un bon commis, devient un notaire ou un avocat, et que celui qui montre toutes les inclinations d'un mousquetaire, revêt l'habit ecclésiastique. Ce sont là de petits écarts de l'imagination maternelle qui, au demeurant, sait d'ordinaire gouverner avec assez de bon sens toute la famille, à commencer par le chef de la communauté.

Pour ce qui est de madame Guérin, rien n'était plus légitime que l'influence qu'elle exerçait sur Charles. Par la supériorité de son esprit et l'énergie de son caractère, elle avait su dès le principe remplacer auprès de ses enfants l'excellent père qu'ils avaient perdu dans leur bas âge ; elle avait conduit avec prudence et sagacité leurs petites affaires pécuniaires, et ce qui vaut mieux encore, elle avait su à la fois se faire craindre d'eux et se faire aimer. Aussi, quoique prévenu par quelques mots de la lettre de Louise, Charles n'en fut pas moins très étonné lorsque, dès le début de leur conversation, sa mère lui proposa d'abdiquer une autorité dont elle usait si sagement.

– M'émanciper, ma mère ? s'écria-t-il. Mais qu'est-ce que je ferai ? Je n'ai pas hâte de prendre la responsabilité des affaires de la famille. Il serait peut-être beaucoup plus sage de m'interdire, au moment où je deviendrai majeur, que de m'émanciper à présent... Puis se ravisant : Il y a cependant une sorte d'émancipation reconnue en loi à laquelle je ne saurais avoir aucune objection...

– Et comment appelez-vous cela, monsieur le jurisconsulte ?

– La loi dit comme cela, qu'on est émancipé en se mariant.

– Quoi, déjà ? Je ne pensais pas que cela irait si bien. J'avais oublié qu'il n'y a rien comme le cœur d'une mère pour rencontrer juste. Elle est donc bien aimable cette Clorinde qu'elle t'a ensorcelé du premier coup ? Si tu savais comme cela me fait plaisir...

Il y avait tant de bonheur exprimé par le son de la voix et le regard triomphant de madame Guérin, que Charles n'osa pas la détromper. Il se contenta pour le moment de manifester son étonnement.

– Comment, ces Wagnaër qui nous ont fait tant de mal ?
Serait-il possible ?

– Écoute, mon cher, quelques mauvais projets qu'ait eus
le père, je ne suis pas femme à tenir sa fille responsable.
Ensuite, me crois-tu haineuse au point de refuser ton bonheur
par rancune ? J'ai été bien surprise, cet hiver, lorsqu'un jour j'ai
reçu la visite de mon voisin et de sa fille. Je me suis demandé
quelque temps, ce que cela voulait dire. M. Wagnaër n'était
pas entré dans ma maison depuis cette fois où il avait été si
bien reçu... Je ne lui connaissais aucune raison d'essayer de
nouveau ce qu'il avait tenté une première fois... J'ai eu peur
de quelque nouvelle intrigue de sa part. Bien vite et un peu
malgré moi Clorinde et Louise sont devenues très intimes. La
naïveté de ta sœur, qui me répétait fidèlement tout ce qu'on lui
disait, m'a bientôt fait voir que les Wagnaër avaient quelque
projet de mariage en tête. Je me suis dit : mais ce serait là,
après tout, un bon moyen de finir toutes les difficultés ; en
donnant sa fille à Charles, mon ambitieux voisin s'assurerait
cette terre qu'il convoite... Au lieu de redouter sa cupidité,
nous serons certains de sa protection. Il se mêlait à ce projet
beaucoup de la sympathie que j'éprouvais pour Clorinde. Dans
les commencements, je n'aimais pas que ta sœur la fréquentât.
Elle a reçu une éducation toute différente et vu une société
tout autre que celle que je voudrais pour Louise. Mais elle a
un si bon cœur, elle a montré tant d'amitié à ma fille, tant
d'égards et de complaisance pour moi, elle a si bien profité
des conseils que je me suis permis de lui donner ; elle se
sent si malheureuse de n'avoir point de mère, que je me suis
habituée, depuis quelques mois seulement que je la connais, à
la considérer presque comme une seconde fille, et je me suis dit
qu'elle pouvait l'être un jour et te rendre heureux.

– Mais M. Wagnaër, ce vilain homme ?

– Lui aussi, mon cher, il a bien changé. Je ne ferais
point serment qu'il ne se permet pas encore quelques petits
prêts usuraires, qu'il ne force pas encore quelques habitants à
s'endetter assez pour acquérir bientôt leurs propriétés ; mais il
s'est montré, me dit-on, bien moins avide depuis une couple

148

d'années, on parle mieux de lui dans la paroisse et il a même fait quelques actions charitables. Quoique protestant, il voit souvent notre curé, il est bon ami avec lui ; il lui a donné de l'argent pour ses pauvres, il a offert le pain bénit au nom de Clorinde et il a payé sa dîme cette année. Ça ne me surprend pas, d'une manière, car il n'a jamais beaucoup tenu à sa religion, et il n'a fait aucune objection à ce que Clorinde fût élevée dans la nôtre ; je suis surprise seulement de le voir si libéral. Le curé parle en bien de lui, et m'a dit plusieurs fois que j'avais des préjugés trop forts contre cet homme. Enfin, tu as dû voir hier qu'il est beaucoup plus aimé des habitants, puisqu'on lui a fait une si belle fête, et que tout le monde paraît content de sa promotion au grade de major…

Madame Guérin était douée ou, si l'on veut, affligée d'une de ces imaginations ardentes qui marchent vite et bien vite dans le chemin ou elles entrent. Dans peu d'instants elle eut réhabilité aux yeux de son fils le nouveau major dont elle ne lui avait jamais dit de bien. Cela fait, elle se mit à dérouler l'avenir comme elle l'entendait, la pauvre femme, mais non pas absolument tel que Charles le rêvait.

Son fils, une fois marié, s'établissait auprès d'elle et de son beau-père ; il entreprenait de société avec celui-ci les plus beaux travaux, il créait un commerce de bois sur la *rivière aux Écrevisses*, les *billots* descendaient comme d'énormes poissons dans le courant rapide, un moulin gigantesque sciait le bois au fond de l'anse, des goélettes et des navires s'y pressaient en foule, la terre devenait le site d'un petit village, d'une petite ville, et Dieu sait quoi encore ! Les nouvelles juridictions judiciaires dont on commençait à parler déjà étaient établies, l'endroit devenait de la plus grande importance, on y installait une cour de justice, Charles cumulait le commerce et la profession et était tout naturellement le procureur de la maison dont il faisait partie ; il était de plus l'avocat de tout le monde et faisait, somme toute, des affaires d'or. Puis on était si heureux ! Louise aimait tant Clorinde ! Clorinde aimait tant sa mère ! Et Charles donc ! Et les petits enfants !…

Une pensée triste se lisait toutefois sur la figure du jeune homme. C'était, sans le savoir, une trahison que sa mère lui proposait. Il se faisait honte à lui-même intérieurement d'avoir pu en écouter si long, sans élever énergiquement la voix pour plaider la cause de sa fiancée absente ; mais sa mère parlait avec tant de volubilité... et il lui en coûtait tant de l'arracher à ses illusions !

Il lui vint à l'esprit de faire une question, au moyen de laquelle il crut rompre le fil de la conservation, afin de la reprendre ensuite et de dire à madame Guérin moins brusquement les choses qui devaient si fortement la contrarier.

– Mais vous ne m'avez toujours pas expliqué pourquoi vous vouliez me faire émanciper.

– Ah ! écoute un peu : cette idée-là n'est pas non plus étrangère à ton mariage. Quand on veut faire une affaire comme il faut, on doit d'abord se mettre en position de traiter avantageusement, n'est-ce pas ? Or, pour nous autres vieilles gens, qui voyons quelquefois dans un mariage ce que, à ton âge, lorsqu'on a la tête pleine de poésie et de roman, l'on se donne bien de garde de voir, pour nous, c'est avant tout une affaire. J'ai calculé dans mon esprit toutes les chances de celle-ci. Quoique M. Wagnaër ait des intentions bien prononcées sur toi, je ne suis pas encore bien sûre de mon coup. Clorinde est bien jolie et bien riche. Cela attire les amoureux de loin, quelquefois. Pour m'assurer du père, j'ai donc imaginé de le tenter en commençant moi-même ou plutôt en te faisant entreprendre l'exploitation de nos propriétés. Pour cela, il faut bien t'émanciper, car il faudra que tu agisses toi-même. J'ai une couple de cents louis, fruit de mes économies. Nous emprunterons, car avec cela tu n'irais pas loin. Je te mettrai en rapport avec les gens d'affaires que je connais à la ville : y aller moi-même, signer des papiers, m'inquiéter, me casser la tête, tout cela me répugne beaucoup. Tu es toujours destiné à avoir les affaires de la famille en main un jour ou un autre. Il vaut mieux à présent que plus tard. Cela te donnera de la gravité, cela t'empêchera de te laisser aller aux folies et aux extravagances de la jeunesse. Je vais donc, aussi promptement que cela te conviendra, te faire émanciper, puis je te consentirai une donation en bonne et due forme de mes deux terres ; car tu sais que ton père m'a tout laissé à moi en *propre* par son testament…

– Pierre et Louise… vous n'y pensez point !

– Sois tranquille. J'assure à Louise dans la donation une jolie rente ; et pour ce qui est de Pierre, s'il devait jamais revenir, ce qui me reste à part de mes terres serait pour lui. Je me fie aussi un peu à ta générosité. Mais je n'ai guère d'espérances pour ce pauvre enfant ; et je ne compte plus maintenant que sur toi… Voyons, tout cela te fait froncer les sourcils ; tu es mécontent peut-être de me voir tant calculer et mettre tant d'intérêt là où tu voudrais ne mettre que du sentiment. Eh bien ! voilà qui va te faire à merveille pour te délivrer de mes sermons. Vois-tu qui vient au détour de la route ? Va rejoindre ta sœur et son amie, et pour résumer tout ce que j'avais à te dire, laisse-moi ajouter deux mots : souviens-toi que tu es *l'espoir de la famille* !

VII
Un bal chez M. Wagnaer

À peine deux mois s'étaient-ils écoulés depuis la conversation que nous venons de rapporter, que Charles laissait pour la troisième fois l'étude de son patron et sa petite mansarde. C'était encore vers sa paroisse natale qu'il se dirigeait. L'amour filial n'était cependant point le seul motif de cette troisième excursion.

Les idées de madame Guérin avaient germé chez son fils et fructifié à merveille. Malgré tous ses beaux projets, il n'avait pas osé livrer l'assaut que nous lui avons vu méditer avec tant de courage ; puis, petit à petit, il avait si bien parlementé avec sa conscience, qu'il avait fini par renoncer à toute explication. Il n'y avait pas loin de là à l'entière apostasie de son premier amour.

Belle, enjouée, unissant à toutes les grâces de la jeunesse toutes les séductions de la bonne compagnie, tous les riens charmants qui ne s'apprennent qu'à cette école et qui font tant d'impression sur un jeune homme. Clorinde acheva de faire oublier la jeune villageoise.

La solitude, la mélancolie, le contraste entre Marichette et tout ce qui l'entourait avaient été pour beaucoup dans cette première passion. Le réveil de la nature aux premiers jours du printemps, les mille voix harmonieuses qui s'élevaient du fleuve, des champs et des bois, les souvenirs qui s'attachaient à tant d'objets familiers à son enfance, les promenades qu'il faisait avec Louise et Clorinde, la sympathie qui unissait les deux jeunes filles et formait autour d'elles comme une sphère d'ondulations magnétiques, tout cela amena par degrés de nouveaux sentiments que notre héros ne put s'empêcher d'avouer. La jeune fille, qui reçut cet aveu, s'en empara sans trop de façons comme d'une chose à laquelle elle s'attendait depuis longtemps et qui lui revenait de plein droit.

Mlle Wagnaër était une de ces natures ardentes qui ne font jamais trop de mystères de leurs sentiments. Autant Marichette avait montré d'hésitation, de réserve, autant Clorinde se montra heureuse et fière de l'amour qu'elle inspirait.

Après quelques semaines d'un bonheur que des souvenirs importuns ne troublèrent que rarement, Charles avait dû retourner à la ville pour exécuter les projets de sa mère. Tout se passa tel que madame Guérin l'avait prémédité. L'émancipation fut votée par une assemblée de *parents et amis* qui n'étaient ni l'un ni l'autre, l'acte fut homologué par le juge, qui signa sans lire, et M. Dumont fut nommé, pour la forme, *conseil au mineur émancipé*. Les emprunts nécessaires furent réalisés en peu de temps ; Charles signa plusieurs contrats avec des ouvriers pour la construction d'une écluse et d'un moulin à scie ; il engagea un commis, espèce de *factotum* qui se mit à la tête d'une bande de bûcherons ; enfin, en très peu de temps, il donna à l'exploitation de la *rivière aux Écrevisses* toutes les apparences d'une grande et sérieuse entreprise.

Cela fit ouvrir de grands yeux à M. Wagnaër. Il ne s'était attendu à rien de semblable. Il se voyait, comme on dit, *couper l'herbe sous le pied* par un jeune homme qu'on lui avait représenté jusque-là comme incapable de mettre deux chiffres bout à bout.

M. Wagnaër en était à une époque de transition bien importante. Après avoir amassé les matériaux de sa fortune, il en construisait l'édifice et se préparait à s'y caser avantageusement. Pour cela, il s'efforçait d'acquérir la seule chose qui lui avait manqué jusqu'alors, la considération publique ; il refaisait de son mieux sa réputation.

Avec ce léger ingrédient de plus, sa position devenait en effet très enviable. Ce n'est pas peu de chose que de primer par sa richesse sur une étendue de vingt à trente lieues et de dominer tous les gentilhommes et les bourgeois disséminés dans cet espace. Il faut qu'une flétrissure morale soit bien désespérante, pour qu'un homme très riche au milieu de fortunes généralement médiocres ne parvienne pas à la faire disparaître.

Les belles campagnes de la *Côte du Sud*, et particulièrement les environs de la résidence de M. Wagnaër, sont, tous les étés, le rendez-vous de nombreux émigrés de la meilleure société de Québec et de Montréal. Réunis aux familles les plus considérables de ces endroits, ces visiteurs citadins forment des cercles, pas aussi brillants sans doute que la brillante cohue qui s'entasse à Saratoga, à New Brighton et aux autres *eaux* et *bathing places* de l'Amérique, mais assurément plus gais et plus agréables. Ce sont des fêtes champêtres, des *pique-niques*, des excursions en chaloupe dans les îles du fleuve, de longues cavalcades d'une paroisse à l'autre, des promenades dans les bois, tout cela avec le spectacle des plus beaux paysages du nouveau monde.

M. Wagnaër conçut le projet de rassembler chez lui, à un jour donné, tous ces essaims de voyageurs et toute la société de l'endroit. Il voulait poser par une fête splendide la base de son existence nouvelle, inaugurer et substituer une domination d'un autre genre au règne de terreur qu'il avait fait peser jusque-là sur ses voisins. En d'autres termes, d'usurier et de créancier impitoyable, le marchand enrichi visait à se transformer en grand seigneur magnifique et hospitalier.

Grâce à quelques amies de pensionnat et aux relations d'affaires que son père entretenait avec quelques-unes des plus riches familles anglaises de Québec, Clorinde avait fait des connaissances dans le beau monde. Elle prit le prétexte de rendre à ses amies les politesses qu'elle en avait reçues, et les invitations du bal, comme cela devait être, furent faites en son nom.

M. Charles Guérin et M. Henri Voisin furent les premiers invités parmi les jeunes gens de la ville et s'y rendirent ensemble.

Il n'est pas besoin de dire que M. Wagnaër n'épargna rien pour cette occasion. Clorinde et Louise s'étaient chargées des préparatifs. Elles avaient transformé la maison et les jardins à ne pas s'y reconnaître. Elles avaient disposé avec art dans tous les appartements des guirlandes de feuilles d'érables entremêlées de fleurs. On avait abattu plusieurs cloisons, ce qui avait fait une salle de danse très vaste, tapissée d'un bout à l'autre de branches de sapins et d'érables. Des *convolvulus*, des *clématites* et d'autres plantes grimpantes étaient artistement mêlées à la verdure : leurs fleurs blanches, rouges, bleues ou jaunes formaient tout autour une véritable charmille. De grands vases d'albâtre contenant des bougies de diverses couleurs répandaient une lumière fantastique dans les vestibules et les boudoirs ; tandis que plusieurs lustres jetaient dans la salle du bal une éblouissante clarté, d'autres vases pleins de fleurs odoriférantes mariaient leurs suaves senteurs aux exhalaisons aromatiques des sapins, et une brise légère, qui pénétrait par toutes les ouvertures de la maison, agitait doucement et lumières et parfums.

Au fond de la salle de danse, il y avait deux larges fenêtres qui donnaient sur le jardin. On n'en avait fait qu'une seule porte. Plusieurs arcs de verdure élevés très près les uns des autres formaient un chemin couvert en feuillage de la maison au berceau. On avait relégué dans cet endroit le buffet et les rafraîchissements. Des statues de plâtre imitant le bronze, éclairaient le jardin avec des lampes qu'elles tenaient dans leurs mains ou sur leurs têtes. Des lampions de diverses couleurs avaient été disposés dans les arbres, les charmilles et les arbustes.

Mais la plus belle des décorations, c'était la nuit sereine mais noire et sans autre lumière que celle des myriades d'étoiles qui scintillaient là-haut, comme pour quelque réjouissance céleste. Une obscurité mystérieuse étendait ses voiles sur toute la campagne et au loin sur le fleuve. Il y a une sensation étrange que l'on éprouve au milieu d'une semblable fête, lorsqu'on songe à l'atmosphère de lumière et de bruit qui nous environne et va mourir par degrés si près de nous dans le silence et l'obscurité de la nature. On se croit dans un monde à part, sur une oasis de plaisirs, avec des limites et un horizon inconnus.

La société qu'avaient réunie les invitations de Clorinde formait un tout passablement hétérogène. Il y avait là des demoiselles de la ville en grande tenue de bal, décolletées autant que la mode le permettait, ce qui veut dire beaucoup, et des jeunes personnes de la campagne avec des mouchoirs de gaze sur leurs épaules, qui les enfonçaient autant et plus que ne l'exige la pudeur la plus incivilisée ; des élégants comme Jules de Lamilletière, jeunes gens aux allures hardies et dégagées, valseurs intrépides, pleins de grâces et de fatuité, dont la toilette était calquée sur la dernière gravure de mode ; et des échappés de collège avec des habits et des tournures à moitié séculiers, au regard indécis, à la démarche timide, gauche, contrainte, malgré la meilleure volonté du monde. Il y avait des dames à grandes prétentions, à la pose hautaine et protectrice, *exclusives* au dernier degré, ne parlant qu'entre elles et rendant à peine un dédaigneux salut à toutes les personnes qui leur étaient nouvellement présentées, et de bonnes grosses mamans déployant un sans-gêne un peu vulgaire, un caquet familier, des toilettes surannées, chargées de bijoux, de fleurs et de rubans, et remarquables surtout par des coiffures pyramidales en dehors de toutes proportions connues.

C'est le triomphe d'une châtelaine accomplie de faire oublier les éléments disparates qui se trouvent dans un salon, de mêler, de fondre ensemble les nuances diverses en donnant l'exemple par sa cordialité et son affabilité. La *dame de céans* n'avait ni l'aplomb, ni l'autorité nécessaires pour réussir à ce point.

La moitié de la société n'avait pas été présentée que déjà l'on pouvait voir la partie la plus jeune et la plus élégante se grouper autour d'elle et lui former une espèce de cour.

Au nombre des jeunes gens qui entouraient Clorinde se trouvaient deux officiers de la garnison de Québec. Ils étaient en habit bourgeois, ou, comme on dit dans le jargon anglo-français de nos salons, en *civiliens*.

Charles suivit avec une religieuse attention la conversation de ces hommes qu'il voyait partout si recherchés et si admirés. Il ne fut pas médiocrement surpris de leur entendre adresser pêle-mêle à Louise et à Clorinde une foule de questions décousues et saugrenues.

– Aimez-vous beaucoup la valse ? – Passez-vous souvent l'hiver à Londres ? – Comment trouviez-vous l'uniforme du régiment qui vient de partir ? – Aimez-vous les bains de mer ? – Marchez-vous souvent en raquettes ? – Savez-vous patiner ?

Au premier coup d'archet Jules de Lamilletière se mit en place avec Clorinde, Louise avec un des militaires fit leur vis-à-vis. Charles se tint près du quadrille et par un effort de hardiesse et d'habileté trouva le moyen d'engager Mlle Wagnaër pour le *troisième*. Elle l'était déjà pour le *second* avec l'autre militaire.

L'entrain de la danse, la musique assez bonne, l'éclat de la fête ne tardèrent pas à animer tous les invités d'une gaieté bruyante qui effaça bientôt les distinctions les plus désagréables. Le bal fut ravissant.

Clorinde, après avoir dansé avec Charles, refusa tout autre cavalier, sous le prétexte que lui offrait son rôle de maîtresse de maison. Elle fit avec Louise et son frère le tour des appartements et du jardin pour voir si tout était bien.

En passant près des peupliers du jardin, Charles aperçut son ami Voisin qui s'était adossé à un de ces arbres et paraissait chercher dans la contemplation de la voûte étoilée, une compensation à sa solitude et à son ennui. Il eut pitié de lui et, l'indiquant à Clorinde qui ne put s'empêcher de sourire, il prit congé d'elle et alla le rejoindre.

Comme pour remercier son ami, Henri ne tarit pas en éloges sur Louise et sur Clorinde. Il le félicita d'avoir dans une de ces charmantes personnes, une sœur chérie, et dans l'autre… bientôt, peut-être, plus qu'une sœur.

Il est juste de dire qu'il y avait encore plus de vérité que de flatterie dans ces paroles. Mlle Wagnaër et Mlle Guérin étaient bien certainement les deux reines du bal, quoique belles chacune à sa manière. Clorinde, un peu brune, avait un de ces teints animés et transparents qui ont le velouté de la pêche. Elle avait de grands yeux noirs tempérés dans leur éclat par la mélancolie que projetaient sur leurs regards les longs cils qui les recouvraient, un profil grec assez correct, des lèvres un peu plus épaisses qu'un peintre ne l'aurait désiré, mais pleines de fraîcheur et de volupté dans leurs contours. Son expression un peu sévère devenait gracieuse lorsqu'elle causait ; elle avait quelque chose de compliqué qui manquait à la blonde et naïve figure de Louise.

Les charmes de cette jeune fille, son amour qu'elle ne lui dissimulait guères, les magnificences de la soirée et, pour tout dire, quelques verres d'un vin généreux que Charles s'était versé au buffet en compagnie de son ami, tout cela lui avait monté la tête à un degré difficile à décrire.

Il se livrait à une splendide improvisation dans laquelle il construisait des châteaux et organisait des fêtes dignes des *Mille et une nuits*, lorsqu'un domestique vint annoncer aux deux jeunes gens, que M. Wagnaër désirait les entretenir un moment. Ils le suivirent et trouvèrent leur hôte qui les attendait dans une petite chambre voisine de son *magasin*, dans la seule partie de la maison qui ne fût pas envahie par la foule des invités. Il avait avec lui Guillot son commis et un jeune homme inconnu.

– Je vous demande mille pardons, dit-il, de vous avoir enlevés à vos amusements, surtout pour vous parler d'affaires. Je vous tiendrai ici le moins longtemps possible, et comme je n'y vais point par quatre chemins, ce sera bientôt fait. Monsieur Jean Bernard, que je vous présente, est le fils d'un de mes amis. Il se propose de fonder un établissement de commerce dans le district de Gaspé. Il y a beaucoup à faire dans ces endroits, et je crois qu'avec un peu d'encouragement il réussira. J'aime à favoriser les jeunes gens, et surtout les jeunes Canadiens. Après cela, vous me direz que c'est bien juste, puisque j'ai fait ma fortune ici... Il faudrait à M. Bernard deux mille louis pour faire partir ses affaires. Hum ! deux mille louis, par le temps qui court, M. Bernard, savez-vous bien que ça ne se trouve point dans le pas d'un cheval ! Mais, comme je vous le disais, il y a un instant, je crois que nous en viendrons à bout. Sept cent cinquante louis que Monsieur a par lui-même, et sept cent cinquante louis que je viens de lui prêter, cela fait bien quinze cents louis. Il est vrai qu'après cela je me trouve épuisé, mais il reste mon crédit, qui est bon, Dieu merci. En partant avec M. Bernard demain matin pour Québec, je trouverai là des amis qui nous endosseront des billets et j'aurai aisément quelques

158

cents louis aux banques. La seule objection, c'est qu'un voyage à Québec dans ce moment-ci me contrarierait beaucoup. Je suis au plus fort de mes affaires... J'étais très embarrassé, lorsque Guillot, qui a de bonnes idées, m'a fait penser à vous, Messieurs. Vos noms sont assez connus. Placés avec le mien, pour la forme, sur le dos d'un billet, ils feraient l'affaire sans aucune difficulté. J'ai pensé que vous aimeriez à vous joindre à une bonne action, et à rendre service à un jeune compatriote. J'ai préparé deux billets de cent cinquante louis chacun. Vous n'avez qu'à dire si cela vous convient. Si ça vous gênait le moins du monde, nous n'en serions pas pires amis.

Après quelques observations, Henri Voisin, sans trop hésiter, endossa l'un des billets, fait à son ordre par Jean Bernard. Charles Guérin suivit son exemple et mit son nom sur l'autre billet.

M. Wagnaër écrivit le sien au-dessous.

Et l'on rentra dans la salle du bal, et le bal dura jusqu'au jour.

Troisième partie

I
Sous les sapins

Au bout de la terre de Jacques Lebrun, sur la lisière du bois, se trouvait une longue suite de grosses roches, recouvertes, pour la plupart, de mousses épaisses et de lichens, et entre lesquelles s'élevaient plusieurs sapins à la sombre verdure. Au pied des sapins, à travers les cailloux, un ruisseau qui, dans les grandes eaux, devenait un torrent, précipitait une onde fraîche et écumante.

C'était une des plus chaudes journées de l'été. Un soleil ardent desséchait l'herbe des prairies, et à travers le feuillage épais, dardait quelques-uns de ses rayons jusque dans la profondeur des bois. Les oiseaux se taisaient comme accablés par la chaleur ; on n'entendait que le chant de la cigale et le bourdonnement de quelques autres insectes. Il était trois heures de l'après-midi, la chaleur était parvenue à son apogée, et l'endroit que nous venons d'indiquer offrait un asile qui n'était pas à dédaigner. Une jeune fille assise sur une des plus grosses roches, la tête appuyée sur le tronc d'un sapin, s'était endormie dans cette retraite ; le tapis de mousse qui recouvrait la pierre trempait au bas dans le ruisseau, et les branches du sapin descendaient jusqu'à terre en s'éloignant du tronc. La jeune fille avait de longs cheveux-châtains qui tombaient en boucles épaisses sur son cou ; son teint était animé de vives couleurs, et quoiqu'elle ne fût pas bien brune, on voyait que sa peau avait été plus d'une fois caressée par les rayons du soleil. Sa respiration haletante révélait un sommeil agité. Un large chapeau de paille et un beau livre relié en maroquin rouge, avaient été oubliés sur une des roches voisines.

L'indiscret qui se serait permis de feuilleter le livre, aurait trouvé que c'était un *Album* converti en journal intime, et si, après cette découverte, il eût poussé l'indélicatesse plus loin, il aurait pu lire ce qui suit.

28 mars.

Quel usage puis-je faire de cet *Album*, qui me soit plus agréable que d'y inscrire jour par jour les ennuis de l'*absence* ? Quel plaisir nous aurons tous deux à relire ces pages !... Il n'est parti que d'hier et quel vide !... Quelle longue journée ! Je n'ai pas travaillé : j'ai passé comme une folle une grande partie du jour à regarder à la fenêtre, dans la direction qu'ils ont prise... comme si je pouvais le voir, à présent qu'il est si loin ! Comme je regardais, il est venu s'abattre sur le chemin, tout un volier de ces petits oiseaux blancs qu'on appelle des *oiseaux de misère*. Je voudrais bien de leur misère et être l'un d'eux ! Comme je l'aurais suivi en sautillant sur la neige... Où est-il à présent ? Il pense à moi... on n'oublie pas si vite ; mais y pensera-t-il longtemps ?... Ah ! oui, ce mot qui m'est échappé comme il partait : Ne m'oubliez pas, retentira longtemps dans son cœur. Je ne sais pas comment j'ai fait pour oser lui dire cela en présence de mon père !

Je ne vis que de souvenirs ; les plus petites choses sont sans cesse présentes à mon esprit.

J'ai remarqué un demi-cercle tracé très fortement sur le plancher près d'une fenêtre. Il se mettait là souvent, un genou appuyé sur une chaise qu'il faisait tourner sur elle-même... Cette petite trace sur le plancher, ce n'est rien sans doute ; eh bien ! je suis allée déjà la regarder plus de dix fois.

3 avril.

Je ne serai maintenant pas plus de deux jours sans avoir de ses nouvelles. Mon père m'apportera-t-il une lettre de lui ? Je ne le pense pas ; il n'osera pas la lui confier.

Cette semaine d'ennui me rappelle celle que j'ai passée, il y a quelque temps, lors du premier voyage de mon père. Mais c'est effrayant combien je m'ennuie davantage. Alors, au moins, je travaillais, je pouvais voir au ménage, lire, coudre, broder...

6 avril.

Mon père et une lettre ! Comme j'ai repassé souvent dans ma tête ces quelques lignes ! Comme j'ai été fière de découvrir ce billet que mon père m'a remis sans le savoir ! Quelque chose me disait qu'il devait y avoir mieux que des ognons de tulipes dans ce petit paquet.

Cela m'a porté bonheur, j'ai été tout autre aujourd'hui que les jours précédents. J'ai fait plus d'ouvrage que dans toute une semaine.

Mais peut-être ai-je mal fait de lire cette lettre ? Comment ! après l'avoir attendue si impatiemment, j'aurais été forcée de la déchirer ou de la jeter au feu ! Le bon Dieu exige-t-il tant de perfection de nous autres pauvres jeunes filles ?

15 avril.
Me voici retombée dans mon ennui et le dégoût de tout ce qui m'environne. Cette lettre m'avait pourtant consolée, du moins pour quelques jours.
À présent, j'ai beau la lire et la relire, il me semble qu'elle ne me dit plus ce qu'elle me disait. Je suis dans un état étrange. Tout est pour moi sujet de crainte ou d'espérance. La moindre chose, un mot, un bruit, un regard me trouble et m'effraie...

21 avril.
J'ai lu des vers qu'il me faut copier ici. Je ne pourrais jamais si bien exprimer ce que je sens.

L'ABSENCE.

Pendant une heure au moins je l'avais attendu.
Mécontente, j'avais tâché de me distraire
Par un livre amusant, un travail assidu ;
Hélas ! je ne pouvais ni lire ni rien faire.
Assise sans penser devant mon secrétaire,
Sans se fixer sur rien, mes yeux erraient partout.
Ma plume au lieu d'écrire essuyait la poussière,
Et puis entre mes doigts la prenant par un bout,
Mollement j'arrachais sa parure légère ;
Puis ma tête tombait sur mon bras incliné,
Puis j'effaçais un mot, puis ma main indolente
Défaisait sans effort chaque boucle flottante
Dont mon front le matin se voyait couronné.
Je soupirais tout bas sans peine bien réelle ;
J'arrangeais le fichu que j'avais détaché,
Puis je me balançais et, le corps tout penché,
Je comptais les pavés de ma chambre nouvelle.
Qui croirait que ce jeu dissipa mon ennui ?
Depuis que nuit et jour je ne pense qu'à lui,
Pour moi tout est présage – et la lune couverte,
Et les ciseaux offerts, la rose trop ouverte,
La marguerite en fleurs que j'effeuille en passant,
Le chant du jeune oiseau, sa vue au jour naissant,
L'araignée au matin qui fait que je tressaille,
Que j'ai peur jusqu'au soir et qu'alors je me raille
De ma vaine frayeur qui renaîtra demain.

163

J'en reviens au pavé dont le nombre incertain
Faisait qu'en les comptant mon cœur battait à peine.
Qu'à force de trembler je ne voyais pas clair.
Il ne reviendra pas de toute la semaine,
Me dis-je alors tout haut, si le nombre est impair.
Il est pair – j'ai compté – Dût ta bouche railleuse
Sourire un peu de moi, je me sentis joyeuse.
Par un second calcul je n'osai pas risquer
Un bien déjà promis… je pouvais le manquer
Peut-être en me trompant ; du pavé prophétique
J'ai détourné les yeux…
Grand Dieu ! je viens d'entendre un air napolitain,
Un air gai le lundi… je pleurerai demain.
Un enfant a chanté – cela marque la joie –
Un chien hurle – la peine. – Ainsi toujours en proie
À la crainte, à l'espoir. – Mais le soleil à lui,
Dans un nuage d'or le voilà qui se noie,
C'est preuve de bonheur… Quelqu'un vient – ah ! c'est *lui* !

Elle est bien heureuse, et moi, pauvre Marichette, quand pourrai-je dire : *Ah ! c'est lui* !

26 avril.

J'ai reçu aujourd'hui une lettre d'Émilie. Voilà ce que j'appelle une bonne amie. Elle est lancée dans le monde et elle ne m'oublie point dans mon petit coin. Elle s'informe de mon *Album*. J'aurais honte de lui dire l'usage que j'en fais. Elle m'avait si bien recommandé, en me faisant ce cadeau, de l'emplir de jolies aquarelles et surtout d'y peindre les fleurs des bois qu'elle aimait tant et que nous allions cueillir toutes deux, un livre de botanique à la main.

11 mai.

M'aurait-il oubliée ? Ah ! cette pensée est affreuse, il faut la chasser bien vite.

J'ai surpris mon père aujourd'hui qui me regardait travailler ; il s'est éloigné, les yeux pleins de larmes. Aurait-il compris ?

20 mai.

Ah ! plaignez le mortel qui, seul en son ennui,
Va cueillir une fleur et la garde pour lui !

Pensée délicate et vraie !... Je suis allée aujourd'hui herboriser. J'ai trouvé des fleurs qui sont à peu près les premières à poindre dans les champs, au bord des ruisseaux et sur la lisière des bois. Le printemps est bien tardif cette année. *L'érythronium*, jolie fleur jaune qui se balance avec grâce sur sa tige entre deux longues feuilles d'un vert doux à l'œil et tacheté de rouge : le *trilium* avec ses trois feuilles, ses trois sépales et ses trois pétales ; *l'anémone*, aussi gracieuse que son nom ; le *sanguinaria canadensis*, dont la racine tache comme du sang ; la *violette*, fleur emblématique dans tous les pays ; la *claytonia virginica*, dont les petites campanules blanches et roses se cachent aussi comme les fleurs de la violette ; quand je les ai eu cueillies, je ne savais plus qu'en faire : mon petit herbier en contient déjà des *spécimens* sous toutes les formes. Quel plaisir j'aurais eu à les *lui* donner !

J'étais bien contente, cependant, de mon petit butin, dont je me proposais de faire hommage à mon père, lorsque j'ai rencontré la mère Paquet, qui venait au-devant de moi et qui m'a fait le plus vilain plat qu'on puisse imaginer. " Mamz'elle Marichette, m'a-t-elle dit, je ne sais pas ce qu'ils ont dans le village, mais ils ne font que rire de vous et jaser sur votre compte. Depuis que ce beau *Mossieu* est parti, ils disent que vous êtes folle, que vous avez la tête virée, que vous êtes fière, c'est terrible, et puis que vous avez bien du chagrin, ce qui est bon pour vous ! Ils disent comme cela que vous n'aurez plus jamais de ses nouvelles, qu'il vous a amusée, qu'il se moque de vous ; et un tas d'autres choses que je voudrais tant seulement pas vous répéter. Croyez-moi, mam'zelle Marichette, soyez gaie, avenante, montrez-vous dans le village, faites-vous des amis ; ça ne vaut jamais rien pour une *créature* de se mettre dans les langues."

165

La vieille est-elle piquée de ce que je ne lui fais point de confidences ? Ou bien dit-elle vrai ? Cela ne laisse pas que de m'inquiéter.

26 mai.

Mon père m'a prise dans ses bras, et il m'a demandé ce que j'avais à être triste. Je lui ai dit que j'étais malade. Effectivement, je n'ai point menti. Seulement, je ne suis pas triste parce que je suis malade ; mais je suis malade parce que je suis triste. J'ai eu, cette nuit, une fièvre très forte ; si je me souviens bien, je me suis levée dans ma chambre et j'ai récité une grande partie de mon rôle d'Athalie. Il me semblait que Charles était là qui m'écoutait...

Comme mon père est bon ! Ce soir, en rentrant dans ma chambre, j'ai trouvé une belle pièce de soie ; j'ai été voir papa et je lui ai dit que ça me faisait de la peine qu'il fît de la dépense pour moi... Il me dit que la récolte de l'année dernière avait été excellente, qu'il avait fait de bonnes affaires cet hiver ; qu'il savait bien ce qu'il faisait... Je vais me faire une belle robe. Émilie m'enverra bien un patron. Cet ouvrage me distraira peut-être et me consolera... Quand il reviendra, je n'aurai pas honte de me montrer devant lui... Et puis, ma vieille robe brune du couvent était si laide !

3 juin.

Il m'oublie, c'est bien certain !... Aujourd'hui le 3 de juin, je n'ai pas encore de ses nouvelles... et il devait être chez sa mère le premier de mai... peut-être m'a-t-il écrit et sa lettre est-elle restée en chemin... peut-être a-t-il de grandes difficultés à vaincre et ne veut-il pas m'écrire avant que tout soit arrangé... peut-être n'a-t-il pas obtenu la permission de mon oncle pour ce second voyage... peut-être est-il malade... ou bien quelque accident... En voilà des *peut-être* ; et de bien tristes parmi !...

Hier, j'ai eu la visite de la petite Rose Tremblay ; elle est bien nommée *Rose* : je n'ai jamais vu des joues si fraîches et si colorées. Cela m'a fait penser combien je devais être pâle. Je me suis regardée, en passant, dans mon miroir : j'ai eu peur de moi.

Rose se marie : elle est venue m'annoncer cela et faire, comme on dit, une visite d'adieu. Elle a premier et dernier ban dimanche. " Voilà ce que c'est, mamz'elle Marichette, m'a-t-elle dit en partant, il ne tenait qu'à vous. Si vous *aviez voulu,* ce ne serait pas moi qui me marierais mardi ! Fallait être bien difficile pourtant pour refuser Modeste Richard, un garçon si riche ! Il est vrai que vous avez trouvé un beau Monsieur, et que vous serez la dame d'un avocat, quelqu'un de ces jours... mais ce n'est pas une affaire faite et vous aurez peut-être bien du chagrin...

Je lui ai dit qu'elle se trompait, que je ne me marierais jamais, que j'avais refusé son fiancé, parce que j'entendais bien rester vieille fille, pour avoir soin de mon père et raccommoder le vieux linge de la maison. J'ai trouvé le moyen de rire en lui disant cela ; mais, comme j'ai pleuré quand j'ai pu être seule !

8 juin.

Je n'ai eu qu'une pensée toute la nuit et toute la journée, une pensée comme celles qu'on doit avoir dans l'enfer : *Il en aime une autre !*

9 juin.

Comme je me promenais seule dans la campagne j'ai vu venir de loin un convoi funèbre. La mort a quelque chose de bien plus triste à la campagne : il n'y a pas le bruit, l'agitation, les mille contrastes que vous trouvez de suite dans les rues d'une ville pour effacer l'impression que vous recevez de la vue d'un cercueil. La pauvre femme que l'on menait en terre m'était tout à fait inconnue : c'est une fille d'une autre paroisse, qui était venue ici s'engager pour les travaux. Elle est morte en deux ou trois jours d'une fièvre qui s'est déclarée subitement. L'enterrement de cette inconnue m'a causé autant d'émotion que si c'eût été une parente ou une amie. Il n'y avait que les gens

167

de la maison où elle servait, trois ou quatre voisines et quelques enfants qui suivaient le cercueil. J'ai augmenté de ma présence ce petit convoi.

Il faisait le plus beau temps que l'on pût désirer, trop beau pour un enterrement ! Le ciel était pur et d'un beau bleu pâle, le soleil brillait sans nous incommoder par une excessive chaleur, les petits oiseaux chantaient en sautillant sur les clôtures, et quelquefois dans le chemin, sans trop s'alarmer de notre présence… ils savaient bien qu'une morte et sa suite ne leur feraient point de mal… Le foin et les fleurs des champs embaumaient l'air ; on aurait dit que la nature entière souriait à la sépulture de cette pauvre fille que le ciel a peut-être reçue de préférence à bien des riches et des grands. La cloche de l'église, qui s'est mise à sonner quand on nous a vus venir, semblait une voix qui l'appelait d'en haut en chantant…

Nous marchions lentement en répondant au chapelet que récitait une des vieilles femmes. Cela m'a rappelé le premier enterrement que j'ai vu… celui de ma pauvre mère. Mais c'était bien différent. Il pleuvait beaucoup cette journée-là et il y avait une grande foule de monde et un beau clergé qui marchait devant. J'étais toute petite ; mon père me tenait par la main, et je marchais sans savoir où nous allions.

Le vicaire et un petit enfant de chœur ont récité à voix basse les prières pour cette pauvre fille et la cérémonie de sa sépulture a été bien courte. Quand le cercueil a été recouvert de terre, je me suis enfoncée dans le cimetière, où j'ai retrouvé avec peine, parmi les autres inscriptions, celle qu'on a placée sur la tombe de ma mère. Je n'étais pas entrée dans ce lieu depuis bien longtemps. Quand on est heureuse, il en coûte de s'attrister : à présent, tout ce qui est triste me plaît. L'épitaphe de ma pauvre mère est bien simple : il n'y a pas même de date et il n'y a pas son âge. " Ici repose le corps de Marie Dumont, épouse de Jacques Lebrun. – Priez pour elle."

Je n'ai pas prié pour elle, malgré qu'on me le demandât. L'idée ne m'en est pas venue. Je l'ai priée, elle, pour moi. J'ai dit : " Ma mère, ne m'oubliez point dans le ciel où vous êtes. Si je dois cesser d'être vertueuse et bonne, demandez au bon Dieu que je vienne bien vite vous rejoindre ici et là-haut."

15 juin.

Il me semble que je suis résignée à mon malheur. Je suis bien persuadée maintenant que c'est fini. J'étais une folle de le croire ; il était trop jeune et avait trop peu d'expérience du monde. Il ne se croit déjà plus lié par ce qu'il m'a dit. Il se sera dit à lui-même : autant en emporte le vent ! Il a raison et je devrais faire comme lui. Il me semble que je dois avoir assez de force pour oublier un écervelé de cette espèce. Mérite-t-il qu'on se rende malheureuse et qu'on se fasse mourir pour lui ? Après tout, il ne manque pas de jeunes filles à qui la même chose est arrivée, et qui sont encore vivantes et bien portantes. Les chagrins d'amour passent comme tout le reste. J'en aurai pour quelques jours encore à être triste ; mais avec du courage et de la philosophie, je redeviendrai calme et heureuse comme avant.

20 juin.

Il est bien facile d'être philosophe sur le papier... mais je l'aime plus que jamais, et je sens que je l'aimerai toujours. J'ai eu, hier, des moments sombres, des moments de désespoir terribles. Il faut pourtant que je prenne une résolution. Si je lui écrivais ? Oui, il faut que je lui écrive !

21 juin.

J'ai griffonné bien du papier aujourd'hui. J'ai écrit cinq ou six lettres pour Charles... les unes étaient tendres et touchantes, d'autres froides et polies, d'une politesse ironique ; d'autres étaient chargées de reproches et d'injures et écrasantes de mépris. Elles se valent toutes à présent... car je les ai toutes déchirées et brûlées. Ça n'a pas le sens commun de vouloir lui écrire. Est-ce qu'il me répondrait ? Est-ce qu'il lirait ma lettre ? Est-ce qu'il la décachetterait seulement ? Est-ce qu'il s'occupe de moi ? Est-ce qu'il a un cœur et une âme comme les autres hommes ? Il m'est venu à l'idée de me confier à Émilie, à qui je dois une lettre... Il faut nécessairement s'épancher dans le sein d'une amie, – autrement le chagrin vous tuerait. J'ai donc écrit à Émilie ; mais en relisant ma lettre, la colère m'a pris de nouveau, je me suis sentie humiliée de cette confidence, et cette lettre a eu le sort de toutes les autres.

27 juin.

Je devrais mourir de honte. Mon père a pris une engagée de plus pour le service de la maison. Moi qui autrefois faisais tout l'ouvrage !

Mon petit écureuil est mort ce matin dans sa cage. J'avais oublié depuis plusieurs jours de lui donner à manger. La mère Paquet m'a dit que si ce n'était que d'elle, il en serait de même de mes poulets et de toute la basse-cour.

À quoi suis-je bonne maintenant ? Je ne travaille pas de la journée et je ne dors pas de la nuit.

J'ai des idées épouvantables dont je ne puis me défaire... Que vais-je devenir ?... Mon Dieu ! Mon Dieu ! ayez pitié de moi !

> Oh ! moi je veux mourir,
> C'est assez parcourir
> Le monde, vaste plaine
> Où croît partout la peine.
>
> Oh ! moi je veux mourir,
> Je ne veux plus nourrir
> Dans mon cœur l'espérance,
> Cette longue démence.
>
> Oh ! moi je veux mourir,
> Mon corps ira pourrir
> Sous quelque blanche pierre,
> Implorant la prière.
>
> Oh ! moi je veux mourir.
> D'ici je veux partir,
> Et laisser en arrière
> Toute vile barrière.

Oh ! moi je veux mourir ;
Qui pourrait retenir
L'essor de la colombe ?
Qui peut fermer la tombe ?

Oh ! moi je veux mourir,
Je saurai bien ouvrir
Des morts la noire porte,
Pour que mon âme sorte.

Oh ! moi je veux mourir ;
En me voyant périr,
Qu'importe qu'on s'écrie :
Si jeune et plus de vie !

Que me feront à moi
Les clameurs et l'effroi
Qu'une jeune victime
Fait toujours, en tombant
Dans l'éternel abîme
Du trépas dévorant ?

Que me feront à moi ?...

3 juillet.

Qui a écrit les vers qu'il y a sur la page précédente ? Quelque folle sans doute ! Hélas ! cette folle, c'est moi ; et je vois bien, à l'air que tout le monde prend avec moi, qu'on me considère telle... Que la volonté de Dieu soit faite !

– Non, pauvre Marichette, non, vous n'êtes pas folle ; vous aimiez, vous êtes isolée et malheureuse, et vous voulez persister dans votre isolement et votre malheur en ne vous confiant à personne. Vous avez laissé les occupations grossières, les durs travaux que vous aviez su vous rendre doux et aimables, et vous avez défait en quelques semaines l'ouvrage de deux années. Vous vous êtes placée vous-même en dehors de tout ce qui vous entoure, et vous ne savez plus où vous êtes. Quels songes vous tourmentent dans cet asile où vous vous êtes réfugiée contre la chaleur du jour et l'ennui de toutes choses ? Votre sommeil est agité, votre poitrine oppressée ; et de vos lèvres brûlantes s'échappent des sons confus et inarticulés.

Elle rêvait, la pauvre jeune fille, qu'elle était près d'un précipice et que Charles, comme cela lui était déjà arrivé, était là pour la sauver. Mais il lui semblait que Charles hésitait. Tout à coup il paraissait de l'autre côté une autre jeune fille beaucoup plus belle, qui implorait du secours d'une voix lamentable. Alors Charles s'éloignait et faisait un long détour pour sauver l'autre jeune fille. Pendant ce temps, elle glissait... glissait et elle allait tomber... lorsqu'elle fut éveillée par une voix qui ne lui était pas inconnue.

– Mamz'elle Marichette, v'là-t-il longtemps que j'essaie à vous réveiller ! C'est que j'avons de bonnes nouvelles à vous apprendre. J'savais ben que j'vous trouv'rais sous les sapins. C'est toujours icite que vous v'nez quand vous partez sans rien dire, avec votre beau livre rouge qu'est tout doré. Dame aussi, j'sommes venue ici tout *drette*. C'est qu'j'en ai des nouvelles et des fameuses ! Quoi ! une lettre que j'pense ben qu'est de ce *Mossieu*... que c'est du papier plus doux que de la soie, que c'est tout parfumé !... et un beau p'tit cachet ous'qu'il y a des oiseaux dessus. Mais voyons, j'ai beau fouiller partout sur moé, je ne la trouve plus. Grosse bête que j'suis, va ! je l'avons laissée à la maison.

– Il n'y a pas de faute, *la mère*, seulement je vais avoir de la peine à m'y rendre, quoique je ne devrais pas en parler, si ce que vous dites est vrai. Je suis bien fatiguée, je faisais un bien mauvais rêve quand vous êtes venue : je rêvais que je glissais dans un précipice...

– Dame ! vous n'étiez pas sur des roses non plus ; vous étiez couchée ben mal à votre aise sur c'te grosse roche ; ça fait rêver, ça ; et pis vous avez la fièvre, car vos joues sont rouges... *fictivement* j'cré ben qu'vous auriez glissé dans l'russeau, si j'n'étais pas v'nue.

Marichette prit avec la vieille le chemin de la maison, où elle fut de retour en très peu de temps, non pas cependant sans avoir été contrainte, malgré sa bonne volonté, de s'arrêter de temps à autre sur une *clôture* ou sur une roche pour se reposer.

En voyant la lettre, elle dit tristement : ce n'est pas de lui ; mais je suis toujours contente, c'est de cette bonne Émilie.

Quand elle en eut terminé la lecture, elle devint pâle, de rouge qu'elle était : " Mère Paquet, dit-elle, vous allez me faire quelque bonne tisane bien chaude. Je vais me mettre au lit ; car je suis malade, bien malade."

En effet, elle frissonnait de tout son corps, et ses dents s'entrechoquaient convulsivement dans sa bouche.

Voici la lettre d'Émilie :

Ma chère amie,

Tu n'as point répondu à ma dernière lettre, ce qui m'inquiète un peu. Réponds à celle-ci, ou je me fâcherai tout de bon contre toi. J'espère au moins que tu n'es point malade, et qu'il ne t'est rien arrivé de mal.

L'été est triste à Québec comme toujours. Tout le monde est à la campagne. Nous avons fait comme tout le monde, nous sommes descendus toute la famille à R... jolie paroisse de la côte du Sud.

Il faut dire aussi que nous étions invités, et pour un bal encore ! C'est inviter son monde de loin, n'est-ce pas ?

Te souviens-tu de Clorinde Wagnaër, cette grande fille un peu brune qui est sortie du couvent quelques semaines seulement après que tu y es entrée ? C'était elle qui donnait ce bal. Elle est fille unique ; sa mère est morte depuis longtemps, son père lui laisse faire tout ce qu'elle veut : il est très riche et il est fou de sa fille.

C'était un bien beau bal, je t'assure ; ma mère dit qu'elle n'a jamais rien vu de pareil. Il y avait beaucoup de monde et rien n'avait été épargné.

Je crois que j'ai fait une conquête à ce bal. M. Jules de Lamilletière a été rempli d'attentions pour moi. C'est le fils aîné du seigneur de l'endroit, ni plus, ni moins. S'il se déclare, je te tiendrai au courant de mes amours.

Clorinde est beaucoup plus avancée que moi. Elle a pour *cavalier* le plus charmant garçon qu'on puisse trouver. Il est très instruit, rempli de talents et d'activité, et il aura une bonne petite fortune. Il se nomme M. Charles Guérin. Ils s'aiment tous deux à la folie. Clorinde est une bien charmante fille. Elle a embelli depuis qu'elle a quitté le couvent, et elle tient plus qu'elle ne promettait.

Cela me fait penser que tu ne me parles de rien de semblable dans tes lettres. Est-ce que personne ne te fait la cour ? Les jeunes gens de ta paroisse et ceux qui passent par là n'ont donc pas de goût ? Je suis persuadée qu'il se passe quelque chose que tu ne me communiques pas ; et c'est peut-être pour cela que tu m'écris si peu souvent. Ce n'est pas bien, mademoiselle, je n'ai rien de caché pour vous, et il faut absolument que vous me fassiez votre confidente.

J'attendrai avec impatience ta prochaine lettre ; je suis certaine d'apprendre quelque chose de nouveau.

En attendant, je t'embrasse de tout mon cœur.

Ton amie sincère,

ÉMILIE.

II
Une simple formalité

Suzanne, vous venir ici ; vous tout de suite balayer *le* place ; après, vous mettre des verres sur *le* table et apporter des carafes... Mon Dieu, que c'est tannant d'être toujours obligée de parler anglais ! La personne qui, en s'exprimant ainsi, croyait de bonne foi avoir fait une grande consommation de l'idiome anglo-saxon, était une femme courte, grosse et réjouie, épouse d'un brave aubergiste du faubourg Saint-Jean. Il se faisait dans la petite auberge de grands préparatifs, qui ne donnaient guère de repos à la pauvre Irlandaise, unique servante de l'établissement, à l'adresse de laquelle les injonctions et les prescriptions semblables à celles que nous venons de rapporter textuellement, se multipliaient sans relâche. La pauvre fille allait et venait et sa maîtresse aussi, et il semblait que rien n'avançait. Quant à l'hôte, il était tranquillement installé dans son cabaret, fumant et causant avec trois ou quatre habitués, et buvant deux verres chaque fois que ceux-ci en buvaient un.

À force d'activité, cependant, les deux femmes parvinrent à mettre une petite chambre dans la mansarde en état de recevoir les hôtes que l'on attendait. Une longue table avait été dressée, une nappe très propre la recouvrait et deux rangées d'assiettes et de verres en face l'une de l'autre semblaient se défier à un combat bachique à outrance. Les chaises étaient à leur poste, de grandes terrines étaient placées au pied de chaque chaise, de petits couteaux larges, pointus et à garde, étaient disposés auprès de chaque couvert, et d'énormes piles de serviettes s'élevaient de distance en distance tout autour de la table. Ceux de nos lecteurs qui savent ce que c'est qu'une fine *partie d'huîtres* à Québec, dans l'automne, doivent se trouver en pays de connaissance.

Les convives arrivèrent tous à la fois. Les cloisons et les vitres de la petite auberge furent ébranlées, comme par un tremblement de terre, au tapage qu'ils firent en entrant. C'était une avalanche de jeunes avocats, de jeunes médecins et d'étudiants capables de bouleverser tout un quartier. Mêlés à ce tourbillon, se trouvèrent nos amis les trois hommes d'État que nous avons vus, une première fois, dans une autre mansarde, occupés à régler le sort de l'univers.

– C'est justement ce qu'il nous faut, Voisin, tu as choisi on ne peut mieux ; nous pouvons faire le diable ici et que toute la ville en ignore.

– Tiens, cette idée ; j'entends bien, quand je me grise, que l'univers le sache.

– Toujours cagot, maître Voisin. Il veut être gris intérieurement et sobre extérieurement.

– C'est un sépulcre blanchi... comme dit l'Apocalypse.

– Bon là ! l'Apocalypse n'en dit pas un mot.

– Allons, messieurs, pas tant de théologie !

– Du *thé* au *logis* ! Mais vous voyez bien qu'il n'y a ici que du madère, du genièvre, du cognac, et d'autres petites liqueurs douces.

– Fameux !

– Excellent !

– Bravo... bravissimo ! Albert est l'homme pour les calembours.

– Ma modestie, messieurs, me force à vous dire que celui-là n'est pas neuf.

– Mais que fait donc l'hôtesse ? Allons, madame... comment s'appelle-t-elle ? Madame Robert ! Holà ! eh ! Nos huîtres, s'il vous plaît ?

– Ah ! les voilà... quelle montagne !

– Mais ne traitez donc pas cette dame de montagne, ce n'est qu'une colline tout au plus.

– *Montes, exsultastis sicut arietes, et, colles, sicut agni ovium* !

– Chut, butor ! Je parlais des deux plats d'huîtres.

– À nous, les amis !

– Chacun à son poste... le coup d'appétit... le verre en main... chargez ! Feu !

– À l'arme blanche maintenant.

– Gauche que je suis !

– Tiens, ce pauvre Guérin, pour son coup d'essai, s'est écorché le pouce !

– Ce n'est rien... si le sang coule trop, je ferai comme Han d'Islande... je boirai le sang des hommes et l'eau de la mer dans une coquille.

– Admirable ! Les rêveurs comme Guérin n'en font jamais d'autres.

– Il pensait à mademoiselle... je sais bien qui ; mais on ne nomme pas les dames dans cette maison.

– Dis donc, qui est-ce qui a écrit ce Han d'Islande ?

– Un fou qui s'appelle Victor Hugo.

– Quel nom, et quelles idées !

– Ne badinez pas, nous ne sommes qu'en 1831. Dans dix ans on n'écrira plus que de cette manière.

– Allons, Jean Blond, tu les ouvres plus vite que tu ne les manges !

– C'est beaucoup dire.

– Ce qui me réjouit, c'est de voir qu'on ne les a pas lavées.

– On a bien fait ; c'est une propreté mal entendue. Il vaut mieux manger un peu de terre et ne rien perdre de leur saveur.

– Sans compter que c'est très dangereux de les laver. L'huître s'ouvre... son âme s'échappe, et on court le risque de manger une huître morte.

– Les huîtres ont une âme ?

– Pourquoi pas ? Les conseillers législatifs prétendent bien en avoir chacun une !

– Savez-vous qu'on parle d'abolir le Conseil ?

– Oui, la *Minerve* et le *Vindicator* ont de fameux articles là-dessus.

– C'est une *nuisance*, tout le monde en convient.

– C'est cela ; à bas le Conseil !

– Je ne veux pas qu'on abolisse le vénérable corps ; je propose qu'on *l'ouvre*...

– À bas le *bureaucrate* !

– Point d'aristocrate ici !

– Laissez-moi finir ; je propose qu'on l'ouvre... en détail comme nos huîtres.

– À la bonne heure !

– Pour voir ce qu'il y a dans un conseiller ?

– Savez-vous que nous mangeons assez souvent ces pauvres bêtes en vie ?

– Quoi ! les conseillers ?

– Non, les huîtres.

– Comment sais-tu cela, toi, docteur Sangrado ; est-ce que tu leur tâtes le pouls ?

– C'est parce qu'il ne les traite pas, je suppose, qu'elles sont présumées vivre.

– Sérieusement, l'autre jour, comme je commençais à en ouvrir une sans l'aide d'un couteau, elle s'est refermée vivement et m'a pincé le doigt.

– Eh ! bien, cela prouve qu'elle était morte.

– Faut-il déraisonner un peu !

– Tais-toi donc, tu sais la médecine, mais tu ne sais pas la loi... *le mort saisit le vif.*

– Halte-là, messieurs ; vous me faites penser à une triste affaire qui me tombe sur les bras... Savez-vous bien que je pourrais être au premier jour saisi... mais non pas par un mort, comme l'entend la *Coutume* ; car alors c'est qu'on hérite ; et à cela je ne saurais avoir d'objection.

– Où diantre est-il allé pêcher des créanciers ?

– Comment, Voisin, un Arabe, un juif comme toi, tu fais des dettes !

– Et tu te laisses poursuivre, condamner, saisir et vendre ; mais c'est charmant !

– Les plus *fashionables* de Québec ne font pas mieux.

– Voyez-vous, il se civilise.

– Il se perfectionne.

– Il se fait gentilhomme.

– Ma foi, il se lance dans le monde.

– Vous me faites trop d'honneur ; ce n'est pas pour mon plaisir, et c'est bien la plus étrange histoire qu'on puisse imaginer.

– Conte-nous cela.

– Figurez-vous que mon ami Guérin et moi, nous avons endossé des billets à M. Wagnaër, pour un jeune nigaud qu'il protégeait. Nous sommes les victimes de notre patriotisme.

– Pour Guérin, passe ; mais toi, Henri, victime de ton patriotisme, c'est trop fort.

– Écoutez un peu. Il s'agissait, nous disait M. Wagnaër, d'établir un jeune compatriote, de former une maison de commerce canadienne ; il faisait lui-même de grands sacrifices, et il ne nous demandait que de lui prêter nos noms. Son protégé devait faire merveille, et voici ce qu'il a fait : des dettes partout, de très mauvaises affaires, et au bout de trois mois, il est incapable de payer ses billets. J'ai reçu avant-hier une lettre de mon confrère M. X…, avocat de la banque de Québec, qui m'engage poliment à lui payer le montant du billet que j'ai endossé, avec les frais de protêt, etc. Il me laisse l'alternative de lui donner une *confession de jugement*, qu'il acceptera avec reconnaissance pour s'éviter la désagréable nécessité, etc. Nous sommes si aimables entre nous ! Nous nous exécutons réciproquement avec tant d'égards !

– C'est comme nous autres médecins ; nous expédions nos confrères pour l'éternité *gratis*, et avec une foule de procédés charmants.

– Mais quoi ! tu prends ton affaire au sérieux ?

– Tu t'imagines qu'un homme comme M. Wagnaër va vous laisser dans l'embarras ?

– C'est qu'il paraît très gêné lui-même.

– Ce ne peut être que momentané.

– Enfin, il ne voudra pas faire perdre cet argent à son gendre futur, puisqu'il faut tout dire.

– Ni à l'ami de son gendre.

– En effet, vois donc Guérin ; ça n'a pas l'air à le tourmenter beaucoup.

– Bah ! c'est une vraie misère, et si mon ami Voisin veut m'écouter, nous allons noyer ses inquiétudes dans une rasade. Mon beau-père (comme vous voulez bien le dire) ne fera pas banqueroute pour si peu de chose.

– Voilà qui est parler comme un homme.

– Prends modèle là-dessus, mon pauvre Voisin, et n'aie pas peur de ton ombre.

– C'est cela ; faites comme moi. Je suis plus jeune que vous, et ma position ne m'alarme guère.

– Une belle et un billet ! Quel est le jeune homme qui n'a pas l'un ou l'autre ?...

– Quand il n'a pas l'un et l'autre.

– Nous pouvons tous en dire autant.

– Allons ! à nos créanciers et à nos belles !

– À nos amours et à nos dettes !

– À nos billets promissoires et à nos billets doux !

– Rasade, mille tonnerres, rasade !

– Et surtout, que Voisin vide son verre en conscience.

– Oui, qu'il boive le calice jusqu'à la lie.

– À nos belles, tout pour elles !... À nos créanciers ce qui restera !...

On pense bien que ce *toast*, bu avec enthousiasme et avec fracas, ne fut pas le dernier. Des rires bruyants, des chants étourdissants et cacophoniques, le bruit des carafes, des assiettes, des verres et des huîtres, qui dansaient une véritable ronde sur la table, tinrent éveillé une partie du voisinage, et firent croire à quelques bonnes vieilles que le sabbat se tenait cette nuit-là dans leur quartier.

Charles n'était pas fait à de pareilles scènes ; aussi son imagination et ses nerfs en furent-ils fortement ébranlés.

De retour au logis qu'il regagna difficilement par une grosse pluie d'automne mêlée de neige, il ne put fermer les yeux que tard dans la matinée. À peine dormait-il depuis quelques instants d'un sommeil agité, lorsqu'il fut éveillé par son ami Voisin, qui se tenait droit et pâle comme un fantôme au chevet de son lit.

– Voyons, cher ami, vous dormez bien tard pour un homme qui n'a pas rencontré ses billets.

– Qu'est-ce donc ? Qu'y a-t-il ?

– Moi qui suis plus matineux que vous, je viens déjà de voir l'avocat de la banque de Québec, et...

– Que me chantez-vous là ? Encore cette histoire ? Vous êtes bien ridicule avec votre panique.

– Pas du tout. J'aime à voir le danger en face... et une fois que j'ai tout vu, je m'exécute de bonne grâce... quand je ne puis faire autrement.

– Oui, comme feu M. La Palisse.

– Enfin, pour moi, c'est fini.

– Comment, fini ?

– J'ai donné une confession de jugement.

– Vous avez bien fait ; ça vous sauvera des frais.

– M. X... qui n'a pas l'honneur de vous connaître, m'a prié de vous demander si vous vouliez en faire autant.

– Sans doute. Dites-lui que j'irai le voir demain ou après-demain.

– Il m'a remis une confession de jugement toute dressée, par laquelle vous reconnaissez en même temps avoir reçu copie du *writ* et de la *déclaration*.

– À la bonne heure. Donnez, je vais signer. Trouvez seulement dans mon pupitre une plume et de l'encre... Bien... voilà une affaire faite.

– Qui n'est pas bien profitable.

– Bah ! ce n'est qu'une simple formalité.

– Vous croyez ?

– Mais pour qui prenez-vous M. Wagnaër ?

– M. X... voudrait aussi avoir la signature de M. Dumont, le *conseil* qu'ils vous ont donné. Il m'a prié de passer chez lui. Il dit que ça sera plus régulier.

– Tiens, c'est vrai, je ne suis majeur qu'à moitié. Attendez un peu, je vais vous donner une note pour M. Dumont... Bien... je lui explique cela en deux mots, je lui dis que c'est une pure formalité. À présent, partez et laissez-moi dormir !

181

III
Pas de temps à perdre

Notre vie, a dit Pindare, *est le songe d'une ombre*. On pense ainsi au déclin de sa carrière ; mais dans la jeunesse, lorsque tout lui sourit, lorsque tout brille autour d'elle du plus vif éclat, lorsque le monde lui apparaît comme un trésor inépuisable de voluptés et d'enchantements, lorsque les passions tumultueuses et folles l'entraînent comme par la main, *l'ombre* a le tort de se croire quelque chose et elle prend *son rêve* au sérieux.

Une nouvelle existence s'ouvrait pour Charles. Il n'était déjà plus l'étudiant ignoré, cultivant pieusement dans son cœur, après l'amour de Dieu, celui de sa mère, et de sa sœur et de son frère absent ; c'était au contraire l'homme du monde dans toute sa gloire, se livrant au tourbillon des plaisirs, ne croyant à rien de sérieux et ne doutant d'aucune chose frivole.

Clorinde passait l'hiver à Québec chez une de ses amies. Charles la voyait souvent, et c'était à elle et à son entourage qu'il devait la transformation de ses goûts et de ses habitudes. Les salons où il fut introduit lui parurent éblouissants, comparés à ceux où son ami Voisin l'avait conduit l'hiver précédent. Ce dernier fut mis à même de faire la comparaison, car Charles à son tour devint son *cicerone* ; à la suite du brillant cavalier on remarquait toujours son gauche et disgracieux ami, ce que Clorinde appelait *une ombre au tableau*.

Cet hiver de 1831 à 1832 fut à Québec un des plus gais et des mieux fêtés. Le terrible fléau qui ravageait alors l'Europe jetait bien comme un pressentiment de sa venue : mais cela même servait à augmenter la soif des plaisirs. On s'étourdissait à l'envi sur un avenir que l'on ne connaissait pas encore dans toute sa hideuse réalité. Je ne sais qui, d'ailleurs, avait inventé une théorie du choléra à l'usage des salons, la plus rassurante du monde. Il ne devait y avoir absolument que les gens pauvres, malpropres, intempérants, vicieux, la canaille enfin, qui seraient emportés par l'épidémie. Le choléra *n'oserait* certainement point s'attaquer aux gens *comme il faut*.

Ce n'étaient donc que bals, festins, pique-niques et amusements de tout genre. Belle, enjouée, riche et considérée, Mlle Wagnaër, avec quelques-unes de ses amies, était, pour bien dire, à la tête de tous ces divertissements. Elle organisait tout, faisait et défaisait les projets du jour pour le lendemain et, à son lever, au milieu d'une demi-douzaine d'étourdis, rendait des oracles infaillibles.

On connaît l'espèce de liberté laissée en Canada, comme partout en Amérique, aux jeunes filles qui, en France, sont si scrupuleusement surveillées par leurs parents. Québec surtout, comme ville de garnison, jouit sous ce rapport d'une renommée peu enviable que lui ont value les *sketches* et les *narrations* de quelques officiers anglais, beaux esprits et grands mangeurs de cœurs.

La coterie où trônait Clorinde était célèbre par l'éclat des *flirtations* que l'on s'y permettait, et Charles, bien que entraîné lui-même dans le tourbillon, ne voyait pas sans quelque inquiétude cette existence folle et bruyante. Sans trop de sévérité, elle lui semblait devoir rendre impossibles chez une jeune personne ces sentiments profonds et délicats qui ne ressemblent pas plus aux vagues fantaisies de la coquetterie, que la flamme bleuâtre et fugitive d'un bol de punch ne ressemble à la lueur chaste et paisible de la lampe suspendue à la voûte du sanctuaire.

Quelquefois le souvenir de son premier amour passait dans son esprit. Seulement, l'effet de ces apparitions variait suivant les circonstances. Se trouvait-il mécontent de Clorinde, était-il *formalisé* des attentions qu'elle recevait de quelques autres jeunes gens, il lui semblait alors que la pauvre enfant du village, seule, savait aimer. Était-il fier de ses succès, des bouffées d'orgueil obscurcissaient-elles sa mémoire, il rougissait alors en lui-même de la petite paysanne.

Ses affaires lui donnaient bien aussi de temps à autre quelques petites inquiétudes. Son établissement de la *rivière aux Écrevisses* demandait beaucoup d'argent et n'en rapportait pas encore. Les fonds mis à sa disposition avaient été sérieusement entamés par les dépenses qu'entraînaient ses nouvelles habitudes. Le jugement rendu contre lui pouvait s'exécuter d'un jour à l'autre. Sur ce point, cependant, il se rassurait en se disant que M. Wagnaër saurait bien y voir. Son mariage prochain répondait à tout.

Il y avait quelques jours qu'il n'avait pas vu Clorinde, lorsqu'il trouva chez lui, au retour de l'étude, un billet à l'enveloppe dentelée et parfumée.

Mlle Wagnaër désirait lui parler le plus promptement possible.

Vivement intrigué par cette étrange missive, il vola plutôt qu'il ne courut chez madame L... chez qui Clorinde passait l'hiver. Il trouva celle-ci recevant avec la demoiselle de la maison la visite de deux jeunes personnes de la même coterie. Elle conserva le calme et le sang-froid qui ne doivent jamais abandonner une femme du monde, même dans les moments les plus critiques. La conversation fut reprise au point où elle avait été interrompue par l'entrée de Charles.

– Pour moi, dit l'une des jeunes filles, je trouve en effet que Émilie n'est pas supportable. Elle s'imagine que nous la méprisons et elle nous fait à peine l'honneur de nous saluer.

– Oh ! il faut lui pardonner, elle est si bonne, reprit Clorinde.

– C'est ce que je dis à ma sœur. Et puis les personnes qui n'ont qu'un pied dans la bonne société, comme elle, sont toujours si susceptibles.

– Je lui ai fait hier une petite méchanceté. Je lui ai demandé quelle robe elle comptait mettre demain pour le bal de madame Norton.

– C'était bien mal, cette pauvre enfant, lui faire avouer qu'elle n'était point invitée.

– Tu es trop bonne. Tu n'as donc point remarqué que Émilie s'étudie à nous faire la leçon ?

– Oui, elle a toujours quelque petit bout de sermon à nous répéter. Cela n'est pas agréable.

– Chez madame de P... elle n'a pas dansé deux fois de la soirée. On peut moraliser à moins.

– C'est cela, la solitude conduit vite à la perfection chrétienne.

– Ah ! M. Guérin, vous n'étiez point chez Mme de P... ?

– Voilà une question bien indiscrète et qui fait rougir Clorinde.

– À quoi pensais-je donc ? Clorinde n'y était point non plus.

– Que Jane Wilby était laide ce soir-là !

– Et quelle toilette !

– Elle était pourtant bien heureuse. Le capitaine R... a valsé deux fois avec elle ; elle ne se possédait point d'orgueil.

– Sa sœur se marie.

– Avec qui, grand Dieu ! C'est bien la plus laide petite personne que je connaisse.

– Avec le jeune F...

– Mais elle a deux fois son âge !

– Vous n'avez donc point remarqué qu'au dernier pique-nique à Montmorency, il a toujours conduit le traîneau de Julie ?

– Oh ! je m'en souviens ils ont failli glisser dans le gouffre.

– Il va d'abîmes en abîmes, ce pauvre jeune homme.

– Comment dites-vous cela en latin, M. Guérin ?

– *Abyssus abyssum invocat.*

– C'est très joli... *Amicus amicum invocat.* Il faut que je m'en souvienne.

Celle qui faisait ainsi provision de science était le bel esprit, le *bas bleu* de la coterie. Elle n'était ni jeune, ni belle, ce qui va sans dire, mais un peu spirituelle et beaucoup méchante. Elle avait eu de grandes prétentions à l'égard du jeune F... ; et Clorinde, malgré toute la bonté qu'elle affectait, s'était permis de venger son amie Émilie, assez habituellement maltraitée par ces demoiselles, en annonçant le mariage de Julia Wilby. Comme on voit, le coup avait porté.

Après toute une heure de conversation sur le même ton, où l'on se donna, à la dérobée, force coups de griffes, tout en faisant patte de velours et s'appelant *ma chère*, ces tendres amies purent se décider à une séparation, en se promettant bien de se revoir le lendemain pour recommencer le même jeu.

La demoiselle de la maison sortit avec elle, laissant Charles seul avec Clorinde.

Mlle Wagnaër pâlit rapidement et une expression de malaise se répandit sur tous ses traits, comme si elle fût retombée sous le coup d'une émotion pénible, suspendue seulement pour quelques instants.

– M. Guérin, dit-elle après un long silence, vous avez dû trouver ce billet bien étrange. Vous rappelez-vous bien notre dernière conversation ?

– Oh ! parfaitement.

– Vous m'avez dit vous-même qu'il était temps de mettre nos parents dans nos confidences, et nous étions convenus que vous feriez un effort pour aborder ce sujet délicat devant mon père dont la présence, dites-vous, vous impose tant. Eh ! bien, je viens d'apprendre quelque chose que je ne puis vous dire, mais d'où je conclus qu'il n'y a pas de temps à perdre. Vous avez le plus grand intérêt à ce que tout soit arrêté et décidé tout de suite. S'il vous est possible de partir pour R..., il faudrait le faire au plus vite. Il est bien probable que mon père ne vous donnera point de réponse immédiate et il ajournera, je pense, notre mariage, s'il y consent, à une année ou peut-être plus loin ; mais d'après ce que je vois, vous avez le plus grand intérêt à faire cette démarche à présent.

Clorinde était pâle, elle respirait à peine, et dans l'agitation où elle se trouvait, nul doute que Charles lui aurait arraché son secret, si la dame de la maison qui entra dans ce moment n'avait pas interrompu leur tête-à-tête.

Mlle Wagnaër fit disparaître aussi promptement qu'elle le put, les traces de son émotion, et une conversation assez indifférente s'établit entre ces trois personnes.

Comme il allait se retirer, Charles remit à Clorinde une petite croix de corail qu'elle saisit avec empressement...

– Que je suis heureuse, dit-elle, où avez-vous trouvé cela ?

186

– L'autre soir en sortant de la soirée de madame Wilby, j'ai ramassé cette petite croix près du seuil de la porte. J'allais demander à quelques dames qui sortaient si elle leur appartenait, lorsque je lus distinctement ces lettres C.W. et la date 22 juin 1822. Je fus frappé de vos initiales et je vous cherchai ; mais vous veniez de partir.

– C'est bien étrange que ce soit vous qui me remettiez cette petite croix ! Je l'ai bien cherchée et j'ai été bien en peine. Je suis doublement heureuse de la retrouver de cette manière. Cela me paraît un heureux présage.

– Que veut donc dire cette date ? Et quel mystère y a-t-il ?

– Vous saurez cela plus tard, répondit Clorinde tristement. Puis elle ajouta vivement :

– Irez-vous demain chez madame Norton ?

– Est-ce que vous y serez ?

– Oui, je compte y aller. Si vous venez, n'amenez point ce monsieur Voisin qui ne se sépare pas de vous plus que votre ombre.

– Mais pourquoi donc ? Quel mal vous fait ce pauvre garçon, qui chante continuellement vos louanges et les miennes ?

– Il ne me plaît pas.

– Oh ! cela est péremptoire : c'est un homme jugé et condamné. *Il ne vous plaît pas* ! il faut le tuer, je pense ?

– Il est cependant bien poli et bien aimable, ce monsieur, remarqua madame L… De nos jours où les jeunes gens ne portent leurs attentions qu'aux demoiselles à marier et sont même peu courtois pour les *mamans*, et les dames qui ne dansent point, je l'ai trouvé plein d'égards et d'une politesse tout à fait de bon genre.

Charles sut trouver quelques paroles convenables et assez galantes pour expliquer les attentions dont parlait la dame de la maison, après quoi il prit congé d'elle et de Clorinde.

IV
De beau-père à gendre

Il était dit que notre héros marcherait ce jour-là de surprise en surprise ; car, en rentrant chez lui, il aperçut, tranquillement assis dans sa chambre, M. Wagnaër lui-même. Il fit deux pas en arrière, et l'air consterné qu'avait dans ce moment ce visiteur inattendu, contribua autant que tout le reste à l'étonnement que Charles manifesta.

Les premiers saluts échangés, il ne put s'empêcher de lui dire :

– Mais comment, M. Wagnaër, vous n'avez pas encore vu mademoiselle Clorinde ? Je l'ai rencontrée, il y a un instant, elle paraît vous croire à la campagne.

– Ne m'en parlez pas ! cette pauvre enfant, je suis si occupé, tellement tracassé, que je n'ai pas encore eu le temps de la voir. Je n'ai fait, depuis que je suis ici, que des affaires, et ce sont encore les affaires qui m'amènent chez vous. Des affaires, jeune homme, des affaires ! Ça ne se fait pas comme on veut, par le temps qui court. Il y a de quoi se pendre rien qu'à songer. L'argent, ça ne se connaît plus. Les billets de banque, ça ne se voit plus. Les billets promissoires, ça ne s'escompte plus. Il n'y a jamais eu une crise semblable. On saignerait aux quatre membres le bonhomme Shouffe, le plus vieux et le plus riche des Juifs du pays, qu'il ne trouverait pas un denier à nous prêter.

– Oh ! mais, M. Wagnaër, ce n'est pas vous qui devez vous plaindre…

– Hum ! jeune homme, vous en parlez bien à votre aise. Ça n'est pas moi qui dois me plaindre. Non, sans doute, j'ai de magnifiques propriétés, un grand commerce, de grandes affaires, mais aussi de grands embarras. Plus on a de fer au feu, plus ça chauffe.

– Oui, mais ce fer-là se change en or.

– Quelquefois ; souvent vous ne retirez de la fournaise que des charbons qui vous brûlent les doigts. Mais enfin les affaires sont des affaires, et quand on y est pris, ma foi, on s'en retire comme on peut. Je viens de payer là deux cents louis que je devais pour cet imbécile de Jean Bernard. J'ai déjà perdu les sept cent cinquante louis que je lui avais prêtés en bon argent : au moins, je ne pense pas que je retire la moitié de cela de son fonds de commerce qu'il m'a transporté ; car pour lui il n'est bon qu'à faire de mauvaises affaires. Ça me paraît inexplicable que, dans si peu de temps, dans moins d'un an, il ait pu gaspiller tant d'argent. Il faut que ce soit un fier vaurien. Mais enfin il n'est plus temps de prévoir un malheur quand il est arrivé, ni de fermer l'écurie quand le cheval est dehors. M. Voisin, votre ami, vient d'acquitter le jugement que la banque avait obtenu contre lui. Voilà encore cent cinquante louis qu'il faudra que je rembourse avec les cent cinquante louis de l'autre billet que vous avez endossé… Je ne voudrais pas vous laisser perdre un sou ni à M. Voisin non plus. Ce qui fait en tout – sept cent cinquante, – deux cent cinquante, – et cent cinquante encore, onze cent cinquante louis en tout ! Rien que cela.

– Mais c'est épouvantable !

– Épouvantable, non ; mais c'est très désagréable. J'ai couru la haute et la basse ville toute la matinée pour trouver ces diables de cent cinquante louis, afin de ne pas vous causer d'inquiétude ; mais il n'y a pas moyen. Je ne voudrais pourtant pas voir vos propriétés ni les miennes saisies pour si peu de chose. Je suis venu voir si vous n'auriez point quelque expédient à suggérer.

– Aucun, je vous assure… Arrêtez un peu cependant,… tiens ;… mais non, il ne me reste plus que quarante louis en main ; et il me faudra, le mois prochain, payer les hommes qui font mon bois… Il est vrai que c'est le dernier paiement que j'aurai à faire, et que, ce printemps de bonne heure, mon moulin à scie sera en état de marcher ; mais d'ici à ce temps comment faire ?

– Voyons ; vous ne trouvez pas quelque moyen ?

– Mon Dieu, non !

– Eh bien ! il va bien falloir que le *shérif* annonce quelqu'un de vos lots de terre ou des miens en vente...

– Mais...

– Il n'y a pas de mais. Pensez-vous que les banques prennent des *mais* en paiement ? Il y aura peut-être moyen d'arranger cela avant que la vente ait lieu. Je compte bien réaliser la somme et davantage d'ici à ce temps. Aujourd'hui ça serait impossible. On ne trouve pas des cents louis tous les jours, et j'ai mes affaires et mes billets à rencontrer pour mon propre compte. On sent sa peau plus près de soi que sa chemise, qu'en dites-vous ?

– Pensez-vous que l'on saisisse quelqu'une de mes propriétés d'abord ?

– Dame ! ça dépend ;... ça serait bien plus raisonnable, car au bout du compte, vous êtes le premier endosseur... Mais écoutez donc, en supposant que cela arriverait, où en êtes-vous avec vos autres affaires ? Avez-vous des billets à rencontrer ? devez-vous à quelqu'un ? Enfin avez-vous besoin de crédit ? Ça compromettrait-il votre crédit ? Ça dérangera-t-il vos affaires ? Vous sentez bien que je serais au désespoir de vous faire le moindre tort : car, après tout, c'est moi qui vous ai fourré là-dedans. M. Voisin n'a pas manqué de le dire tout net. Il me l'a bien jeté par le nez. Il est un peu chiche, je crois, votre ami. C'est un hère, un petit juif.

– Oh ! à la vérité, je ne dois que deux cents louis à part de ce maudit billet.

– Hum ! ça fait une jolie différence avec moi. Vous n'avez pas d'idée du tort que ça me ferait de voir une de mes propriétés *dans la Gazette*,... si bien que ça pourrait être ma ruine. Je vous avouerai entre nous que d'avoir laissé protester ces deux billets et de m'être laissé poursuivre, ça ne m'a pas fait de bien à la basse ville. Ce serait bien pis, si les choses allaient plus loin. Diable ! c'est qu'on dirait : voilà Wagnaër fini. Et dans le commerce, mon cher, quand on dit qu'un homme est fini,... il n'en faut plus parler,... il est fini. Ça vous le tue net. Il serait riche comme Crésus, qu'il faut fermer boutique. Qui saurait que vous n'en souffririez rien, il vaudrait mieux que l'on saisît un de vos lots, puisque ça ne sera qu'une frime…

– Oh ! mon Dieu ! et ma mère ! Elle mourrait bien d'inquiétude, si elle voyait la moindre des choses…

– C'est vrai, cette pauvre madame Guérin,… je n'y pensais plus.

– Elle se croirait ruinée tout de bon.

– C'est comme Clorinde. Que va devenir cette enfant ? Elle prend tant l'inquiétude à cœur ;… si elle avait la moindre idée que je suis gêné !… Mais qu'est-ce que je dis là ?… gêné,… en voilà par exemple des histoires. Dans un mois, dans deux mois tout au plus, j'aurai réalisé cette bagatelle. Combien ça prend-il de temps, déjà,… une vente de shérif ?

– Mais si vous pouviez payer dans deux mois, comme vous dites, vous en auriez de reste.

– Je n'en ai pas le moindre doute. Tenez : voulez-vous que je vous dise, nous allons d'abord faire notre possible pour trouver de l'argent ; et puis, si nous n'en trouvons pas, ma foi, nous courrons notre chance. Il ne faut pas se casser la tête pour si peu de chose. Votre ami Voisin va se mettre en quête d'argent et il est bien probable qu'il vous en procurera. Je lui ai donné quelques petites poursuites à intenter contre de pauvres diables que j'avais ménagés jusqu'à présent ; avec cela nous ferons une partie des fonds.

Dans tous les cas, si l'on procédait contre vous, ne soyez pas en peine : j'y verrai à temps. Allons, bon courage, cher monsieur, au revoir !

Et M. Wagnaër sortit brusquement, laissant son gendre en perspective tout étourdi de ce qu'il venait d'entendre.

– C'est toujours un excellent homme, se dit-il, réflexion faite, que ce M. Wagnaër. Franc et loyal dans ses procédés, un beau-père bonasse et généreux comme les beaux-pères des vaudevilles que j'ai lus dans la collection du théâtre français. C'est bien le même type. Et dire que nous avions des préjugés contre ce brave homme !

Puis, se frappant le front,… quand on songe que je n'ai pas même pensé aux recommandations de Clorinde ! C'est un bonheur, après tout, car lui demander sa fille dans un pareil moment, qu'aurait-il pensé de moi ? D'ailleurs, c'est entendu, ... il me traite évidemment de beau-père à gendre.

Le lendemain, au bal de madame Norton, Clorinde fut bien triste. Charles lui dit qu'il avait vu M. Wagnaër, mais qu'il n'avait osé lui parler de rien. Il ajouta que, puisqu'il avait été lui faire sa première visite, il y avait tout lieu d'espérer un succès complet et que la partie, pour différée, n'était point perdue. Clorinde ne répondit rien. Quelques jours plus tard, elle quittait Québec avec son père.

V
La terre paternelle

C'était dans le mois de mai 1832.

Il y avait un peu plus d'un an que Charles s'était rencontré pour la première fois avec Clorinde.

Il n'était pas encore dix heures au matin, et plusieurs groupes d'habitants rassemblés devant la principale porte de l'église de R... s'entretenaient entre eux d'un évènement qui devait avoir quelque importance, à en juger par l'animation qui régnait dans leurs discours.

Une demi-douzaine de ces jeunes garçons espiègles et tapageurs qui s'appellent d'ordinaire, par excellence, *les jeunesses* d'un endroit, et que l'on ne pourrait mieux comparer qu'aux gamins de nos villes, étaient juchés sur le mur du cimetière, et les quolibets qu'ils lançaient dominaient le bruit de toutes les conversations.

– Comme ça, Jean Larrivé, disait l'un d'eux, t'es ben sûr qu'c'est le garçon au bonhomme Toupin qui va faire c'te criée ?

– Quand j'te l'dis.

– Ben ! i'va mal passer son temps.

– Tais-toé donc ; son père était-i'pas-z-huissier ?

– Pourquoi quil l'serait pas lui-z-aussi ?

– Queu noblesse de Toupin ! huissiers de père en fils !

– I'va mettre son *habit à poches*.

– Avec quoi qu'i'se carre, qu'c'est pas rien !

– Va-t-on rire *mais* qu'i'lise ses pataraphes.

– V'là un mois qu'son père l'exerce.

– Tous les soirs il i'fait répéter sa leçon.

– Quand il était à l'école, il disait toujours : quand je s'rai-z-huissier comme mon père !

– V'là-t-i'pas le bonhomme Jean Pierre qu'arrive, c'pauvre vieux qu'a de la peine à marcher.

– I'marcherait encore plus doucement, s'i'portait ses sacs d'écus su'son dos.

– Allons, v'là que ça vient, v'là des messieurs pour tout d'bon qu'arrivent.

– Écoutez donc, les *gros bonnets*, là, est-ce que vous allez pas vous r'muer ? est-ce que ça va pas commencer ?

Les habitants respectables auxquels s'adressaient ces derniers mots étaient trop occupés à converser entre eux pour qu'ils fissent la moindre attention à cette question.

– Vrai, disait l'un d'eux, vieillard à la barbe blanche et qui appuyait son menton sur sa main et son coude sur son genou, car il était assis au pied du mur : vrai, mon pauvre François, je ne voudrais pas mettre un sou sur cette enchère. C'est trop juste que ces pauvres enfants rachètent à bon marché le bien de leur défunt père. C'est trop raisonnable ce que M. Wagnaër nous a fait demander, de ne pas mettre sur cette terre. Je compte bien aussi qu'il n'y aura pas un honnête homme dans la paroisse qui voudra aller à la rencontre de c't'affaire-là, parce que c'est trop juste.

– Pour moi, j'espère qu'il y aura toujours bien de quoi couvrir mon obligation, et puis, ce sont d'honnêtes gens ; il n'y a rien à craindre avec eux.

– Combien qu'elle se monte déjà votre obligation, père Deschênes ?

– Deux cents louis.

– Ah ! ça n'est quasiment rien, pour c'que vaut cette terre.

– Mais dites donc, François Guillot, vous qui d'vez connaître ces affaires-là à fond, il me semble que M. Wagnaër a eu une fameuse envie de cette propriété-là un temps ?

– Oui, mais il ne s'en soucie plus,… et puis, d'ailleurs, à présent elle va se trouver dans la famille.

– Ah ! c'est donc vrai ce qu'ils disent, que monsieur Charles va se marier avec mamz'elle Clorinde ?

– Dame ! ça en a ben d'l'air.

– Parlez-moi de ça. Ça en fera-t-il un joli mariage ! Et pis les noces donc ! Ça sera encore pis qu'la fête du *mai* qu'j'avons planté l'année dernière.

– Comment c'que vous appelez ce grand mossieu, tout habillé en noir, qui vient avec M. Charles et le major ?

– C'est M. Voisin.

– Ah ! c'est c'ti-là qu'est l'avocat du major ?

– Tiens, crièrent les *jeunesses* sur le mur, v'là notre homme. V'là l'garçon à bonhomme Toupin qu'arrive avec son père.

Les deux huissiers, l'ancien et le nouveau, le père et le fils, se placèrent sur le plus haut degré du perron de l'église, le dos tourné à la grande porte.

Les habitants, au nombre d'une trentaine, se formèrent en cercle à une distance respectueuse ; M. Wagnaër, Charles et son ami Voisin se tenant un peu à l'écart.

– Ah ! çà, mes amis, c'est mon fils qu'a-z-été nommé bailli, et encore bailli du shérif. Il vous servira, j'vous réponds, comme j'vous ai servis moé-même ben des années, et i'fera son devoir comme i'faut. Il est capable, c'est pas pour le vanter : la preuve, c'est qu'mossieu Wagnaër a répondu pour lui chez le shérif et que le shérif y a déjà donné t'une affaire d'importance ; pourquoi qu'i'va vous la défiler, si vous voulez ben tant seulement l'écouter.

– Messieurs, cria le jeune homme d'une voix de stentor, en se rengorgeant, messieurs, j'ai l'honneur d'être-chargé d'un *fieri facias*.

– Un *fieri facias* ! cria l'un des jeunes gens juchés sur le mur, … queu bête qu'c'est ça ?

M. Wagnaër se retourna d'un air sévère du côté *des jeunesses*, qui gardèrent le silence, quelque envie qu'ils eussent de tourmenter le *garçon à bonhomme Toupin*. D'ailleurs les formalités de la justice leur imposaient, et, à leur insu, ils éprouvaient une espèce de respect instinctif pour le jeune suppôt de Thémis.

– C'est un *fieri facias*, continua ce dernier, dans une cause de la banque de Québec *versus* Charles Guérin, de la cité de Québec, étudiant en droit. Dont et en vertu de quoi,… sous le numéro deux cent cinquante-deux,… l'immeuble que je vais vous lire est saisi par le shérif pour être vendu,… comme quoi il va t'être crié et adjugé au plus haut et dernier-z-enchérisseur, suivant la loi,... par un *warrant* de mossieu le shérif que j'ai-z-été chargé de procéder à la dite vente. Les conditions de la dite vente sont que le prix devra être payé au bureau du shérif, qui lui donnera un bon titre *clair et nette* de toutes *impothèques* et cela avant le jour que le dit writ est retournable, c'est-z-à-savoir le premier de juin.

– Écoutez la description :

"Une terre de deux arpents et trois quarts d'arpent de front, sur trente de profondeur, située dans le premier rang des concessions de la seigneurie de Lamilletière, dans la paroisse de R,... bornée en front par le fleuve Saint-Laurent, en profondeur au dit Charles Guérin, d'un côté, à l'ouest, à Jean Bernier ou ses représentants, de l'autre côté, à l'est, partie à l'emplacement de Martin Wagnaër, écuyer, et partie à Remi Ouellet, avec ensemble la maison en pierre dessus construite, et les dépendances d'icelle, et le moulin à scie construit sur la rivière aux Écrevisses, qui coule sur la dite terre, avec aussi, le droit et privilège de se servir des pouvoirs d'eau et places de moulin sur la dite rivière, sur la dite terre, tel que concédé et baillé au dit Charles Guérin, par Léon-Jules-Arthur de Boissy de Lamilletière, écuyer, seigneur de la dite seigneurie, par acte par-devant Mtre Jean Blais et son confrère, notaires publics, le deux juin mil huit cent trente et un, circonstances et dépendances, tel que le tout se comporte et s'étend : la dite vente ainsi faite à la charge de six sols de cens, portant profit de lods et ventes, saisine et amende le cas échéant, d'après la coutume de Paris, et deux livres de vingt sols chaque de rente foncière, seigneuriale, perpétuelle et non rachetable, puis un chapon qui devra être payé et livré au manoir seigneurial, le vingt-neuf septembre de chaque année, ainsi que les dits cens et rentes ; aussi à la charge et sous la réserve des droits de chasse et de pêche, de banalité, et de retrait conventionnel stipulés dans les contrats de concession de la dite terre, en faveur du seigneur de ladite seigneurie de Lamilletière."

– Vous avez tous bien entendu, n'est-ce pas ? Eh bien ! à combien la terre ? À combien ?

– Vingt-cinq louis ! cria Guillot, le commis.

– Cinquante louis ! cria le bonhomme Jean Pierre.

– Cent louis !

– Deux cents louis !

– Trois cents louis !

– Quatre cents louis !

– Cinq cents louis !

Ici il y eut une pause ; M. Wagnaër s'approcha de Charles Guérin qui pâlit, et ils parlèrent longtemps à voix basse. Le jeune homme paraissait très ému, et il semblait supplier le marchand, qui, lui-même, avait l'air tout consterné.

– Allons donc, messieurs, dit l'huissier, à cinq cent louis, avez-vous fini à cinq cents louis ?

– Cinq cent vingt-cinq louis ! cria Charles, d'une voix, pour bien dire, étouffée.

– Cinq cent cinquante, répliqua la voix chevrotante du vieux Jean Pierre.

– Soixante et quinze !

– Six cents !

– À six cents louis, messieurs, à six cents louis, qui est-ce qui met plus ? Avez-vous fini ?

– Ce vieux misérable, dit à haute voix M. Wagnaër ; il m'avait pourtant promis qu'il ne mettrait pas. Mon cher M. Guérin, ajouta-t-il en se retournant vers le jeune homme, qui connaîtrait bien le fond de toutes vos affaires, ça ne me coûterait pas ; car si la balance était pour vous revenir au-dessus de cette somme, nous ne serions pas obligés de la déposer ;… mais qui sait ?

– Oui, fit observer Henri Voisin, il peut se présenter des réclamations jusqu'à la dernière heure.

– Mais vous aviez acheté toutes les dettes de mon père ?

– Une partie seulement : et il est impossible de connaître toutes les hypothèques, tant qu'une affaire n'est pas finie. C'est bien fâcheux ; mais enfin, je ne puis faire davantage. Si vous voulez risquer pour votre mère une folle enchère, faites-le. Pour moi, je ne puis pas vous promettre de déposer plus de six cents louis,... et encore vous savez que ce ne sera que dans quelques semaines : car si j'avais pu, ou si vous aviez pu me trouver cent cinquante louis, votre propriété ne serait pas vendue.

– Il y a déjà plusieurs oppositions *filées* au bureau du shérif, ajouta Henri Voisin, et j'ai entendu dire qu'il y avait d'autres réclamations.

– Avez-vous fini à six cents louis ? demanda l'huissier impatient.

– Mais qui est-ce qui peut avoir ces réclamations ?

– Eh bien, il y a d'abord le seigneur, à qui il est dû quelque chose.

– Très peu de chose, car ma mère payait ses rentes et toutes ses dettes bien régulièrement.

– Oui, mais il y a de vieux lods et ventes.

– Et ensuite ?

– Bien ; il y a un nommé Deschênes...

– Cela n'est que deux cents louis.

– Il y a ensuite l'argent que vous avez emprunté pour construire votre moulin et faire couper votre bois.

– Ça ne se monte qu'à deux cents louis. Ma mère avait quelques épargnes qu'elle m'a données. Et puis, ceux qui m'ont avancé cet argent une première fois, me le laisseraient volontiers entre les mains...

– Il y a, en outre, deux ou trois marchands de Québec, dont j'ai entendu parler.

– Pour des sommes considérables ?

– Je ne sais pas, mais je crois leurs demandes assez fortes.

– Et puis, observa M. Wagnaër, je crois que les héritiers Beauchemin, de qui votre père avait acheté par vente privée, ont un douaire à réclamer.

– Mon Dieu, dans ce cas, observa l'avocat, ce sera la plus grande partie du prix qu'il faudra déposer.

– C'est égal, je risquerai, dit Charles, et je verrai s'il y a moyen de venir à bout de ce vieil entêté.

– Sept cents louis ! cria-t-il avec désespoir.

– Huit cents louis ! fit la même petite voix, dont le timbre fêlé avait dans ce moment quelque chose de sinistre.

Il y eut une vive sensation parmi les habitants : les uns disaient que c'était trop cher, les autres que c'était un prix raisonnable.

– Bah ! dit Charles, puisque le vieux veut payer, faisons-le payer. Quelles que soient les dettes, la balance me reviendra… Neuf cents louis ! cria-t-il résolument.

Il se fit un grand silence.

– À neuf cents louis, messieurs, à neuf cents louis, dit l'huissier, en articulant lentement chaque syllabe.

Charles regarda le vieillard, qui fit un signe de tête qui voulait dire : j'ai fini.

– Avez-vous fini ? Une fois,… deux fois… Voyons, père Jean Pierre, la laissez-vous aller ?

Charles, dans ce moment, eut comme un vertige. Il récapitula rapidement dans sa pensée toutes les dettes et les charges qu'on venait de lui énumérer : il se vit forcé de payer tout à coup une somme considérable, ou bien la propriété serait vendue de nouveau aux frais de sa mère. Il ne pouvait lui-même se porter adjudicataire… L'huissier ne recevait son enchère qu'avec l'entente qu'il déclarerait tout de suite acheter pour un autre. Strictement parlant, sa mère ne pouvait pas non plus se porter adjudicataire :… les femmes n'étant point soumises à la contrainte par corps, on n'est pas tenu de leur adjuger… Celui qui connaît un peu de loi, et qui se trouve dans une position qui n'est point strictement légale, perd tout aplomb, toute assurance. Charles se trouvait dans ce cas.

Il jeta un coup d'œil sur M. Wagnaër, qu'il vit sombre et l'air presque courroucé. Clorinde lui vint à l'idée ; il pensa qu'il allait peut-être tout perdre à la fois en voulant tout sauver. Il eut peur de lui-même et de ce qu'il venait de faire. Toutes ces choses se présentèrent simultanément à son esprit ; il ne vit plus et n'entendit plus rien pendant quelques minutes. Il lui sembla que l'église et les habitants tournaient autour de lui, et que la terre s'enfonçait sous ses pas ;… puis il entendit la voix du

199

crieur répéter avec une solennité affectée : À neuf cents louis, ... une fois,... deux fois...

Pendant ce temps, le vieillard qui avait lutté si énergiquement s'avançait d'un air triste et résigné. C'était un petit vieux courbé en deux, la tête chauve, le corps grêle et tremblotant, et qui faisait pitié à voir. Comme il passait tout près de Charles, il releva la tête ; et comme un homme qui fait un dernier et inutile effort, il fit un léger signe de la main.

– À neuf cent vingt-cinq louis, cria l'huissier.

Et il répéta sur tous les tons la même kyrielle.

Charles sentit comme un poids qui lui tombait de sur les épaules. Il se retourna pour parler à M. Wagnaër ; mais il le vit qui s'en allait à grands pas avec l'avocat Voisin et son commis Guillot.

– À neuf cent vingt-cinq louis, une fois,... deux fois,... neuf cent vingt-cinq louis. M. Guérin, avez-vous fini ?

Charles perdit la tête tout à fait et n'eut pas le courage de proférer une seule parole, ni de faire le moindre signe. Il était comme pétrifié.

– À neuf cent vingt-cinq louis,... une fois,... deux fois,... trois fois,... au père Jean Pierre ! Vous êtes tous témoins que j'adjuge la terre et les dépendances en question, au sieur Jean Pierre, cultivateur, à raison de la somme de neuf cent vingt-cinq louis. Allons, père Jean Pierre, venez faire votre marque sur mon procès-verbal. Je vous en fais mon compliment ; et comme c'est vous qui signez à ma première criée, j'espère que vous me donnerez votre pratique pour les petites affaires que vous avez.

Tandis que d'une main tremblante le père Jean Pierre traçait, sur le procès-verbal de vente, une espèce d'hiéroglyphe qui représentait sa signature, les vieillards qui étaient assis au pied du mur du cimetière s'approchèrent de lui.

– Comme ça, Pierriche, dit l'un d'eux, t'as pu t'décider à faire sortir tes écus ?

– Dame ; c'est pas tous les jours qu'on trouve des propriétés comme ça à vendre.

– Non, et ce n'est pas tous les jours, non plus, qu'on chasse des braves gens de sur le bien paternel... Tenez, père Jean

Pierre, c'est pas pour vous offusquer, mais j'vous en fais pas d'compliments !

– Voyons donc à c't heure ; on est i'pas maître de son argent ? Et quand un'chose se vend, a-t-on pas droit de l'acheter ?

– C'est vrai, c'est vrai. Mais, voyez-vous, il a des choses qu'on peut faire sans être pendu, et qui ne sont pas bien. Tenez, l'ami, on est plus longtemps couché que d'bout !

Et en disant cela, le vénérable et bon vieillard, à la barbe blanche, indiqua, du bout de son bâton, le mur du cimetière au nouvel acquéreur.

VI
Un homme de paille et un homme de fer

Madame Guérin ignorait complètement ce qui venait de se passer. Elle vivait, comme nous l'avons dit, très isolée, elle ne sortait que pour aller à l'église et, surtout depuis le départ de son fils aîné, elle n'avait que peu de rapports avec les habitants, ses voisins Louise ne voyait que Clorinde et celle-ci ne connaissait rien des affaires de son père. Le peu de personnes qu'elles avaient vues l'une et l'autre, et qui avaient eu connaissance de l'annonce de la vente, s'étaient abstenues de leur en parler, par un motif de délicatesse que l'on comprendra facilement.

Ce jour-là, la bonne mère, au retour de la messe, à laquelle elle ne manquait jamais d'assister, s'occupait avec Louise à ces petits travaux domestiques qui, malgré leur trivialité, ne sont pas sans charme, lorsqu'on les accomplit à deux et qu'un amour réciproque joint à la pieuse pensée des devoirs maternels d'une part, et de la piété filiale de l'autre, les embellit ou, pour mieux dire, les sanctifie.

Elles allaient et venaient, la mère et la fille, à travers le ménage, rangeant d'un côté, dérangeant peut-être de l'autre, heureuses au chant des oiseaux, au murmure du feuillage naissant qu'agitait la brise du matin, et respirant par toutes les ouvertures de la maison l'air frais et légèrement imprégné des exhalaisons salines du grand fleuve.

Il eût été difficile de dire si elles travaillaient en causant, ou si elles causaient en travaillant, car leur conversation, sur un sujet étranger à leur petite besogne, était à chaque instant entrecoupée de phrases qui n'avaient rapport qu'à leurs occupations.

– Mais à la fin, sais-tu où est allé ton frère, que nous ne l'avons pas vu depuis le déjeuner ?

– Chez M. Wagnaër, bien sûr.

– Si matin ? Cela n'est pas possible.

– Oui, maman, je l'ai vu ensuite qui sortait avec M. Wagnaër et M. Voisin : ils s'en allaient tous les deux vers la pointe, du côté de l'église.

– J'espère que ton frère n'allait pas mettre ses bans sans m'en avoir prévenue...

– Vous dites cela en riant ; mais je ne serais pas surprise s'il y avait quelque chose. Clorinde n'est pas la même depuis quelques jours : elle est d'un sérieux !...

– Sens-tu l'odeur de ces lilas ? Ils me rappellent le temps de ton pauvre père. Nous les avons plantés nous-mêmes l'année de notre mariage. Comme j'étais heureuse alors !

– Allons, petite maman ; vous n'êtes pas si malheureuse aujourd'hui. Est-ce que Charles et moi nous ne vous rendons pas heureuse ?...

– Enfant que tu es ; ce n'est pas un reproche que je veux te faire ; mais tu sais bien que rien ne me fera oublier ton père,... et puis encore...

– Je gage que vous allez parler de Pierre... Vous ne vous ôterez donc jamais cette idée de l'esprit ?

– Et je puis si peu la supporter, qu'il vaut mieux parler d'autre chose.

– Parlons de notre jardin. Comme il va être beau cet été ! Ces jolis rosiers-mousses que nous avons plantés l'année dernière, vont-ils en avoir des roses !... et ces petites roses thé qui ont une odeur si fine, si délicate,... vous savez bien, maman, ces petites fleurs des bois que Charles avait transplantées : le fond du jardin, près des arbres, en est déjà tout couvert : la neige n'est pas encore toute disparue, et elles sont ouvertes déjà.

– Mon Dieu, Louise, que tu aimes les fleurs ! Tu tiens ce goût de ton pauvre père. C'est lui qui en avait fait un beau jardin : celui que M. Wagnaër possède à présent.

– Eh bien, n'est-il pas pour revenir dans la famille, ainsi que tout le reste ? M. Wagnaër n'a d'héritier que Clorinde.

– Ce mariage n'est pas encore fait, mon enfant.

– Si vous saviez comme moi combien ils s'aiment Charles et Clorinde !... Mais regardez donc sur l'eau : voilà déjà une petite goélette qui monte. C'est la première voile que nous voyons cette année : cela me fait battre le cœur. C'est si beau lorsqu'on voit les gros bâtiments d'Europe avec leurs grandes voiles blanches ! Quelquefois, lorsqu'ils courent des bordées, ils viennent si près de l'anse qu'il semble qu'on pourrait leur toucher. Ils retardent beaucoup cette année.

– Cela me fait souvenir quand vous étiez tout petits tous ensemble : vous alliez passer des matinées entières, au bout de la pointe, à regarder passer les vaisseaux. Pierre surtout restait plus longtemps que les autres. Il n'y avait pas à l'emmener. J'étais obligée quelquefois d'y aller moi-même. Il se levait sur la pointe des pieds et il criait aux vaisseaux : Bâtiment ! bâtiment ! viens me chercher... Le pauvre enfant, il avait un pressentiment de sa destinée !

– Toutes les campagnes ailleurs sont-elles aussi belles que celles-ci ? Je ne suis jamais allée au nord du fleuve, excepté à Québec, mais partout, au sud, les paroisses sont si belles, que c'est bien difficile de décider à laquelle donner la préférence. Il y a d'abord Kamouraska sur les côtes de *Paincourt*, où le fleuve est si large et si beau ; et les trois belles petites îles, si mignonnes, et si près de terre, qu'on dirait qu'elles ont été placées là exprès pour une partie de plaisir !... Puis il y a Sainte-Anne avec ses petites montagnes taillées de toutes les façons et ses jolis bocages ! Puis Saint-Roch, d'où la vue s'étend si loin sur le fleuve, que l'on croirait que l'on pourrait voir jusqu'à la mer... Saint-Jean Port-Joli qui est si bien nommé ; l'Islet avec son beau village bâti tout au bord de l'eau ; et puis ici enfin, où tout me paraît encore plus charmant qu'ailleurs ! Dites, maman, les autres campagnes du pays sont-elles aussi belles ?

– Non, ma chère, toutes les campagnes ne sont pas aussi belles, et je remercie le bon Dieu tous les jours de ce que ton frère s'est décidé à s'établir ici plutôt qu'ailleurs. Je me réjouis tous les jours quand je pense que j'ai pu conserver quelques-unes de mes propriétés ici pour mes enfants. J'ai été élevée à la ville ; mais il m'en coûterait beaucoup d'y retourner : comme tu peux croire, j'ai fait plus de sacrifices pour donner l'éducation à tes frères, qu'il n'aurait été nécessaire à la ville. J'ai été si heureuse ici, si heureuse que ce souvenir, qui m'attriste parfois, me console en même temps…

Elles en étaient là de leur conversation, lorsque Charles entra et alla s'asseoir au fond de la chambre, le plus loin qu'il put de sa mère et de sa sœur.

Après quelques instants. Louise, qui avait remarqué son air chagrin et presque boudeur, s'approcha doucement de lui.

– Allons, dit-elle, comme ce monsieur a l'air méchant aujourd'hui. Aurait-on quelque jalousie en tête, par hasard ?

Charles ne répondit rien.

Madame Guérin, qui était occupée, leva la tête, et fut frappée de l'expression qui régnait sur la figure du jeune homme.

En même temps, elle regarda dehors et vit plusieurs habitants arrêtés devant sa porte, qui parlaient entre eux.

– Voilà des gens, dit-elle, qui regardent ma maison comme s'ils ne l'avaient jamais vue. En voici d'autres qui viennent les rejoindre. Quelle espèce de conseil tiennent-ils donc, et que nous veulent-ils ?

Charles trembla que sa mère n'interrogeât ces gens, et qu'ils ne lui apprissent brutalement le nouveau malheur qui venait de fondre sur elle. Il se décida tout de suite à tout lui dire. Quelque ménagement qu'il y mît, cette nouvelle était si imprévue, elle renversait si brusquement tout l'édifice de bonheur que la pauvre mère avait élevé dans son imagination ; elle lui dérobait si cruellement le dénouement déplorable d'une lutte qu'elle croyait finie, et où elle venait de succomber précisément au moment où elle se voyait triomphante, que le coup porté à sa sensibilité fut plus grand encore qu'aucun de ceux qu'elle avait reçus.

Charles raconta dans le plus grand détail tout ce qui s'était passé, exonérant, de bonne foi, M. Wagnaër de toute mauvaise intention, et lui reprochant seulement de s'être laissé effrayer trop promptement par le montant qu'il lui aurait fallu débourser.

Madame Guérin jugea l'affaire tout autrement. À mesure que chaque circonstance se déroulait dans le récit naïf de Charles, elle y voyait tout de suite les anneaux d'une chaîne mystérieuse de faits que le hasard seul n'avait pas rassemblés, mais qui résultaient bien d'un complot dont elle entrevoyait l'ensemble, quoiqu'elle ne pût pas en saisir toutes les ramifications. Le rôle odieux que jouait M. Wagnaër dans cette transaction lui apparaissait clair comme le jour : elle ne pouvait point s'assurer au juste quelle part y avait prise Henri Voisin : mais il lui était suspect à bon droit, et, quant à Clorinde, elle reculait devant l'idée de la croire complice volontaire d'une spoliation aussi honteuse.

Le tout ensemble était si évident : elle et son fils avaient été dupes à un tel point qu'elle avait honte d'elle-même. La pitié profonde qu'elle éprouvait pour le pauvre Charles, qui, encore sous l'influence du charme, ne voyait pas le piège, même après y être tombé, ajoutait une douleur de plus à toutes les poignantes douleurs qu'elle éprouvait dans ce moment.

Il lui en coûtait de faire tomber le bandeau qu'il avait encore sur les yeux.

L'opération était aussi douloureuse que difficile. Aux premières paroles de soupçon que sa mère prononça, Charles s'indigna. Mettre en question l'amitié d'Henri Voisin, l'amour de Clorinde ! Quel blasphème !

Il était cependant trop intelligent pour ne pas saisir l'importance des rapprochements qu'on lui indiquait. De même qu'avec la lumière naissante du jour, on distingue petit à petit une foule d'objets dont on ne soupçonnait pas l'existence, de même par degrés il découvrit, à l'aide du soupçon qui se glissait malgré lui dans son âme, bien des choses qu'il n'avait pas jusqu'alors remarquées.

Les arguments d'ailleurs se pressaient trop serrés, trop logiques, trop irréfutables dans la bouche de madame Guérin, pour que le doute ne se changeât pas bien vite en certitude. Pourquoi, si M. Wagnaër voulait réellement faire son gendre de Charles, aurait-il laissé vendre cette propriété qu'il lui était si important de posséder ? Était-il croyable qu'il n'eût pas pu payer une somme aussi peu considérable ? Était-ce bien par *philanthropie* qu'il avait engagé deux jeunes hommes à peine maîtres de leurs volontés, à se rendre responsables pour un homme qui leur était parfaitement étranger ? Lui-même s'était-il mis dans des affaires si mauvaises en apparence, de gaieté de cœur, avec l'expérience et l'habileté que tout le monde lui accordait ? Henri Voisin, plus au fait de transactions semblables, avait-il pu ne pas en voir la portée ? Quel intérêt secret avait-il à duper Charles, tout en se dupant lui-même ? Enfin, il y avait une chose claire : la propriété que M. Wagnaër avait toujours convoitée, échappait à la famille Guérin à la suite d'une transaction à laquelle le rusé marchand avait pris une part active.

Il est impossible de dire la honte, le dépit, l'indignation, l'effroi, le dégoût, et l'amère douleur qui suivirent dans l'âme de Charles la conviction que, depuis un an, il était le jouet de deux ou trois intrigants, et que, par son étourderie, il avait complètement ruiné son avenir, perdu la fortune de sa famille, et porté la désolation dans le cœur de sa mère, que ce dernier malheur conduirait peut-être au tombeau.

Une comparaison pourrait peut-être donner une idée de ce qui se passait en lui.

Parmi les vieilles légendes du nord de l'Europe, on trouve un récit du sort funeste d'une jeune fille noble que son père et sa mère avaient refusée aux plus beaux chevaliers du pays. Comme toutes les jeunes filles que l'on contrarie, elle devint éperdument amoureuse du premier aventurier qui se présenta.

L'aventurier était d'ailleurs un chevalier de la plus belle apparence, magnifiquement vêtu, au regard fier et caressant à la fois, aux beaux cheveux noirs bouclés et flottants sur ses épaules ; nul ne le surpassait en adresse, en courage, en beauté ; il chantait à ravir, en s'accompagnant du luth ; il parlait d'amours et de combats mieux qu'homme du monde : bref il n'en fallait pas tant pour ensorceler une jeune fille que ses père et mère ne voulaient pas marier.

Le chevalier, sachant qu'il n'obtiendrait pas la demoiselle de ses parents, lui proposa de l'enlever. La barque qui l'avait jeté sur le rivage était encore là ; seul il se faisait fort de la diriger à travers toutes les tempêtes de l'Océan. La jeune fille hésita comme hésitent toujours les femmes en pareille occasion, puis elle accepta : puis elle ne voulut plus ; puis enfin le chevalier ne s'embarqua pas seul.

Sur le rivage, il lui jura de l'aimer toujours et il insista pour qu'elle lui dît : Je te donne mon âme. La jeune fille, qui avait déjà donné son cœur, ne réfléchit pas que son âme n'appartenait qu'à Dieu, et elle répéta la formule amoureuse que son amant lui mit à la bouche.

La journée passée sur la mer fut des plus belles : le chevalier charmait avec son chant et son luth les poissons qui suivaient le vaisseau.

Vers le soir, la jeune fille crut tout à coup s'imaginer que son fiancé était plus grand qu'à l'ordinaire. Elle lui en fit ingénument la remarque. Il ne répondit rien. Effectivement, quelques instants après, elle le vit grandir,… grandir, et sa taille dépassa bien vite les limites de la stature humaine. La jeune fille tremblait et elle sentait comme du feu la main brûlante de son gigantesque et silencieux amant appuyée sur son épaule… Il grandissait toujours, et bientôt sa tête s'éleva au-dessus du mât de la barque…

Le chevalier, c'était le diable. Il prit sans cérémonie l'âme que la jeune fille lui avait donnée inconsidérément et il livra son corps aux abîmes de l'Océan, qui ne le rendirent jamais au rivage.

Maintenant, ce que dut éprouver la malheureuse, lorsqu'elle vit ainsi grandir et se métamorphoser l'amant qui avait reçu sa foi, devait ressembler beaucoup aux sensations qu'éprouva notre héros, lorsqu'il vit se dérouler et grandir démesurément toutes les circonstances du complot dont il était la victime.

Il essaya cependant, comme font tous les naufragés, à se pendre à quelque chose. Il souleva, comme autant de planches de salut, toutes les suppositions qu'il put imaginer. Malheureusement, sa mère trouvait à toutes ses objections une réponse péremptoire.

– Enfin, dit-il, ce vieil avare de Jean Pierre n'a pas fait cette acquisition uniquement pour plaire à M. Wagnaër, et je ne vois pas le moyen qu'il y avait de l'en empêcher.

– Ne vois-tu pas que ton bonhomme Jean Pierre n'est pas autre chose qu'un homme de paille, que lui et l'autre s'entendent et que la terre ne sera pas longtemps sans appartenir au Jersais ?

– Eh bien, si c'est le cas, j'irai trouver M. Wagnaër, je lui dirai tout ce je pense de lui. Je le menacerai de dévoiler sa conduite, de le démasquer, de le poursuivre devant tous les tribunaux ; de le dénoncer à toutes les portes d'église, de l'attaquer dans toutes les gazettes. Je lui parlerai, comme on ne lui a encore jamais parlé.

– Hélas ! fit madame Guérin, c'est une bien triste ressource. Si le bonhomme Jean Pierre est un homme de paille, M. Wagnaër, lui, *c'est un homme de fer* !

VII
Jean Guilbault

Depuis sa liaison intime avec M. Voisin, et particulièrement depuis qu'il était devenu amoureux de Mlle Wagnaër, Charles avait considérablement négligé son ami Guilbault.

Celui-ci, heureusement, n'était pas d'humeur à s'en offenser. Comme il n'y avait pas trace d'égoïsme dans son caractère, il était aussi peu exigeant envers ses amis, que rempli de dévouement pour eux dans toutes les circonstances.

En voyant Charles se lancer *dans le grand monde*, et adopter un genre de vie pour lequel il avait, lui, une antipathie si prononcée, il lui dit nettement et carrément, et une fois pour toutes, ce qu'il en pensait : mais il n'en continua pas moins à l'aimer et à l'estimer. Il ne s'étonna point de ce qu'il préférait à sa compagnie celle de Henri Voisin, qui l'accompagnait partout dans le monde, et il se dit : à quelque bon matin, Charles se fatiguera de toutes ces folies ; il sera temps alors de lui parler de choses sérieuses.

L'étudiant en médecine suivait sa profession avec ardeur. Il n'épargnait ni l'étude, ni l'assiduité chez le patron, et sa passion pour l'anatomie était si grande, qu'il était ordinairement le héros et le chef des expéditions nocturnes, quelque peu périlleuses, auxquelles ses confrères étudiants étaient obligés d'avoir recours pour se procurer des sujets.

Son patron était un des médecins les plus distingués de la ville, un véritable savant, qui faisait de la médecine et de la chirurgie son unique occupation, et qui même faisait un peu ce que dans l'école romantique on appelle *de l'art pour l'art*. Il s'était attaché à son élève et le conduisait avec lui dans les hôpitaux, et souvent dans sa pratique privée. Le jeune homme avait d'ailleurs tant de gravité, de décence, et un goût si prononcé pour sa profession, que, dans beaucoup de familles,

210

on n'était point fâché de le voir remplacer son maître, lorsque celui-ci était trop occupé.

Vers l'époque où fut vendue la terre de Charles Guérin, il se trouvait parmi la clientèle de seconde main de notre jeune esculape, un malade du nom de Guillot. C'était un *caboteur*, capitaine d'une goélette qui naviguait entre la paroisse de R... et Québec. À l'occasion d'un voyage par lequel il réalisait de plus grands profits qu'à l'ordinaire, ce pauvre garçon, qui tendait à la pulmonie, avait *fait une vieille fête*, comme il disait dans son style de marin, et commis des excès qui l'avaient mis à la porte du tombeau. Il avait dû rester chez des parents en ville tout l'hiver, et grâce aux soins de Jean Guilbault, et surtout au régime qu'il lui avait prescrit, sa guérison avançait, quoique lentement.

Pour peu que les caractères soient naturellement sympathiques, il s'établit presque toujours une certaine intimité entre le malade et le médecin. Il faut que votre confiance soit bien dure à gagner, si vous ne la donnez pas à l'homme qui vous a sauvé la vie. Les allures franches et le sans-gêne de l'étudiant convenaient parfaitement à l'humeur du marin, qui lui raconta tous les détails de sa vie, existence accidentée et pittoresque, à laquelle Jean Guilbault ne pouvait pas manquer de prendre un vif intérêt.

Il arrivait souvent que le médecin s'oubliait des soirées entières auprès du malade, à lui entendre dire des histoires de ses voyages. C'était tantôt un naufrage sur quelque îlot désert, tantôt un combat à coups de poing avec des matelots anglais sur les quais à Québec, tantôt quelque aventure sauvage sur les côtes du Labrador ou dans l'île d'Anticosti, tantôt quelque légende superstitieuse racontée par les pêcheurs acadiens de Gaspé ou des îles de la Madeleine ; car, avec sa goélette, le capitaine Guillot avait déjà parcouru tous les parages du golfe Saint-Laurent.

Un soir que Jean Guilbault était resté plus longtemps qu'à l'ordinaire à causer avec son patient, celui-ci mentionna, par hasard, le nom de M. Henri Voisin l'avocat.

– Comment ! vous connaissez M. Voisin ? fit l'étudiant en médecine ; c'est un de mes amis.

211

– Parbleu, si je le connais ; je crois bien, puisque c'est mon cousin.

– Ah ! diable, c'est votre cousin ?

– Mais oui, bien sûr, si bien que nous portons le même nom.

– Ça ne me paraît pas si sûr. Il s'appelle Voisin, et vous vous appelez Guillot.

– C'est-à-dire Voisin dit Guillot, ou Guillot dit Voisin, comme il vous plaira.

– Ah ! ah !

– Oui, c'est de même. Connaissez-vous François Guillot, le commis de M. Wagnaër ?

– Un peu.

– C'est encore mon cousin. Son père, mon père, et le père de M. Voisin l'avocat, c'étaient les trois frères. Son père, le bonhomme Henri Guillot, qu'on appelait *Riochou* Guillot, était l'aîné de la famille. Le bonhomme portait la cassette. Quand il s'est retiré du métier de colporteur, il avait une assez jolie fortune ; avec ça il a fait éduquer un de ses garçons.

– Ah ! et pourquoi son fils est-il le seul qui s'appelle Voisin ?

– Dame, c'était son goût de s'appeler de même. Il trouvait cela plus beau, apparemment. Comme il ne naviguait pas du même bord que le reste de la famille, il n'était peut-être pas fâché de mettre un autre pavillon… Savez-vous que ça va faire un gros avocat, notre cousin ; et puis il va se marier avec une fille riche, mais riche que ça n'est pas pour rire de dire ce qu'elle est riche.

– Ah ! et quelle est cette demoiselle ?

– Las ! je ne sais pas trop si je dois vous conter ces affaires-là. Mon cousin François, qui est venu me voir, il n'y a pas longtemps, m'en a jasé pas mal long ; mais il m'a dit de ne pas raconter ça à tout le monde.

– À la bonne heure, si je suis tout le monde.

– Tiens, docteur, vous allez vous fâcher ? Ah bien ! qu'à ça ne tienne. Je me fiche diablement de mon cousin François et de mon cousin l'avocat. Si ça vous amuse, je vous conterai toute cette manigance-là et bien d'autres avec. Mais il n'y a guère de vent dans les voiles ce soir, je suis joliment essoufflé ;... si vous me donniez un peu de vos gouttes... Bon !

– Faut vous dire, pour commencer, que c'est avec Mlle Wagnaër, la fille unique et héritière du gros marchand de R... que se marie mon cousin Henri.

– Quoi ? Que dites-vous ? Avec Mlle Wagnaër !

– Quand je vous le dis : ça vous surprend, hein ? Ça en est-il un peu un parti ! On dirait, mon bourgeois, que ça vous fait de la peine. Est-ce que vous auriez eu des intentions ?

– Allez toujours.

– À vos ordres. Vous n'avez qu'à commander la manœuvre et je vais tout vous défiler ce qui en est. Connaissez-vous une petite *jeunesse* qui s'appelle Charles Guérin ?

– Un peu.

– Bon ! Vous devez savoir qu'il faisait la cour à la demoiselle, et même mon cousin dit qu'il ne déplaisait pas trop à la jeune fille et au beau-père, et qu'encore un peu et ça y était. Mais mon cousin François, qui est une fine mouche, parce que, sans vanterie, nous ne sommes pas trop bêtes dans notre famille, mon cousin François a tout dérangé ça. Le bourgeois avait deux raisons pour marier sa fille au jeune Guérin. D'abord, il lui fallait un gendre avocat pour pousser ses affaires, puis il avait un dessein de faire des moulins, des bâtisses, un tas d'histoires ; toujours, il lui fallait pour cela la terre de la famille. Avec le jeune Guérin, il avait à peu près, comme qui dirait, la maîtrise de la terre. Quand il vit cela, v'là mon François qui se met à faire faire connaissance à mon cousin l'avocat avec le bourgeois ; et petit à petit, v'là mon cousin qui se pousse dans la manche du bonhomme. C'était une consulte par-ci, un mot par là. Puis le bonhomme lui passa une petite affaire par-ci, une petite affaire par là ; enfin, il s'aperçut que mon cousin l'avocat était justement l'homme qu'il lui fallait ; et qu'en fait de tours et de finesses, il pouvait même lui en remontrer, ce qui est dire pas mal. Le jeune Guérin, pendant ce temps-là, contait des fleurettes à la demoiselle, et la demoiselle, vous comprenez, comme toutes les fillettes, se laissait conter fleurettes ; mais tout ça n'avançait pas beaucoup les affaires. Mon cousin l'avocat courtisait le bonhomme, ce qui valait bien mieux. Mon cousin François faisait semblant de rien. Un bon jour il dit comme ça à son bourgeois : Mais, mon bourgeois, si vous pouviez marier mam'zelle Clorinde à M. Henri Voisin, savez-vous que ça vous ferait une fameuse affaire. – Mais la terre, fit le bourgeois ? – Bah, la terre, fit mon cousin François : si vous voulez me laisser faire, j'ai trente-six plans pour vous la faire avoir. Et v'là mes deux cousins qui se mettent à faire des embarcations de billets et de signatures qui répondent les uns pour les autres et qui font répondre le petit Guérin ; si ben qu'à la fin du compte, v'là tout ce monde-là poursuivi et v'là qu'ils vont vendre la terre en question.

– Ah ! et quand cette terre sera-t-elle vendue ?

– Dame, ça ne tardera pas. C'est pour le commencement de mai. Et ce qu'il y a de plus drôle, c'est qu'ils ont si bien *arrimé* ce pauvre garçon, qu'ils l'ont traîné de porte en porte chez tous les habitants qui auraient *pu mettre* sur sa terre, sous la frime que, comme ça, il pourrait la racheter à meilleur marché ; ce qui fait que quelqu'un l'achètera pour M. Wagnaër à un prix raisonnable.

– Diable !

– Vous entendez bien que le jeune homme ne perdra pas un sou : car tout ça, c'est une frime, rien que pour acheter la terre. Mais on lui remboursera tout le reste, vous me comprenez.

– Oui, je comprends.

– Mon cousin en a-t-il une chance un peu ? Sans compter que c'est une jolie fille, ce qui ne nuit pas, quand même qu'une fille est riche.

– Votre cousin a bien de la chance en effet. Mais vous me paraissez bien fatigué. Je vous ai trop laissé parler. Il faut prendre encore des gouttes et puis vous reposer. Pour cela, il est temps que je me retire.

Jean Guilbault ne fit qu'un bond de l'appartement du malade à sa propre demeure. La tête lui bouillait, l'indignation l'étouffait et il lui avait fallu tout son bon sens pour ne pas éclater en présence de son malade. Voilà, se dit-il, une spoliation qui ne se fera pas si tranquillement qu'on le pense, ou Jean

Guilbault n'est qu'un sot et une ganache. C'est dans des temps comme ceux-là qu'on trouve ses amis !

Il était tard pour partir ce soir-là ; mais il ne perdit point de temps et loua le meilleur cheval qu'il put trouver dans les écuries de la ville. Les chemins n'étaient pas beaucoup praticables à cette saison de l'année ; il fallait se décider à faire à franc étrier une distance considérable.

De retour chez lui, il jeta dans un petit sac de voyage quelques objets indispensables, et n'oublia pas une magnifique paire de pistolets, qui lui servaient pour ses expéditions de *résurrectionniste*, et avec lesquels il avait épouvanté plus d'une fois les gardiens des cimetières.

– Après tout, se dit-il, on ne sait pas ce qui peut arriver, et en sus de la justice et du bon droit, il n'est pas mauvais d'avoir de son côté des arguments de la force de ceux-là.

Il passa le reste de la nuit à faire différents plans de campagne, suivant l'état dans lequel il trouverait les affaires de son ami.

Le matin à six heures, il était à la Pointe-Lévis, se dirigeant, au grand galop de son cheval, vers la paroisse de R…

VIII
Un complot

Malgré qu'il eût changé de monture plusieurs fois sur la route, ce ne fut que bien tard dans la nuit que Jean Guilbault toucha au terme du voyage.

Tout le monde était couché chez madame Guérin ; mais personne ne dormait.

Ne voyant pas de lumière, le jeune homme hésita s'il frapperait à la porte. La difficulté d'aller se retirer ailleurs, et l'impatience qu'il éprouvait, le décidèrent.

Au premier coup, plusieurs voix crièrent : Qui est là ? Et une autre voix ajouta : Mon Dieu, si c'était lui !

– Jean Guilbault, fut-il répondu du dehors.

– Est-ce possible ? fit Charles, et dans un instant il avait déjà allumé une chandelle et ouvert la porte à son ami.

Madame Guérin et Louise s'étaient retirées promptement dans leur chambre. – Le cœur m'a battu bien fort, dit la pauvre mère, j'ai cru un instant que c'était lui ; mais nous aurions eu trop de bonheur, si la Providence nous l'avait envoyé dans un tel moment…

– Écoute, Charles, dit Jean Guilbault en entrant, un mot avant tout. Quel est le jour fixé pour la vente de la terre ?

– C'était aujourd'hui, dit tristement Charles.

– Et puis ?

– Eh ! bien, elle a été vendue.

– À qui ?

– Au bonhomme Jean Pierre.

– Combien ?

– Neuf cent vingt-cinq louis.

– Si tu savais ce que je sais !

– Je ne le sais pas ; mais je m'en doute.

– Quel malheur ! Quelle infamie !

216

– Que veux-tu ? C'est ma faute. Tu es bien trop bon d'être venu exprès… Je ne le méritais pas, moi qui ne t'avais parlé de rien. Quand es-tu parti de Québec ?

– Ce matin à six heures.

– Mais tu dois être mort de fatigue, et ton cheval doit être *rendu.*

– C'est le deuxième. J'espérais être ici à temps.

– Mais tu dois être moulu.

– Bah ! je n'y ai point songé. Tout mon regret, c'est d'arriver trop tard.

Madame Guérin s'était habillée à la hâte et elle insista pour que l'hôte qui leur arrivait réparât ses forces. Elle improvisa une petite collation à laquelle fit honneur l'appétit de Jean Guilbault, lequel, même à son état normal, sans être aiguisé par l'exercice et la fatigue, n'était pas à dédaigner.

Charles, resté seul avec son ami, demeurait partagé entre la honte et la reconnaissance. Il y avait dans le procédé de Guilbault tant de générosité et de dévouement, et sa position à lui-même semblait si ridicule, qu'il osait à peine parler de ce qui s'était passé.

Heureusement, il est des gens avec lesquels il est difficile de rester longtemps mal à l'aise.

– Ah çà ! fit Jean Guilbault, après quelques instants de silence, j'espère que tu ne comptes pas en rester là avec M. Wagnaër ? Il y a bien un proverbe anglais qui dit qu'il est trop tard de fermer l'écurie quand le cheval est dehors ; mais enfin il doit y avoir un moyen de revenir sur toutes ces transactions qui ne sont qu'un tas de friponneries. Voyons, toi qui es avocat, ou à peu près, tu dois connaître quelque remède.

– Tout est contre moi. J'ai donné la main à tout cela. Mon émancipation, mon négoce, l'intervention de M. Dumont ont couvert ce qu'il y aurait eu d'illégal dans l'affaire. Et puis, un procès !

– Eh bien, un procès ! Mille tonnerres, quand on a raison, on gagne, celui qui a tort, perd, et voilà le procès jugé ! Y a-t-il un juge dans le monde qui donnerait gain de cause à ce vieux misérable de Wagnaër ? Je voudrais bien voir cela, par exemple !

– Si je portais une action, ce serait une action très spéciale.

– Alors, prends une action spéciale, comme tu dis.

– Quand il n'y a point de précédent, on a peu de chance. On n'aime guère que les sentiers battus par la routine. Dès qu'il se présente quelque difficulté technique, on s'en saisit avec ardeur : tu ne connais donc pas les tribunaux ?

– Dieu merci, non. Eh bien, il faut se jeter sur autre chose.

– Oui, j'y ai pensé. L'opinion publique dévoiler, démasquer…

– Ah çà, viens-tu fou ? Que te fera l'opinion, et que fera-t-elle à un homme pareil ? S'il ne tient qu'à faire au bonhomme la réputation qu'il mérite, je m'en charge. Mais après cela ?

– Sans compter que je ferais un grand tort à Clorinde, en détruisant la réputation de son père.

– Le beau malheur ! Penses-tu qu'elle vaille mieux que lui ?

Charles se fâcha, et son ami fut frappé de l'ardeur et de la persistance avec laquelle il protestait de la sincérité de Mlle Wagnaër.

– Au fait, reprit-il, la question est de savoir si elle t'aime. Si elle t'aime vraiment, tu dois réussir. Voyons, t'aime-t-elle pour tout de bon ?

– Mais sans doute.

– Êtes-vous bien sûr de ce que vous dites, monsieur le fat ?

– Mais elle laisserait tout pour moi.

– Alors la chose est bien simple. Il faut, si l'on persiste à la marier avec Voisin, ou le tuer en duel, ou enlever Clorinde.

– Un duel ! un enlèvement !

– Cela ou rien du tout.

– Tu as peut-être raison. Quel mal leur avais-je fait à ces gens-là ? Henri Voisin a fait plus que de me tuer. Il a brisé mon avenir. Il a tué ma pauvre mère, qui ne survivra peut-être pas à ce dernier coup.

– Oui, il y a deux espèces de meurtriers, ceux qui tuent lentement, et ceux qui tuent promptement ; ceux qui tuent froidement par intérêt, avec calcul, et ceux qui tuent par passion, par colère, par vengeance, et presque sans savoir ce qu'ils font ; ceux qui rencontrent leur adversaire en face, qui risquent leur propre vie, qui le combattent franchement, et ceux qui assassinent lâchement, avec impunité, par ruse et par trahison. Je ne suis pas duelliste ; j'ai horreur de celui qui donne la mort sous quelque forme que ce soit ; mais je te dirai ceci : de tous les criminels, le plus vil, à mon avis, c'est l'intrigant qui, pour faire son chemin, jette la désolation dans toute une famille, sans s'occuper si la mort ne viendra point sur les pas de la misère ; l'intrigant qui, pour se composer une existence à son goût, prendrait sans hésiter l'existence de trois ou quatre de ses semblables, pourvu que cela pût se faire légalement et avec impunité. J'ai eu tort de te parler de duel ; mais dans un premier moment, quand j'ai appris cette vilaine affaire, si j'avais tenu Voisin à une portée de pistolet, je l'aurais tué comme un chien...

La triste pensée d'avoir contribué au malheur de son ami, en le mettant en rapport avec Henri Voisin, augmentait encore l'exaltation de Jean Guilbault. Incapable de faire de sang-froid le moindre mal à son ennemi personnel, l'idée de l'injustice et de la spoliation dont un autre avait été victime, le rendait presque crue. Charles, sous son regard de feu, en présence de cet homme à la contenance ferme et décidée, aux larges et puissantes épaules, aux bras musculeux, sentait passer dans son âme des sentiments plus énergiques, une volonté plus inébranlable, une puissance d'action plus grande que n'en comportait son propre caractère. Il avait confiance non seulement dans le dévouement de son ami, mais encore dans son énergie morale et physique : il lui semblait qu'avec lui il pouvait tout entreprendre.

– J'aurais mal fait, continua celui-ci, de le tuer comme un chien. Il ne faut tuer personne, si chien qu'il soit. Mais quant à ce qui est d'enlever la belle Clorinde, c'est une autre affaire. Il me semble, pour peu qu'elle le veuille, que nous soyons parfaitement dans notre droit.

– Rapt de mineure ! observa Charles Guérin, simplement pour la forme.

219

– Oui, rapt de mineure d'un côté, et spoliation des biens d'un mineur de l'autre côté. Ce sera la peine du talion. Oh ! pour cette affaire-là, j'en suis, et quand même je risquerais d'être un peu pendu, il faut que cela se fasse. As-tu un bon cheval à toi ?

– Le meilleur de la paroisse.

– As-tu quelque argent ?

– À peu près trente louis.

– Et vingt louis que j'ai apportés. Mais nous en prendrions du pays avec cela ! Voici le plan. Il n'y a pas à y aller par quatre chemins. Tu vois Mlle Wagnaër demain, tu as une explication avec elle : si elle consent à être ton épouse et à partir avec nous, l'affaire est faite. Nous conviendrons d'une heure quelconque de la nuit. Nous louerons ou emprunterons quelque part un troisième cheval, et voilà que nous filons par les concessions. Avant le jour nous aurons fait terriblement du chemin sans que le vieux misérable s'en soit douté. Rendus à une certaine distance, pour épargner de la fatigue à madame Guérin, nous mettons deux chevaux sur la voiture la plus légère que nous pourrons nous procurer, et nous continuerons par les concessions jusqu'à la Beauce, où nous prendrons le chemin de Kennébec. Dans moins de trois jours, nous pouvons nous rendre aux États-Unis, et là, vous vous mariez, et du diable si M. Wagnaër et notre ami Voisin trouvent un moyen de vous démarier. En thèse générale, tout cela n'est pas très correct d'après mes principes, mais enfin il y a toutes les circonstances atténuantes possibles. D'abord je suis là pour veiller sur vous et pour répondre de l'honneur de ta fiancée. Je ne vous perds pas de vue un seul instant ; car je galope constamment auprès de votre voiture en bon et fidèle écuyer, avec mes deux bons pistolets à ma ceinture, afin de pouvoir riposter avantageusement aux gens qui se permettraient de courir après nous ou de nous barrer le passage. Bien entendu, une fois mariés, vous écrirez une lettre polie et respectueuse à papa Wagnaër, lui faisant mille amitiés, et l'informant des raisons et des motifs qui vous ont engagés à faire ce petit voyage.

Voyons, j'ai bien quelque scrupule à te proposer une pareille équipée. Mais enfin, il me semble que c'est le seul moyen de te sauver, toi et ta famille, d'une ruine certaine. Tu ne prends cette démarche extrême qu'à ton corps défendant. Tu ne lui enlèves sa fille que parce qu'il t'a enlevé ta fortune, et encore tu fais les choses honnêtement...

Charles n'avait pas besoin qu'on lui prouvât en trois points la justice de sa cause ; il était, dans ce moment-là surtout, suffisamment exalté pour embrasser avec ardeur la proposition qu'on lui faisait.

L'expédition fut donc décrétée et l'on continua à en préparer d'avance jusqu'aux moindres détails.

Les deux amis s'étaient levés de table et ils marchaient à pas précipités dans la chambre, en étouffant toutefois le plus qu'ils pouvaient le bruit de leurs pas et de leurs paroles, afin de ne point réveiller les personnes de la maison qui dormaient.

Dans le silence profond de la nuit, leur conversation se prolongea animée, confiante, exprimant sur leur visage et par leurs gestes les sentiments qui ne pouvaient pas trouver dans les inflexions de la voix une issue suffisante ; disposant tout, ne doutant de rien, aplanissant tous les obstacles, trouvant réponse à tout et anticipant avec une fiévreuse impatience le moment où ils pourraient déjouer les projets de M. Wagnaër et du gendre de son choix.

Ils se séparèrent fort tard, en se disant presque joyeusement :
À demain !

IX
La petite croix de corail

Charles ne se trompait point : Clorinde l'aimait passionnément. Elle l'aimait déjà avant de le connaître, elle l'aimait beaucoup plus depuis qu'elle se savait aimée de lui.

Si la coquetterie inhérente au rôle qu'elle jouait dans la société où elle se trouvait, avait légèrement terni l'éclat de cet amour, il venait d'emprunter une nouvelle ardeur à un sentiment bien différent qu'on avait fait naître chez elle.

Elle s'était amusée quelque temps de la tournure peu élégante, des manières gauches et prétentieuses, de la figure et de l'allure vulgaires de M. Henri Voisin, l'éternel compagnon de Charles. Mais elle le croyait sincèrement dévoué à celui-ci, et elle lui passait ce qu'il avait de désagréable en faveur de ses bonnes intentions. Du reste, comme on l'a vu, l'avocat avait jusqu'alors plaidé sa cause auprès du père, et n'avait pas encore jugé à propos d'importuner la fille de ses galanteries, se réservant de tomber éperdument amoureux d'elle, au jour précis où il aurait réussi dans ses négociations.

Ce jour étant arrivé, Henri Voisin s'était mis à développer une foule de belles pensées, de talents agréables et de jolies manières, qu'il avait jusque-là tenus cachés, de même que la chenille dans son enveloppe tient roulées les ailes qu'elle doit plus tard étaler au soleil. Le chrysalide se brisait, et la chenille sortait ; mais, hélas ! sans être devenue papillon.

Ses madrigaux étaient cent fois plus ridicules que son silence, son empressement plus désavantageux que sa timidité, ses attentions plus gauches que ses gaucheries mêmes. Il dansait d'après toutes les règles de l'art, mais de manière à faire maudire l'art et toutes ses règles. Il chantait juste, mais avec une voix plus triste que si elle eût été fausse. Depuis qu'il cultivait mieux sa toilette, il était parvenu à faire ressortir davantage sa laideur et sa vulgarité.

Charles était trop préoccupé de mille autres choses pour avoir remarqué l'espèce de métamorphose qui s'était opérée chez son ami... Clorinde, avec cette justesse de coup d'œil qui distingue son sexe, avait vu tout de suite que tout cela se faisait en son honneur. Quelques gracieusetés un peu trop familières que l'ami de Charles s'était permises envers elle avaient confirmé ses soupçons. Enfin M. Wagnaër, tout en plaisantant, avait laissé tomber quelques mots propres à faire croire qu'il ne serait pas fâché d'avoir M. Voisin pour son gendre.

Une circonstance que nous allons éclaircir bientôt l'avait empêchée de faire part de cette découverte à celui qu'elle intéressait le plus. Mais de ce moment la répulsion instinctive qu'elle éprouvait, se changea en une aversion profonde, et l'amour qu'elle avait pour Charles s'accrut de toute la crainte qu'elle entretenait de voir son existence liée à celle d'un homme méprisé et détesté tout à la fois.

Le lendemain de l'arrivée de Jean Guilbault à R... dans la matinée, Clorinde était dans son boudoir, où elle brodait et lisait tour à tour ; dans le moment, elle ne faisait ni l'un ni l'autre.

Elle était assise sur un petit tabouret en laine d'Allemagne près d'un canapé ; sa tête s'appuyait sur sa main, son coude sur le canapé, sa broderie était par terre, son autre bras laissait tomber ouvert à demi le livre dont elle avait essayé la lecture.

Le petit boudoir était meublé avec luxe ; Clorinde, à peu près maîtresse de ses actions, copiait à la campagne ce qu'elle voyait chez ses amies de la ville.

Un guéridon en bois de rose était couvert de riches albums, de *keepsakes*, que dominait un vase de porcelaine rempli des plus belles fleurs, produit d'une serre à laquelle nos lecteurs savent que la jeune fille consacrait une grande partie de son temps.

Cette chambre ouvrait d'un côté sur le grand salon de la maison et de l'autre sur une chambre à coucher.

Mlle Wagnaër était beaucoup plus pâle qu'à l'ordinaire ; son sein était agité, et il y avait dans sa pose nonchalante plus de découragement que de mollesse. Elle tressaillit tout à coup : un bruit très léger, à peine perceptible, avait causé ce mouvement : c'est qu'il y a quelque secret avertissement magnétique qui révèle l'approche d'une personne aimée, surtout dans les heures d'angoisse que l'on éprouve à son égard.

– Je vous attendais, dit-elle, d'un air triste et presque solennel, au jeune homme qui entrait dans ce moment dans l'autre salon, précédé par une jeune fille de chambre espiègle et gentille, depuis peu au service de la maison.

– Anna, dit-elle, si M. Voisin se présente, fût-il même accompagné de mon père, vous lui direz qu'il ne peut pas me voir ce matin. L'impression que fit ce peu de mots sur l'étudiant se traduisit immédiatement sur ses traits.

– Je vois avec plaisir, dit Clorinde, que vous vous résignez à vous séparer de votre inséparable.

Le ton d'ironie avec lequel ces paroles étaient prononcées fit voir à Charles qu'il était deviné. Son visage était de ceux sur lesquels on lit mieux que dans un livre.

L'heure était solennelle et tous deux comprirent au premier regard que leur sort allait peut-être dépendre de cette conversation.

Ils prirent place sur un divan dans un des angles du salon et gardèrent quelque temps le silence.

Clorinde le rompit la première :

– Mon père venait de sortir, quand vous êtes entré… Vous ne lui avez rien dit ?

Charles fit un mouvement qui trahissait l'orgueil blessé, comme s'il eût voulu dire qu'il se félicitait de son silence. Puis il raconta d'une voix émue ce qui lui était arrivé et ce que l'on supposait des intentions de M. Wagnaër, en y mettant toutefois la plus grande réserve.

On conçoit aisément l'humiliation profonde que ressentit la jeune fille. Il lui restait cependant la dure nécessité de confirmer par son récit une partie de ce qu'elle venait d'entendre.

– Mon père ne peut pas avoir toutes les vues que vous lui prêtez, dit-elle ; mais il n'en est pas moins vrai qu'il songe sérieusement à me marier avec M. Voisin, et je crains bien qu'il ne consente que difficilement à notre union.

– Mais, vous, Clorinde, vous ?

– Moi, fit-elle tristement, moi ?

Charles se leva brusquement et, involontairement, il lui lança un regard de mépris.

De grosses larmes jaillirent des yeux de Clorinde plutôt qu'elles n'en coulèrent ; elle détourna la tête, et elle dit comme se parlant à elle-même : Voilà ce que c'est : il gardera cette opinion de moi toute sa vie... Il ne me croira pas.

Charles se rapprocha d'elle et reprit sa place sur le divan...

– Clorinde, dit-il, Clorinde, vous êtes bien faible, bien légère et bien coupable envers moi, si vous croyez qu'il vous est permis d'appartenir jamais à un autre qu'à moi.

– Écoutez, dit la jeune fille en faisant un effort sur elle-même, écoutez, je ne savais pas avant ce temps ce que c'est que de souffrir et d'être malheureuse ; mais je comprends à présent que l'on peut être assez affligée pour se donner la mort !

– Se donner la mort ! Il y a d'autres remèdes que celui-là, aux situations même les plus critiques.

– Peut-être !

– Est-on obligé d'obéir à des ordres injustes ? Doit-on contre son cœur et contre soi-même donner la main à un complot malhonnête, parce que celui qui l'a formé...

– Est votre père, ajouta lentement la jeune fille, forcée à rougir de son père devant lui !... Charles, si vous m'aimiez, vous me ménageriez davantage.

– Le mot est dur peut-être ; s'il n'y avait que moi de trompé, mais ma mère...

– Votre mère ! L'aimez-vous beaucoup votre mère ? dit vivement Clorinde.

– Si je l'aime beaucoup ! Étrange question ! Tous ceux que j'aime, Clorinde, je les aime beaucoup. Mais ma mère, voyez-vous, c'est autre chose. C'est de la reconnaissance, c'est de l'admiration, c'est du dévouement, pour elle qui s'est dévouée à nous, qui a refusé la fortune plus d'une fois pour être seule à veiller sur nous.

– Alors si vous aimez autant votre mère que vous l'assurez, vous comprendrez ce que j'ai à vous dire. Écoutez-moi bien, Charles, et vous jugerez de la conduite que je dois tenir. Vous me direz ce que vous feriez si vous étiez à ma place.

Je suis née à Jersey, comme vous le savez. Mon père était livré à de grandes spéculations de commerce, ma mère appartenait à une famille très considérée. Son père était chef-juge, et son aïeul avait été grand bailli. Elle avait apporté en dot à mon père, outre une forte somme d'argent, plusieurs beaux vergers dont il tirait un excellent parti. Deux de ces vergers étaient situés tout près de Saint-Hélier, la capitale de l'île où nous demeurions. Je me rappellerai toujours avoir été avec ma mère et quelques-unes de ses amies cueillir les pommes que l'on entassait dans de grandes hottes pour les porter au pressoir, afin d'en faire du cidre. Il y avait aussi les pommes de choix, que l'on cueillait avec beaucoup de précautions, et que nous mangions, ou que nous envoyions en cadeau à nos amis. Autant que je m'en souviens, nous étions bien heureux à Jersey lorsque ma mère vivait. J'étais bien jeune lorsque nous avons quitté l'île, mais plusieurs choses sont restées dans ma mémoire. Je me souviens surtout de nos promenades au bord de la mer, et du varec, que les vagues jetaient sur le rivage comme de grandes écharpes à franges de soie ou de dentelle.

Ma mère s'était mariée malgré ses parents, qui n'avaient consenti à son mariage que pour prévenir un éclat. Les affaires de mon père ayant mal tourné, il fut obligé de vendre tout ce qu'il possédait. On fut même sur le point de l'emprisonner, et nous nous vîmes contraints à laisser le pays.

Il fut décidé que nous passerions en Canada, où nous avions des parents, et où mon père se proposait d'établir un petit négoce, avec l'argent que devait nous faire passer la famille de ma mère.

Je me souviens encore, comme si c'était hier, de notre départ clandestin, et combien de larmes furent versées, lorsqu'il nous fallut prendre congé de nos parents.

Je me souviens de la chaloupe qui nous conduisit et qui fendait les vagues vertes et blanches à leur sommet, et de l'écume salée qui m'entrait dans la bouche et me navrait.

Je me souviens de la petite chambre toute petite ou on nous mit, de la mer, des matelots, des cordages, du roulis du vaisseau, des bâtiments que nous rencontrions quelquefois et que nous voyions disparaître, comme s'ils eussent été engloutis au fond de l'Océan, et reparaître plus loin sur la crête d'une vague haute comme une montagne.

J'avais sept ans alors. Ces impressions sont pour bien dire les premières impressions fortes qu'ait reçues mon esprit : et je ne trouve, en remontant dans mes souvenirs, presque rien qui soit plus ancien que cela. Il me semble que j'ai commencé à vivre et à penser sur la mer.

La traversée fut longue et périlleuse. Nous eûmes longtemps des vents contraires, des bourrasques et des tempêtes. Mon père fut malade du roulis, ma mère ne le fut pas. Elle avait une maladie plus sérieuse que celle-là, cette pauvre mère !

Elle était rongée par le chagrin et il semblait que chaque lieue que nous faisions en nous éloignant de Jersey, emportait une partie de son existence.

Durant les longues heures d'ennui qu'elle passait dans le calme ou sur le pont, seule avec moi, tandis que mon père causait avec le capitaine ou avec les autres passagers, elle me racontait tout ce qui lui était arrivé depuis son enfance ; elle me disait une foule de choses que je n'ai pu bien comprendre que longtemps depuis. Elle disait souvent en riant qu'elle était folle de me tenir ainsi des discours de grande personne.

D'après ce dont je puis me souvenir, elle avait épousé mon père par dépit de ce que ses parents n'avaient pas voulu la laisser marier à un jeune homme pauvre qu'elle aimait.

Ses parents avaient fait beaucoup de difficulté ; mais elle avait déclaré résolument que cette fois elle disposerait d'elle-même suivant son goût. M. Wagnaër passait pour faire de bonnes affaires, et à part la différence de position et d'éducation, il y avait peu à objecter.

Ma pauvre mère attribuait tous nos malheurs à sa désobéissance, et elle répétait sans cesse qu'une jeune fille qui se marie à sa tête, et malgré ses parents, se prépare une vie de misère.

Il y avait quatre autres passagers à bord de ce vaisseau : deux marchands écossais avec qui mon père s'était tout d'abord lié d'amitié, ce qui faisait qu'il passait une grande partie de son temps à jouer aux cartes et à fumer avec eux ; un vieux gentilhomme français qui se rendait au Canada pour y réclamer une succession, et un jeune prêtre irlandais, qui avait fait ses études à Paris. Ces deux derniers causaient souvent avec ma mère, qui avait reçu son éducation en France. Mon aïeule maternelle était française et catholique ; mais mon grand-père avait voulu que ses enfants fussent élevés dans la religion protestante.

Ma mère aimait beaucoup la controverse religieuse, soit qu'elle eût des doutes sur le culte qu'elle professait, soit qu'elle voulût faire du prosélytisme, ce qui est une maladie assez commune chez les personnes de notre pays. Elle entamait souvent de longues discussions, dans lesquelles elle ne laissait pas que de donner beaucoup de trouble au jeune prêtre, au grand amusement du vieux Français, qui était *catholique à gros grains*, comme il le disait lui-même.

Cependant peu à peu ma mère devenait moins railleuse et il arrivait souvent qu'elle écoutait avec un silence respectueux et presque convaincu les discours de son adversaire.

Nous n'étions point à la moitié du voyage, qu'elle fut prise d'un crachement de sang violent, et elle devint si malade qu'il lui était rarement possible de sortir de la chambre.

Le vieux Français avait une certaine expérience et quelques connaissances médicales : il dit en secret à mon père qu'il ne pensait pas que ma mère vécût longtemps.

Elle paraissait elle-même frappée de cette idée : elle parlait souvent de la mort et me faisait promettre de prier Dieu tous les jours pour elle, quand elle serait morte, et d'être bien bonne et bien obéissante.

Cependant nous touchions au terme de notre voyage et elle paraissait mieux. Un soir (nous étions alors à l'entrée du golfe Saint-Laurent), il faisait un beau temps calme et le soleil allait se coucher tout resplendissant de lumière ; ma mère alla s'asseoir sur un banc sur l'arrière du vaisseau et, contemplant le spectacle imposant que nous avions sous les yeux, elle me prit sur ses genoux et fondit en larmes. Je pleurais avec elle sans trop savoir pourquoi. Elle prit une petite croix de corail qu'elle avait sur sa poitrine, attachée avec un ruban bleu ; elle me passa le ruban au cou et me donna la petite croix comme pour me consoler, ce qui ne manqua pas de réussir.

Dans la nuit mon père vint me réveiller et me porta dans ses bras auprès du lit de ma mère. Je vis là le jeune ecclésiastique qui était à genoux et priait, et le vieux Français qui était debout et paraissait bien affligé.

On me mit à genoux sur une chaise tout près de ma mère, qui fit un effort pour s'asseoir et m'embrassa.

– Ma petite fille, dit-elle, je vais mourir. Je n'ai plus que quelques heures à vivre. Écoute bien ce que je vais te dire pour t'en souvenir toute ta vie. Tu vois ici un prêtre catholique et tu sauras que je vais mourir catholique : je désire que tu vives et meures dans cette religion, qui est la meilleure...

– La seule véritable, interrompit le prêtre.

– La seule véritable, reprit ma mère avec docilité. Me promets-tu que tu le feras ?

Je regardai mon père, qui me dit :

– J'ai promis à ta mère de te faire élever dans la religion catholique.

– Je promets de vivre et de mourir catholique, dis-je, en tremblant de toutes mes forces, les mains jointes et les yeux fixés sur ceux de ma mère, qui rayonnaient d'un éclat inaccoutumé.

– Il faut que tu sois bonne, obéissante, sage, et que tu ne donnes aucun chagrin à ton père, au contraire que tu lui aides de toutes tes petites forces et que tu me remplaces dans les soins du ménage, quand tu seras assez grande pour cela. Me promets-tu cela ?

– Je serai bonne, sage et obéissante, dis-je, d'une voix forte.

– Maintenant, ce n'est pas tout : quand tu seras grande, tu voudras peut-être te marier.

– Oh ! non, dis-je, si tu veux vivre et ne pas mourir, je te promets que je ne me marierai pas. Je resterai toujours avec toi. Je disais cela d'un ton de conviction, comme si un semblable marché eût pu se faire. Ma mère et tous les autres ne purent s'empêcher de sourire. Écoute bien, me dit-elle, je ne suis pas libre de mourir, et quand tu seras grande, tu seras peut-être d'avis de te marier. Il faut que tu me promettes de ne te marier qu'avec celui que ton père te destinera pour époux, et de t'en rapporter entièrement à lui. Les enfants qui se marient sans le consentement de leurs parents sont toujours malheureux. Te souviendras-tu que ce soient les dernières paroles de ta mère ? Je te les ai répétées bien des fois ces jours-ci, pour que tu ne les oublies jamais.

Puis elle prit la petite croix de corail qu'elle m'avait donnée, elle la plaça dans mes mains. Garde toujours cette petite croix pour te souvenir de moi. Me promets-tu de ne pas te marier malgré ton père et de l'écouter toujours en toutes choses ?

– Je promets, dis-je, de me marier comme papa voudra.

– Eh bien, dit-elle, chaque fois que tu verras cette petite croix, tu te souviendras de ce que tu m'as promis, n'est-ce pas ? … Elle fit encore un effort, m'embrassa, et l'on m'emporta.

Je ne fermai pas l'œil de la nuit : je ne savais pas ce que c'était que la mort, j'épiais jusqu'au moindre mouvement.

Il y eut beaucoup d'allées et venues toute la nuit, et le matin, on me fit monter sur le pont, où je vis ma mère étendue sur une espèce de lit : elle paraissait dormir. Le capitaine, les passagers et tout l'équipage étaient à genoux et le jeune prêtre lisait des prières.

Je compris alors que ma mère était morte, et j'eus une idée confuse de ce que la mort peut être.

Restée seule avec mon père, il tint sa parole et me fit élever dans la religion catholique ; mais il me rappela souvent qu'il espérait que je serais fidèle à ma promesse, et que je devais me préparer à épouser l'époux de son choix, sans murmure et sans hésitation.

Je fis graver sur la petite croix de corail mes initiales et la date du jour funeste où je perdis ma pauvre mère.

Maintenant, vous savez tout. Ce vœu solennel fait entre les mains d'une mourante ; cette promesse de mon enfance, pensez-vous, Charles, que je doive y manquer ?

Le jeune homme ainsi interpellé garda quelques instants le silence.

Il était profondément ému. Mais l'instinct de ses propres intérêts, et mieux que cela un sentiment plus noble, que le récit de Clorinde avait accru, le poussèrent à soulever une distinction qui lui parut formidable.

– Votre promesse, dit-il, peut bien vous empêcher de vous marier avec moi, tant que votre père n'y consentira point ; mais elle ne saurait vous obliger à devenir *madame Voisin*.

– Je l'espère bien, quoique mon père l'entende autrement. Il y a longtemps que je vous aurais informé de toutes ces choses, mais, dans les commencements, mon père paraissait voir vos assiduités d'un assez bon œil. Du moment où je me suis aperçu qu'il prenait M. Voisin sous sa protection, je vous ai conseillé de faire des démarches que vous avez négligées. Je ne pouvais point vous faire connaître mes motifs. Aujourd'hui mon père m'a parlé très clairement. Il prétend m'avoir toujours destiné M. Voisin depuis qu'il le connaît. Il m'a fait une scène bien violente et, pour la première fois de sa vie il m'a parlé durement…

D'après ce qu'ils connaissent, nos lecteurs s'imaginent bien que notre héros dut abandonner toute idée d'enlèvement. Malgré les plus tendres paroles qu'ils purent se dire, Charles se retira doublement malheureux. Il aimait Clorinde plus que jamais, plus que jamais il était certain d'en être aimé ; mais moins que jamais, il n'avait d'espoir de la posséder.

231

Quatrième partie

I

Une pauvre famille

Les reines ont été vues pleurant comme de simples femmes, et l'on s'est étonné de la quantité de larmes que contiennent les yeux des rois » (*Atala*)

C'était en effet une idée classique et traditionnelle que l'infortune seule des rois et des princes devait toucher les autres humains. Cette idée, à laquelle Chateaubriand sacrifiait sans le vouloir, était cependant une de celles qu'il avait pour mission de détruire par l'importante révolution qu'il devait opérer dans la littérature française, en créant une poétique chrétienne, et en effaçant les derniers vestiges littéraires du paganisme.

Aujourd'hui il est assez généralement convenu que, si les infortunes des grands ont quelque chose de plus tragique par le contraste qu'elles font avec la grandeur même, il existe

232

cependant, dans de plus humbles sphères, des péripéties aussi poignantes quoique moins éclatantes, des drames intimes qui, pour n'être pas entourés d'une décoration aussi splendide, n'en ont pas moins droit à nos émotions.

Un prince dans l'exil, si misérable que son sort puisse être, s'il a l'âme faite pour apprécier sa dignité, trouve dans le côté philosophique de son rôle une compensation à ses souffrances. Une mère de famille, jusque-là heureuse dans une condition honorable, et entourée de tout ce qu'il faut pour faire aimer la vie, qui se voit tout à coup jetée, elle et ses enfants, dans un état de pénurie voisin de la misère, s'estime à ses propres yeux tout autant déchue et exilée, et il lui faut beaucoup plus de résignation pour accepter les désagréments sans nombre qui se présentent à la suite les uns des autres sous une forme d'autant plus désolante qu'elle est plus triviale. Celui qui connaîtrait toutes les douleurs éprouvées dans de chétives mansardes par des veuves ou des orphelins, qui saurait redire avec éloquence tout ce qu'il s'est consommé de grandeur d'âme et de courage dans ces luttes obscures contre l'infortune, celui-là serait aussi touchant et peut-être plus instructif que s'il savait au juste la quantité de larmes qu'ont pu contenir les yeux des reines et des princesses depuis le commencement du monde.

Dans l'appauvrissement d'une famille, il y a une multitude de détails affligeants qui renouvellent chaque jour le sentiment du malheur ; il n'y a pas jusqu'à la moindre habitude de l'ancien temps, jusqu'au moindre meuble, au plus petit fragment, au plus mince débris échappé au naufrage de la fortune, qui ne rappelle tout un monde de délices perdues, et ne contriste l'âme doublement par la conscience de l'infortune et par le souvenir du bonheur. L'isolement est alors moins une nécessité qu'un bienfait. Par un sentiment qui fait peu d'honneur à la nature humaine, la plupart des amis, ou tout au moins de ceux que l'on comprend sous la dénomination banale de *connaissances*, se retirent d'une maison affligée, comme si le malheur était contagieux. Mais s'il en était autrement, la présence de ces amis et de ces connaissances serait plus souvent nuisible qu'utile, plus importune que consolante. Il est si peu de personnes, même des plus charitables, qui soupçonnent l'infinie délicatesse avec laquelle certaines misères doivent être secourues. Les gens bien nés sont, dans l'affliction, comme les malades que tourmente un rhumatisme inflammatoire : le moindre effort pour les soulager, le moindre contact, si doux, si léger qu'il soit, fait courir dans toutes les fibres de leur existence un frissonnement douloureux. Heureux alors, dans son malheur, celui qui peut s'isoler et panser dans la solitude les plaies de son âme !

Tel fut le sort de madame Guérin, peu de temps après la vente judiciaire des biens dont elle avait imprudemment transmis la propriété à son fils.

Le dimanche qui suivit ce jour funeste, le vieux Jean Pierre se présenta, accompagné de sa femme, aussi décrépite et aussi avare que lui. Il venait visiter *son bien*, comme il disait, et signifier brutalement à l'*occupante* qu'elle eût à déloger dans la quinzaine. À voir ces deux personnages examiner minutieusement, de la cave au grenier, la maison et toutes ses dépendances, on aurait cru qu'ils en étaient de bonne foi les propriétaires incommutables. L'agent de M. Wagnaër trouvait une volupté grossière, mélangée de vanité et de jalousie satisfaite, à entrer, comme il le faisait, dans l'esprit de son rôle.

Madame Guérin se décida tout de suite à quitter la paroisse, et elle fit louer par son fils un petit logement dans le faubourg Saint-Jean, à Québec : par là, elle ne restait point séparée de Charles et elle s'éloignait d'un endroit qu'il lui était désormais trop pénible d'habiter.

Elle fit un encan d'une partie de son ménage, des animaux, des ustensiles d'agriculture et de tout ce qui était nécessaire à l'exploitation d'une ferme. S'il lui fut pénible de se défaire de ces objets, ses regrets n'égalèrent certainement point ceux de l'oncle Charlot, à qui on enlevait son existence en lui ôtant les instruments de son travail et en brisant tout à coup ses habitudes. Ce fut les larmes aux yeux que le frère de M. Guérin mit en ordre ces débris d'une fortune qu'il avait vue si florissante. Il maniait et palpait avec amour, comme pour leur dire adieu, la charrue, le râteau, la bêche, le fléau, et, par-dessus tout, la bonne vieille cognée qui avait abattu tant d'arbres dans la forêt.

Ce brave cultivateur pensa avec raison qu'il ne devait pas abandonner dans son malheur une famille dont il avait partagé l'aisance, et il s'offrit à l'accompagner à Québec, bien certain que, par son travail et son industrie, il apporterait chaque soir plus d'argent à la maison qu'il n'y causerait de dépense.

Peu de jours après la visite de l'adjudicataire, Charles reçut une lettre de M. Wagnaër. Celui-ci commençait par lui dire que, au moyen d'arrangements qu'il venait de prendre, il était certain de lui remettre dans un mois le montant du billet qu'il avait endossé, avec l'intérêt et les frais, et le sommait en même temps de cesser certains discours injurieux qu'on lui avait rapportés. Il lui rappelait que c'était librement qu'il avait encouru cette dette, qu'il devait savoir ce qu'il faisait, et qu'à la rigueur, lui, dernier endosseur, n'aurait pas été tenu de rien lui rembourser. C'était aussi de plein gré qu'il avait consenti à la vente de ses immeubles sans discussion préalable de ses meubles. Il était donc difficile de s'expliquer sa conduite, surtout lorsqu'il ne perdait rien ; il devait se féliciter de la vente de ses propriétés, qui avaient obtenu un prix plus considérable qu'on n'eût dû l'espérer.

M. Wagnaër terminait par une péroraison *ab irato* sur l'ingratitude que montrait un jeune homme traité par lui en ami, et, pour conclusion, il lui interdisait à jamais l'entrée de sa maison.

Il n'y avait pas dans cette missive un mot de Clorinde ni de Henri Voisin, et il n'en était que plus évident, par l'astuce dont chaque phrase était pleine, que ce dernier l'avait dictée d'un bout à l'autre. On pouvait la lire et la relire sans trouver une seule syllabe qui pût compromettre son auteur.

Malgré la défense qu'on lui faisait, et peut-être même à cause de cette défense, il eût été bien facile à notre héros de se ménager des entrevues secrètes avec Clorinde ; mais il comprit tout de suite tout ce que sa position avait de faux et qu'il aurait l'air de mendier clandestinement auprès de cette jeune fille la fortune dont il se voyait dépouillé. Bien qu'il lui en contât beaucoup, il se décida à la laisser juger elle-même de ce qu'elle devait faire dans les circonstances difficiles où elle se trouvait.

235

Il lui écrivit en peu de mots, lui annonçant son départ prochain et celui de sa famille, l'informant de l'ordre qu'il avait reçu de M. Wagnaër, de l'obligation qu'il y avait pour lui de s'y conformer, et protestant avec réserve et dignité, toutefois, de l'amour qu'il entretenait et entretiendrait toujours pour elle. Il ne reçut aucune réponse.

Le jour fixé pour le départ arriva. Madame Guérin et sa fille assistèrent à la messe de grand matin, tandis que l'oncle Charlot faisait charger à bord d'une goélette ce qu'ils devaient emporter de ménage. C'était pour elles, comme nous l'avons déjà vu, une pieuse habitude à laquelle elles manquaient rarement, et ce jour-là elles avaient besoin plus que jamais de puiser au pied des autels cette résignation sainte qui, dans l'âme sensible de la femme, peut seule adoucir les amertumes de la vie.

Après avoir aidé à son oncle à transporter les derniers ballots d'effets, Charles revint à la maison, et ayant fermé avec précaution tous les contrevents et toutes les portes, il donna un tour de clef à la porte principale et, tout en balançant au bout de son bras le trousseau de clefs, il s'arrêta quelques instants sur le tertre qui se trouvait devant la maison. De là il contempla longtemps l'anse, la pointe, l'église, la maison de M. Wagnaër, le fleuve et tout le paysage. Le soleil se levait à l'horizon et l'éclat de ses rayons venait frapper obliquement la petite île au milieu du fleuve et éclairait de la cime à la base les montagnes du Nord. Deux jours dans sa vie, et ces deux jours-là seulement, le jeune homme avait trouvé un charme aussi grand à ce spectacle. C'était le dernier soir des dernières vacances qu'il avait passées à la maison paternelle, et le matin du premier jour de mai où il avait vu Clorinde pour la première fois. Ces deux jours lui revinrent naturellement à la mémoire. Les émotions qui laissent une trace profonde dans notre âme y gravent de vivaces souvenirs du monde extérieur pris sur le fait. De même que le soleil dans sa plus grande ardeur frappe plus nettement sur la plaque daguerrienne les objets dont on veut conserver l'image, de même il y a une lumière intérieure qui brille plus vivement en nous aux jours mémorables de notre vie, pour y buriner plus fortement le grand tableau de la nature.

Charles portait ses regards plus particulièrement sur le grand chemin au-delà de l'anse, comme s'il eût attendu quelqu'un de ce côté. En effet, il ne tarda pas à voir un petit vieillard aux formes grêles et cacochymes qui, tout courbé, s'avançait cependant d'un pas agile et vigoureux. C'était le vieux Jean Pierre qui venait, au jour et à l'heure par lui indiqués, se faire livrer les clefs de *sa maison*.

Le jeune homme alla à sa rencontre, non sans éprouver une violente tentation de lui jeter le trousseau de clefs à la figure, ou tout au moins de lui dire énergiquement *son fait*. Mais à son approche il pensa que ce vieillard, si coupable qu'il fût, devait être épargné ; il lui donna les clefs sans dire un mot. – Parlez-moi de cela, v'là des gens de parole : c'est prêt à l'heure juste, dit le vieillard en souriant d'un sourire sardonique. Charles ne répondit rien et se dirigea vers l'église. Le prêtre disait les dernières prières de la messe et c'était une messe de mariage.

Les oraisons de la messe nuptiale, les cierges allumés sur les balustres, les blancs vêtements de la mariée et de sa compagne, l'air pimpant et satisfait des gens de la noce, la gaieté qui semblait régner dans tout le temple, contrastaient vivement avec les sentiments de madame Guérin et de ses enfants agenouillés dans une des plus humbles places de l'église. Quoique la mariée ne fût pas aussi élégante que Mlle Wagnaër, tant s'en fallait, Charles ne put s'empêcher de songer à cette dernière. Il lui parut aussi que les dorures et les ornements sans nombre du chœur et de l'autel, qu'il avait contemplés bien des fois en répondant aux prières de la messe, ou en remplissant divers rôles dans les cérémonies religieuses lorsqu'il était encore enfant, brillaient ce jour-là d'un éclat inaccoutumé. La chaire et le banc de l'œuvre, représentants du spirituel et du temporel de l'Église, placés en face l'un de l'autre comme pour signifier l'antagonisme qui existe quelquefois entre ces deux pouvoirs, ruisselaient de dorures et s'étalaient pompeusement à l'envi l'un de l'autre. Les vieux tableaux suspendus aux murailles, et sur lesquels il était d'ordinaire difficile de découvrir une tête ou un bras d'un saint ou d'une sainte quelconque, semblaient ne plus vouloir demeurer incompris dans leurs cadres antiques.

En disant adieu du cœur et de l'âme à ces objets vénérés, chargés des pieux souvenirs de son enfance, Charles éprouva une émotion profonde.

Tous trois sortirent un peu avant les gens de la noce, pour ne pas être remarqués. Ils se rendirent furtivement, et comme si leur départ eût été une fuite honteuse, à la goélette échouée sur le rivage. Le petit vaisseau, penché sur le côté, attendait patiemment la marée montante pour se relever et partir.

On profita du moment où l'on pouvait encore s'embarquer presque à pied sec, et l'on fut à bord longtemps avant que la goélette fût prête à mettre à la voile. On ne se parlait point : ce que l'on avait à se dire était trop triste. Seulement chacun de son côté regardait à terre et jetait un dernier coup d'œil sur les objets qui l'intéressaient le plus. Madame Guérin partageait son attention entre sa maison et l'église : elle avait tant de fois parcouru le chemin de l'une à l'autre ! L'oncle Charlot ne pouvait se lasser d'admirer la grange et les autres bâtisses qu'il laissait en si bon ordre. Charles et Louise avaient dans ces parages une foule de vieilles connaissances à saluer au départ. Ici c'était une falaise avancée, où l'on avait pêché bien souvent ensemble de petits poissons aux écailles dorées ou argentées ; là-bas une longue batture recouverte de jonc, que le jeune homme avait fréquemment parcourue avec son frère, en chassant l'alouette matinale ou le canard sauvage. De ce côté, c'était la chaussée du moulin nouvellement construite et le moulin lui-même qui n'était pas encore terminé. De l'autre côté, c'était le petit jardin auquel Louise avait prodigué tant de soins et qui lui avait fait espérer tant de jouissances, cet été-là même. Dans cette direction, c'étaient des coteaux où l'on avait improvisé tant de jolies parties de plaisir en allant cueillir des fruits et travailler aux champs. Plus loin était une belle *érablière*, où l'on avait eu tant de plaisir tous les printemps à recueillir l'eau des érables et à faire le sucre. Mais par-dessus tous ces objets, il y en avait un qui attirait plus fortement encore les regards du jeune homme et ceux de sa sœur : c'était la belle maison de M. Wagnaër, où Louise avait cru avoir une amie, et Charles quelque chose de plus qu'une amie.

Bientôt cependant les vagues arrivèrent jusqu'au vaisseau ; peu à peu elles l'entourèrent, et la petite goélette se releva, et commença à flotter fière et coquette au souffle d'une jolie brise. On déploya les voiles, on ramena à bord l'ancre jetée la veille, et, docile au gouvernail, la goélette s'inclina légèrement et partit. Dans ce moment Charles crut voir une pâle figure de jeune fille s'approcher d'une fenêtre entrouverte chez M. Wagnaër, mais cette vision fut tellement fugitive, qu'il ne sut pas trop s'il devait y croire.

La *Friponne*, tel était le nom de la goélette était une fine voilière, elle ne mit qu'un instant à gagner le large et passa triomphante tout près de deux lourds bateaux mis à flot longtemps avant elle.

À mesure que l'on s'éloignait et que l'on changeait de scène, le poids qui oppressait le frère et la sœur semblait diminuer et les amères pensées se dissoudre dans le sillon du vaisseau. Le ciel était si pur, le soleil si brillant, l'eau si limpide, le fleuve si majestueux, les belles campagnes de ses deux rives, si heureuses, si verdoyantes dans les flots de lumière qui les inondaient, qu'il fallait bien qu'un rayon d'espoir, sinon de bonheur, pénétrât bon gré mal gré dans le cœur même le plus attristé. C'était une nouvelle existence qui commençait pour eux et, quoique la raison leur dît qu'elle serait bien pénible, la première impression faite sur leurs sens la leur représentait comme agréable.

Il s'établit donc entre eux et leur mère une conversation plus animée et moins en harmonie avec leur position qu'on ne l'aurait imaginé. Louise s'informait du nom de chacune des îles qu'ils rencontraient sur leur passage, les unes petites et arides, amas de rochers pittoresques qui montraient leurs têtes chenues et bizarrement façonnées au-dessus des eaux, les autres longues et décorées d'une végétation luxuriante, celles-ci couvertes encore de la forêt vierge, celles-là cultivées et habitées et recélant dans de petites anses de blanches maisons qui de loin semblaient des troupes d'oies ou de cygnes se chauffant au soleil sur le rivage. Elle s'informait encore du nom de chacun des petits bourgs et des villages qui tout du long de la rive sud du fleuve forment une succession presque nulle part interrompue, de belles habitations groupées de mille manières différentes ; les unes sur des pointes avancées dans le fleuve, les autres au loin sur des coteaux ; celles-ci sur des rivages plats avec l'apparence d'être inondées par la première vague ; celles-là sur des rochers escarpés suspendus pour ainsi dire au-dessus des flots. Elle s'étonnait aussi d'apercevoir sur les hautes montagnes du Nord, malgré leur mine sévère et sauvage, des preuves évidentes de culture, des champs verdoyants, et de longues files de maisons ; elle se demandait comment on pouvait labourer et récolter sur ces terres qui lui semblaient presque perpendiculaires.

Un vent de plus en plus fort gonflait les voiles de la petite goélette, qui fendait rapidement les vagues, et, obéissant au gouvernail, se cabrait fièrement après chaque secousse. Bientôt les villages se trouvaient, sur la rive sud, si proches les uns des autres, qu'ils formaient comme une longue rue ; et c'était ainsi non seulement au bord de l'eau, mais encore dans les profondeurs des paroisses. On naviguait au beau milieu du fleuve, à une grande distance de terre ; les champs et les montagnes prenaient cette couleur bleue qu'affecte toujours la partie la plus éloignée du paysage. Avec un peu d'imagination, on aurait pu comparer la côte du sud à un vaste rideau d'une étoffe d'azur, orné de trois ou quatre longues franges de perles blanches posées symétriquement à d'égales distances.

Vers le soir, on aperçut en avant du vaisseau les grandes voiles de cinq ou six navires, qui, interposées entre les derniers rayons du soleil, paraissaient noires comme de l'encre, et se dessinaient sombres et gigantesques sur l'horizon teint des plus resplendissantes couleurs ; c'étaient des vaisseaux arrêtés à la quarantaine de la *Grosse-Île*.

La goélette passa tout près d'un des navires, rempli d'émigrés irlandais ; immense sarcophage nautique, où les maîtres de la belle et verte terre d'Hibernie entassent une bonne portion de son peuple, sans trop s'occuper de ce qui adviendra de ces cargaisons de chair humaine. Tout peint en noir comme un cercueil, et habité par de hâves créatures, dont les membres décharnés et demi-nus visaient au squelette, le navire semblait un de ces vaisseaux fantastiques peuplés de revenants, dont parle la légende maritime de tous les pays. Une circonstance rendait son aspect plus sinistre encore. Le choléra, comme l'on sait, sévissait alors en Europe pour la première fois, et il était assez naturel de croire que, pour faire le voyage d'Amérique, le fléau avait dû prendre passage de préférence sur ce vaisseau infect. Tout le monde à bord de la goélette se sentit soulagé, lorsque l'on perdit de vue la Grosse-Île et son lazaret.

La lune se levait ; et, selon l'expression des marins, elle eut bientôt *tué le vent*. Cependant la brise était encore assez forte pour que l'on filât avec une vitesse assez respectable. Charles et Louise ne furent nullement fâchés du ralentissement qui leur permettait d'observer plus à leur aise le panorama si varié qui se développait devant eux. La scène changea plusieurs fois de décoration : tantôt le vaisseau passait entre deux côtes abruptes et rapprochées, tantôt il voguait comme dans une espèce de lac dont les bords s'élevaient lentement et en amphithéâtre. Les anses et les pointes de la terre ferme du sud et de l'île d'Orléans causent ces contrastes, qui se répètent plusieurs fois avant que l'on atteigne la rade de Québec.

Louise n'eût pas voulu pour beaucoup perdre le coup d'œil de l'entrée dans le bassin qu'on lui avait toujours représenté comme un des plus beaux que l'on puisse imaginer. Elle passa avec Charles la plus grande partie de la nuit sur le pont, malgré le froid un peu vif contre lequel la protégeaient, bien entendu, tous les châles et les manteaux que sa mère avait pu trouver.

Dès que le vaisseau eut dépassé cette longue pointe de terre qui porte le nom de l'immortel vainqueur de la bataille de Sainte-Foye, le chevalier de Lévy, Louise ne put retenir un cri d'admiration.

Québec, qui de fait est peut-être une des villes les plus mal bâties de l'Amérique, qui n'a pas un seul édifice complet et régulier, qui n'a pas un seul monument où les règles de l'architecture n'aient été plus ou moins maltraitées, Québec produit cependant, même en plein jour, une illusion étrange sur le spectateur qui l'aperçoit du fleuve. La disposition, et mieux, si nous pouvons ainsi nous exprimer, les artifices du terrain font que l'objet le plus insignifiant prend une attitude pleine d'importance, si bien que l'on croit avoir devant soi une ville monumentale telle que Rome, Naples ou Constantinople.

Mais la nuit au clair de la lune, c'est bien plus encore. C'est une éblouissante imposture, un mirage phénoménal. La moindre flèche vous fait rêver de la cathédrale d'Anvers, le moindre dôme vous tranche du Saint-Pierre de Rome. Les tours et les bastions de la citadelle et de l'enceinte fortifiée, qui, eux, sont de bon aloi, vous font songer avec raison à Gibraltar et à Saint-Jean d'Âcre. Les toits des moindres maisons recouverts en fer-blanc semblent d'argent et vous donnent l'idée d'une multitude de palais dignes des *Mille et une Nuits*. Tout cela s'étage en amphithéâtre et se perd dans les derniers plans, de manière à faire supposer dix fois plus qu'il n'y a. La nature, imposante et gracieuse à la fois, a suppléé aux défauts de l'art et a répandu sa solennité et sa magie sur les œuvres de l'homme les plus mesquines en réalité.

Le Saint-Laurent d'un côté, la petite rivière Saint-Charles de l'autre, presque aussi large à son embouchure que le fleuve, sont littéralement couverts d'une multitude de vaisseaux de toutes les grandeurs, qui forment une autre ville flottante, où les effets d'ombre et de lumière varient à l'infini. Comme les navires sont principalement groupés à chaque extrémité du promontoire, et que deux belles nappes d'eau s'étendent dans deux directions divergentes, on pourrait se croire à l'entrée d'une vaste mer intérieure, obstruée par une île.

La côte de Lauzon, qui s'élève presque perpendiculairement en face de Québec, et contient les germes d'une autre ville qui paraît surgir par enchantement du milieu d'une forêt, l'île d'Orléans et la côte de Beaupré, recouvertes l'une et l'autre d'une végétation luxuriante et parsemées de blanches maisons, forment les autres côtés du vaste bassin.

Comme si la douce lumière de la lune n'avait pas suffi pour éclairer ce tableau grandiose, les lueurs de l'aurore boréale essayaient de lutter avec l'astre des nuits. Un segment de cercle noir couronnait les montagnes du nord et faisait ressortir un arc d'une blancheur éblouissante, de tous les points duquel s'élançaient comme des fusées parées de toutes les couleurs du prisme, d'innombrables jets de lumière. Éclipsés par la lune et par l'aurore boréale, les étoiles scintillaient à peine dans tout le reste du firmament ; mais, en revanche, dans l'espace obscur qui se trouvait à l'horizon, elles brillaient d'un éclat inaccoutumé. Cette illumination céleste, jointe aux pâles lumières que l'on voyait dans la ville, dans les habitations de la campagne et à bord des vaisseaux, formait un mélange de lueurs douteuses et indéfinies qui donnait à la scène quelque chose de féerique.

Il n'en fallait pas tant pour exciter l'enthousiasme de Charles et de sa sœur, et comme la goélette mouilla à l'entrée de la petite rivière, ils purent contempler longtemps la ville qui allait devenir leur résidence. Ce ne fut qu'au jour, et même assez tard dans la matinée, que le petit vaisseau put s'approcher et prendre sa place parmi les nombreuses embarcations de tout genre qui se pressaient sur la grève à laquelle l'ancienne résidence des intendants français a laissé le nom de *Palais*.

Un spectacle un peu moins enchanteur que celui de la nuit s'offrit à Louise. Cet endroit était un de ceux qui pouvaient le mieux lui donner un avant-goût du bruit et des misères de la ville. Sur la place de la grève, sur les quais voisins, et dans les rues étroites qu'il lui fallut parcourir, s'agitait une foule bruyante, bigarrée de costumes étrangers, parlant et entremêlant deux idiomes différents, appliquant à mille occupations diverses cet empressement brutal qui forme un si grand contraste avec les travaux lents et paisibles de la campagne.

D'abord, c'étaient des charretiers aux costumes pittoresques, dont les jurons, plus pittoresques encore, enrichissaient la langue française, tandis que les uns recevaient dans de lourdes charrettes, ou sur de longs *cabrouets*, les cargaisons des bâtiments, et que les autres emplissaient à la rivière des tonnes d'une eau sale et triste à voir, la seule cependant que l'on boive à Québec, où il n'y a point d'aqueduc. Plus loin, c'étaient des matelots qui blasphémaient dans la langue de la fière Albion, inférieure à nulle autre sous ce rapport. Ici, c'étaient des sauvages avec leurs capots bleus, et des *sauvagesses* drapées dans des couvertes blanches ; là, c'étaient des soldats anglais revêtus de leur uniforme écarlate, qui souvent tranchait vivement et de près sur les dites couvertes blanches. Des émigrés irlandais, portant l'habit bleu ou vert et la culotte courte traditionnelle, celle-ci boutonnée assez souvent sur la jambe nue, ce qui leur a fait donner par les Canadiens le sobriquet ironique de *bas-de-soie (lucus à non lucendo)* ; des femmes enveloppées de manteaux bleus, quelques-unes portant le plus jeune de leurs enfants sur leur dos, à la manière des sauvages et des bohémiens : des *habitants* aux vêtements de gros drap gris de fabrique domestique, à la tuque bleue ou rouge, au tablier de cuir, et aux grandes bottes rouges, rattachées par une courroie à la ceinture, rouge aussi, le fouet sous le bras, et la pipe à la bouche ; des *habitantes* à la jupe de *droguet*, au mantelet d'indienne, au large chapeau de paille, aussi vives et caquetantes que leurs maris semblaient insoucieux et taciturnes ; des *voyageurs des pays d'en haut*, célèbres dans toute l'Amérique comme un type unique dans son genre, fiers et goguenards, avec leurs chapeaux chargés de rubans et crânement posés sur le coin de l'oreille, leurs chemises et leurs cravates éclatantes, et leurs belles et larges ceintures de *poil de chèvre* aux flèches de mille couleurs ; tout ce monde se mêlait à la population de la ville, qui, ouvrière ou bourgeoise, française ou anglaise, se faisait également remarquer par une propreté exquise, une mise et une tenue décentes et même un peu recherchées.

Tout ce peuple parlait, criait, bruissait, bourdonnait, allait et venait, et au milieu du vacarme et du mouvement auquel se mêlaient les piétinements et les cris des animaux que l'on conduisait au marché, Louise croyait sincèrement qu'elle allait perdre la tête et ne pourrait jamais se frayer un chemin.

Heureusement que leur bon ami Jean Guilbault se trouvait là, avec deux calèches et une charrette qu'il avait eu le soin de retenir d'avance. Le jeune disciple d'Esculape monta dans l'une des calèches avec madame Guérin, Charles prit place dans l'autre véhicule avec sa sœur, et l'oncle Charlot prit soin de la charrette, dans laquelle il eut bientôt fait placer tout le bagage que l'on avait à bord de la goélette.

La maison que Charles avait fait louer se trouvait dans une des rues transversales du faubourg Saint-Jean. Elle était d'une pauvre apparence, bâtie en bois, sur un solage en pierre dont une partie sortait de terre à cause de l'inégalité du terrain ; un escalier extérieur conduisait à la porte qu'entourait une petite galerie. Si chétive que fût cette demeure, elle était gaie au premier coup d'œil, à cause de la belle vue que l'on découvrait de chacune des fenêtres. Presque toutes les rues de Québec ont cet avantage, qu'elles laissent voir à leur extrémité, encadré comme dans le champ d'une lunette, quelque fragment du beau paysage environnant.

Prendre possession d'une demeure que ses habitants viennent de quitter, comporte toujours avec soi une indéfinissable tristesse. Le désordre qui règne dans tous les appartements, la nudité et le vide causent un vague effroi. Si l'on ne connaît point ceux qui nous ont précédés, on cherche à découvrir, dans ce qu'ils ont laissé derrière eux, quelque trace de leur existence. Si l'on est malheureux, on se demande quelle série d'infortunes a devancé celle que la Providence nous réserve ; on juge par les habitudes que devaient avoir les anciens occupants, du genre de vie que l'on devra mener soi-même.

Le rez-de-chaussée contenait trois chambres seulement, l'une servait de cuisine, les deux autres pouvaient servir à tout ce que l'on voulait. On montait à l'étage supérieur qui n'était autre chose qu'une mansarde, par un escalier grossier et mal assuré. La mansarde contenait quatre petites chambrettes, assez propres et riantes. Dans l'une d'elles, Charles trouva tout son petit ameublement que son ami avait fait déménager, et qu'il avait eu le soin de disposer absolument dans le même ordre, de manière qu'il pût se croire de retour dans la mansarde qu'il avait si longtemps habitée.

Dans la chambre voisine, Louise trouva deux pots de fleurs sur l'appui de la lucarne, et une cage vide suspendue à une poutre. Évidemment cette petite chambre avait été la demeure d'une autre jeune fille. Était-elle morte et l'oiseau oublié dans la cage s'était-il envolé pour la suivre ? Ou bien, passée à une condition meilleure dans le monde, avait-elle dédaigné d'emporter avec elle cette vieille cage et ces deux vieux pots de fleurs ? Louise se posa ce problème et se hâta d'adopter cette chambre pour la sienne.

Derrière la maison, il y avait un petit jardin mal clos et peu cultivé, dont la vue cependant lui fit battre le cœur : un saule tout près de la maison étendait ses branches jusque au-dessus des lucarnes. Deux lilas en fleur embaumaient le jardin et évoquaient par leur parfum plus d'un souvenir.

L'arrivée de ces étrangers excita, comme d'ordinaire, la curiosité des commères du quartier. Après avoir examiné la demeure qu'ils s'étaient choisie, le ménage qu'ils apportaient avec eux elles se dirent entre elles : *c'est une pauvre famille ; mais par exemple ce sont des gens qui n'ont pas toujours été pauvres et qui ont roulé gros train.*

II
Tous comptes réglés

La ruine qui venait de frapper la famille Guérin n'était pas, comme nous l'avons déjà dit, une ruine absolue : seulement, pour ne pas dépenser trop promptement le tout petit capital que leur laissait la liquidation définitive de leurs affaires, ces pauvres gens se voyaient contraints à subir une infinité de privations.

Les oppositions et réclamations sur le produit de l'immeuble vendu n'avaient été ni aussi nombreuses, ni aussi formidables que l'avocat Voisin avait voulu le faire croire ; mais, cependant, grâce aux frais, aux *oppositions à fin de charge*, aux *oppositions à fin de conserver*, aux *rapports de distribution*, toutes choses dont M. Voisin sut se procurer sa bonne part, *étant au fond du sac*, comme on dit vulgairement, il ne resta qu'une balance de deux cent cinquante louis. En y ajoutant les cent cinquante louis que M. Wagnaër remboursa, suivant sa promesse, on trouvera, sans avoir recours à Barême, quatre cents louis. De plus cet excellent M. Wagnaër remit scrupuleusement les frais de poursuite et l'intérêt des cent cinquante louis ; mais il ne voulut point payer les frais d'opposition, qui étaient, disait-il, un accessoire des dettes légitimement contractées par la famille Guérin.

Le produit net de l'encan que madame Guérin avait fait faire avant son départ (et il est bon de noter en passant que le vieux Jean Pierre avait été dans bien des cas le plus haut enchérisseur) donnait environ cent louis.

Tous comptes réglés, la famille Guérin se trouvait riche d'un très petit mobilier, d'une terre non cultivée qui n'avait pas été vendue, et d'une somme de cinq cents louis. Placé à rente, ce capital donnait juste trente louis par année. Avec cela il était impossible de payer un loyer, si petit qu'il fût, et de vivre, même en se gênant beaucoup, sans gagner quelque chose d'un autre côté.

Le vieil oncle se procura de l'ouvrage dans un chantier, Charles se décida à donner des leçons de français dans une couple de familles anglaises, et madame Guérin et Louise se courbèrent plus que jamais sur leur aiguille pour faire elles-mêmes toute leur couture, sans compter tous les soins du ménage qui retombaient sur elles, n'ayant plus personne pour les servir.

Les leçons de l'infortune sont presque toujours un bienfait. Elles ne sont funestes qu'aux âmes viles qu'elles paralysent pour toujours. Mais pour les esprits d'élite, la terrible apparition du malheur, comme celle du fantôme de minuit, chasse tous les lutins et les follets qui jusque-là les avaient séduits et égarés. Ils rentrent en eux-mêmes et marchent sans hésiter dans la voie nouvelle que le spectre leur indique du doigt.

Charles se mit à l'œuvre sérieusement. Il devint chez M. Dumont le modèle des étudiants, chez ses élèves le modèle des professeurs.

Il regretta pendant quelques jours le monde brillant où il n'avait fait que passer, l'avenir enchanteur qui n'avait fait que lui apparaître. Il fut parfois tourmenté bien cruellement par l'énigme insoluble que lui offrait l'étrange conduite de Clorinde, qui continuait à garder le silence.

Quelquefois il la justifiait, d'autres fois il la condamnait et la méprisait. C'était un procès continuel qui s'instruisait dans son esprit, mais le juge était trop intéressé pour être impartial. Tantôt une excessive indulgence, tantôt une excessive sévérité faisait pencher injustement l'un ou l'autre plateau de la balance.

Dans les moments de désespoir un autre souvenir lui venait, qu'il s'empressait de repousser, comme on chasse une pensée basse et honteuse. N'eût-il pas été indigne, en effet, de songer à Marichette dans le malheur, après l'avoir oubliée pour courir après le bonheur et la fortune ?

Cependant il trouvait déjà dans la nouvelle vie qu'il menait d'abondantes consolations. Il lui semblait, avec raison, que tous ceux à qui il avait affaire le considéraient et l'aimaient davantage.

M. Dumont avait longtemps affecté de lui parler le moins possible, et avait écouté assez froidement le récit de la catastrophe au sujet de laquelle il avait bien quelques petits reproches à se faire, et comme *patron* et comme *conseil* ; mais peu à peu il parut s'intéresser à lui de nouveau et lui rendre sa confiance et son amitié. Ses compagnons d'étude, braves jeunes gens envers qui Charles avait pris des airs cavaliers au temps de ses splendeurs, se rapprochèrent de lui bien volontiers, dès qu'ils le virent disposé à se rapprocher d'eux.

Après une journée laborieuse et bien remplie, il passait de douces soirées en famille avec son ami Guilbault, qui manquait rarement au rendez-vous. On jouait une ou deux parties de *whist*, Louise chantait, sans trop se faire prier, tout ce qu'elle savait de romances et de chansonnettes ; l'oncle de Charles racontait quelque histoire du bon vieux temps ; madame Guérin s'arrachait quelques instants à la sombre douleur qui la minait, pour prendre part à la conversation ; on lisait quelque poésie ou quelque nouvelle publiée dans le journal du soir, que l'étudiant en médecine apportait toujours avec lui ; on causait de tout ce que l'on pouvait savoir dans le cercle étroit où l'on vivait, et l'on se séparait souvent assez tard et toujours avec regret. Jean Guilbault prenait un plaisir de plus en plus évident à ces petites réunions, où il amenait un ou deux amis, qui, nos lecteurs s'en doutent bien, étaient des jeunes gens sans reproche. Il avait trop de peine à se pardonner sa liaison avec son ex-ami Voisin, pour qu'il en fût autrement. Ses poings se serraient convulsivement, lorsqu'il songeait, comme il le disait, " que c'était lui qui avait introduit ce gredin-là partout." Chaque fois qu'il le rencontrait dans la rue, il lui fallait faire appel à tous ses principes et à toutes ses vertus pour ne pas le rouer de coups. L'air gauchement fanfaron de l'avocat, qui avait décidément jeté son *bonnet par-dessus les moulins*, ajoutait à la violence de la tentation. Ce qui achevait de vexer horriblement l'honnête Guilbault, c'est que, ainsi qu'il l'avait prévu, M. Wagnaër et son complice étaient sortis de cette affaire un peu plus blancs que la neige, dans l'opinion d'un certain monde.

La première version, la véritable, avait bien causé, en se répandant, quelque petit scandale. La seconde version, antidote de la première, n'avait pas tardé à prendre le dessus.

De quoi M. Guérin se plaignait-il ? disaient les *gens positifs*. M. Wagnaër ne lui avait-il pas remboursé tout ce qu'il avait perdu ? N'était-ce pas sa faute d'avoir voulu se poser en protecteur de cet autre jeune homme et d'avoir endossé ce billet ? N'était-il pas bien heureux de s'en tirer à si bon marché ? Toute l'intrigue gisait dans son imagination. C'était un poète, un visionnaire, un de ces hommes qui se posent en victimes à tout propos.

M. Wagnaër mariait sa fille à M. Voisin. Eh bien, le beau malheur ! En manquait-il des filles à marier ? Et puis M. Guérin pouvait-il affirmer qu'on lui avait promis la main de cette demoiselle ? Il lui avait plu de bâtir un roman sur rien du tout ; tant pis pour lui. M. Wagnaër n'avait-il pas le droit de préférer à un jeune homme incompris, un homme d'affaires habile et expérimenté, pour en faire son gendre ?

Tout le bruit que faisait la famille Guérin venait de son désappointement : le dépit d'avoir été refusé par une riche héritière avait monté la tête à ce pauvre garçon. Henri Voisin avait été plus heureux que lui, c'est qu'il s'y était pris plus convenablement. Au lieu de faire des phrases sentimentales à la jeune fille, et de se poser en troubadour, comme avait fait son ami, il avait su s'attirer l'estime et la confiance du père, ce que l'autre avait sottement négligé.

Voilà ce qui se disait partout, et ce que Jean Guilbault n'entendait jamais sans se fâcher. Il eut maintes querelles à ce sujet ; mais il s'aperçut bientôt que, plus il s'emportait, moins il faisait de prosélytes, et qu'il compromettait de plus en plus la réputation de son ami. Il pensa que celui-ci serait peut-être trop heureux, si, en fin de compte, après lui avoir enlevé sa fortune, on voulait bien lui laisser son caractère. Il songea à cette pauvre grue de la fable, si fière d'avoir retiré sa tête saine et sauve de la gueule du loup, à ces pauvres moutons à qui l'on faisait tant d'honneur en les mangeant, et à une foule d'autres allégories qui toutes se résument par le mot de Brennus : *væ victis ! malheur aux vaincus* ! Point de justice pour les faibles !

Il se tut et fit bien.

Un soir il entra chez madame Guérin, le visage tout bouleversé et les lèvres toutes pâles.

– Qu'y a-t-il donc ? Viens-tu encore de rompre une lance pour ma cause ? lui dit en riant son ami.

– Non, mais je viens de rencontrer ce gredin de Voisin, en tilbury, le cigare à la bouche et qui part pour la campagne. Il est bien heureux cet aigrefin de pouvoir gagner la campagne !

– Mais ce n'est pas un si grand bonheur après tout.

– Ah ! c'est que j'ai une bien mauvaise nouvelle à vous apprendre. Au moins, il ne faudrait pas vous effrayer ; si je vous dis cela, c'est afin de vous mettre sur vos gardes et de vous envoyer à la campagne, s'il y a moyen pour vous d'y aller... C'est qu'il y a eu aujourd'hui deux cas bien constatés du choléra asiatique,... le véritable choléra-morbus asiatique.

– Miséricorde ! s'écria madame Guérin.

– Mon Dieu, mon Dieu ! fit Louise.

– Gagner la campagne ; mais cela nous est impossible. Avec quoi vivrons-nous ? Oh aller ?

– C'est cela ! reprit Jean Guilbault, ça n'est possible que pour ce triple scélérat de Voisin. Je suis certain que cet escogriffe se sauve déjà. Il paraissait tout content de lui, et il m'a regardé d'un air goguenard...

– Ah çà, monsieur le docteur, c'est donc bien terrible ce *moléra corpus* ? demanda l'oncle Charlot.

– Il a été bien terrible en Europe, reprit le jeune homme en comprimant un sourire, mais on espère qu'ici il ne sera pas aussi cruel. Le climat est bien sain et la position de Québec surtout est si salubre ! Il y a tant d'air dans cette ville, dans ce quartier-ci par exemple. Avec une bonne hygiène, on peut s'en préserver.

– Ces deux cas, où en sont-ils ?

251

– Morts tous deux et enterrés dans le nouveau cimetière que la *fabrique* vient d'acheter sur le chemin Saint-Louis.

– Et les connais-tu ?

– Non, ce sont deux Irlandais nouvellement débarqués.

– Maman, observa Charles, vous avez beau dire, vous ne pouvez pas rester ici, ni Louise non plus.

– Mon pauvre enfant, que veux-tu faire ? La mort nous trouvera bien partout où nous irons. La mort, c'est lorsqu'on la fuit qu'elle s'attache à nos pas ! Il est bien rare que ceux qui la désirent la voient venir.

– N'est-ce pas une fatalité ? N'est-ce pas désolant ? Être venus habiter la ville justement quelques semaines avant le choléra et ne pouvoir s'en aller, tandis que ceux qui sont ici depuis longtemps vont se sauver de tous côtés.

– Au moins, M. Guilbault, vous serez assez gentil pour ne rien nous conter de trop effrayant, n'est-ce pas ?

– Je ferai mieux que cela encore, Mlle Louise, je ne viendrai pas ici tant que durera l'épidémie. Je n'ai pas envie de vous apporter la mort !

– Quoi, vous ne viendrez plus du tout ? s'écria naïvement la jeune fille, et de pâle qu'elle était, elle devint rouge jusqu'aux oreilles.

Le jeune homme rougit légèrement, et il reprit d'une voix émue : – On n'a pas encore décidé, en Europe, si cette maladie est contagieuse ou non. Dans la supposition où elle le serait, les médecins doivent éviter de se présenter inutilement dans les familles où il n'y a point de cholériques.

– Mais vous n'êtes pas docteur ; sûrement, vous n'allez pas vous faire recevoir exprès pour traiter cette vilaine maladie ?

– Dans un moment semblable, tous ceux qui peuvent être utiles se doivent aux malheureux. Dans une bataille meurtrière, on monte en grade bien vite !

– Et tu dis que ces deux Irlandais sont morts ? Dans combien de temps ?

– Neuf heures de maladie pour l'un d'eux, et sept heures pour l'autre.

– Les as-tu vus ?

– Non, mais mon patron a été appelé dans le dernier cas. Le chirurgien du 71e régiment, qui a traité le choléra dans les Indes, s'y est aussi trouvé. Il a dit que c'était un cas superbe. Les symptômes étaient parfaitement caractérisés et se développaient avec une rapidité et une vigueur qui faisaient qu'on ne pouvait point s'y méprendre. Je regrette beaucoup que mon patron ne m'ait pas emmené avec lui.

– Mais vous voulez donc nous faire mourir de parler ainsi ? dit Louise toute tremblante. Il faut au contraire que vous nous promettiez de ne pas aller aux cholériques, quand bien même votre patron voudrait vous y envoyer…

Comme Mlle Guérin prononçait ces mots, la porte de la maison s'ouvrit avec fracas. Un homme à moitié vêtu se précipita, en criant :

– Vitement, vitement, docteur Guilbault : ma femme se meurt !

Le jeune homme se jeta sur son chapeau et disparut sans dire une seule parole.

III
L'hôpital des émigrés

Le choléra sévissait à Québec avec une rage inouïe. Bien loin d'avoir été préservée, comme on l'espérait, cette ville souffrait de l'épidémie dans des proportions bien plus grandes que toutes les autres villes de l'Amérique. Le fléau, dans sa terrible bizarrerie, semblait, pour détruire les préjugés que l'on entretenait à son égard, s'attaquer de préférence aux quartiers les plus salubres, aux familles les plus considérées, aux santés les plus robustes. De cent à cent cinquante victimes succombaient chaque jour. Prêtres et médecins ne pouvaient suffire à remplir leur ministère. Les émigrés et les pauvres gens tombaient frappés dans les rues, et on les conduisait aux hôpitaux entassés dans des charrettes, où ils se débattaient dans des convulsions effrayantes. Les corbillards ne suffisaient plus pour conduire les morts à leur dernière demeure. De longues files de charrettes, chargées chacune d'elles de plusieurs cercueils, se croisaient dans toutes les directions. Les décès des gens riches et considérables étaient devenus si fréquents, que les glas funèbres tintaient continuellement à toutes les églises. L'autorité défendit de sonner les cloches, et leur silence, plus éloquent que leurs sons lugubres, augmenta la terreur au lieu de la diminuer.

Toutes les affaires étaient interrompues, les rues et les places publiques étaient vides de tout ce qui avait coutume de les animer, presque toutes les boutiques étaient fermées : la mort seule semblait avoir droit de bourgeoisie dans la cité maudite ; on ne rencontrait partout que des gens portant la livrée de cet horrible tyran.

L'autorité épuisait, dans son impuissance, tous les caprices de son imagination. Un jour vous sentiez partout l'odeur âcre et nauséabonde du chlorure de chaux, le lendemain on faisait brûler du goudron dans toutes les rues. De petites casseroles, posées de distance en distance sur des réchauds, le long des trottoirs, laissaient échapper une flamme rouge et une fumée épaisse. Le soir, tous ces petits feux avaient une apparence sinistre et presque infernale. Quelques officiers qui avaient été dans l'Inde, s'avisèrent de raconter qu'après une grande bataille le fléau avait cessé, et que l'on attribuait sa disparition aux commotions que les décharges d'artillerie avaient fait éprouver à l'atmosphère. On traîna tout de suite des canons dans les rues, et toute la journée on entendit retentir les lourdes volées d'artillerie, comme s'il se fût agi de dompter une insurrection.

Et avec toutes ces précautions le mal redoublait d'intensité, et emportait dans la tombe des familles entières : il y eut même des rues où il resta à peine un seul être vivant. Les médecins, comme l'autorité, avaient épuisé toutes leurs ressources, et fait manger au monstre toute leur pharmacie, qui n'avait fait qu'aiguiser sa faim dévorante. Toutes les théories et tous les systèmes recevaient chaque jour de l'expérience un cruel démenti : le remède qui triomphait un jour était sûr d'éprouver le lendemain une éclatante défaite ; les seules cures qui s'opéraient ne pouvaient guère s'attribuer qu'à la nature, ou à l'intervention directe de la Providence ; elles avaient lieu, le plus souvent, lorsque le malade rendu à la dernière extrémité était abandonné des médecins.

On avait érigé des hôpitaux temporaires, et l'on avait élevé au centre du faubourg St-Jean, sur un terrain vacant, une immense baraque en bois que l'on baptisa du nom d'hôpital des Émigrés. C'était là que le fléau tenait sa cour plénière et régnait en maître absolu. Ce n'étaient pas des malades, c'étaient plutôt des mourants qui allaient se faire enregistrer dans cet hôpital, avant de prendre le chemin du cimetière. Tous les lits étaient pleins, et une foule de patients étaient étendus par terre, faute de place : rien de plus hideusement saisissant que cette salle, où il fallait souvent déplacer un cadavre pour parvenir à un malade. On avait été obligé d'établir tout près de là une boutique de cercueils, et le bruit de ce sinistre travail parvenait distinctement à l'oreille des mourants.

C'était la nuit. Il faisait une chaleur suffocante. Épuisés de sueurs, de fatigue, de dégoût et de découragement, trois médecins et un élève étaient assis ou plutôt couchés sur des chaises dans une petite chambre étroite et basse, qui servait d'apothicairerie, derrière la salle des malades.

Ces trois hommes, distingués tous trois parmi leurs confrères, offraient chacun d'eux un des types de la profession médicale.

Le plus savant et le plus célèbre des trois, était un petit homme maigre, au front chauve, au visage pâle, aux yeux enfoncés dans leur orbite, à la contenance raide et automatique. Il était curieux à voir dans le désordre de ses vêtements et l'agitation nerveuse qu'il éprouvait. On reconnaissait aisément qu'il ne s'était point ménagé, et qu'il avait lutté sans trop de précautions contre le fléau. C'était un de ces hommes qui, par amour de la science et de l'humanité, se dévouent corps et âme à leur profession ; qui portent dans leur traitement des maladies une obstination acharnée et pour bien dire héroïque ; qui s'occupent peu de l'argent, de la renommée, de toutes les jouissances de la vie, et font abstraction de tout ce qui n'est point l'art lui-même. En un mot, c'était le médecin philosophe, un héritier en ligne directe de ces hommes célèbres dans l'art de guérir leurs semblables, à qui l'antiquité avait, à bon droit, érigé des autels.

Autant il paraissait inquiet et contrarié, autant le plus âgé de ses deux confrères semblait résigné et presque apathique. Celui-ci était un gros homme à tempérament sanguin, dont l'embonpoint et les fraîches couleurs étaient une cruelle ironie à l'adresse de ses patients. Il était renommé pour sa science, surtout pour son sang-froid et sa dextérité dans les opérations chirurgicales. Ses confrères ajoutaient que nul ne savait rédiger un mémoire comme lui, ni se faire payer avec plus de succès. C'était le médecin *homme d'affaires*.

Le troisième était un jeune homme élégamment vêtu, qui venait de jeter de côté une défroque toute spéciale dont il se servait à l'hôpital seulement. Il fumait négligemment un cigare pur havane, et exhalait en outre l'odeur de plusieurs parfums savamment et délicatement combinés. Il était arrivé depuis deux ans de Paris où il avait complété ses études. Il méritait sous bien des rapports la grande réputation dont il jouissait, mais il avait su aider habilement lui-même à ses succès. Il était plus préoccupé de lui-même que de son art, dont il se servait comme d'un instrument, pour se faire une position brillante. C'était un homme de vogue et de représentation ; en un mot, c'était le médecin *homme du monde*.

Quant à l'élève qui, par une faveur toute spéciale, était admis dans l'intimité de ces trois oracles de la science, il n'était autre que notre ami Jean Guilbault.

– Il y a de quoi brûler tous ses livres et casser toutes ses fioles, disait le petit homme chauve. Aucun traitement n'a réussi jusqu'à présent ; et j'ai vu dans les cas qui se sont présentés aujourd'hui des symptômes plus terribles que jamais. Je ne suis pas surpris si les Irlandais de la rue Champlain s'imaginent qu'on les empoisonne, et obligent le coroner à tenir un *post mortem* sur chaque personne qui meurt. J'aurais juré moi-même aujourd'hui que mes patients avaient pris du poison, tout médecin que je suis. L'état de l'atmosphère contribue beaucoup à alimenter la rage du fléau. Cela va changer, j'espère. Nous aurons un orage bien vite. J'ai toujours remarqué qu'après le beau temps, il faisait mauvais.

– Et n'avez-vous pas aussi remarqué quelque chose après le mauvais temps ? demanda le jeune homme d'un air narquois, en secouant la cendre de son cigare. Sans un brutal éclat de rire de son gros confrère, le docteur n'aurait point senti le trait qui lui était lancé, tant il était distrait et préoccupé. – Vraiment, reprit-il après un moment de réflexion, il faut bien aimer les plaisanteries pour s'en permettre dans un temps comme celui-ci. Il est vrai que notre Parisien a rapporté de son voyage tout un arsenal de pointes et de bons mots. Il est fâcheux seulement, confrère, que les remèdes que vous nous avez apportés ne soient pas d'aussi bon aloi. Car, enfin, votre traitement du choléra ne fait point fortune ; vos moxas, vos sinapismes, vos frictions de toute espèce, vos bains d'eau chaude, et surtout vos passes magnétiques n'ont pas encore opéré de merveilles.

– C'est vraiment une cruauté de faire souffrir ainsi ces pauvres diables, observa le second médecin, comme pour réparer ce qu'il y avait eu d'irrévérencieux dans son éclat de rire.

– Je commence à le croire, fit le jeune homme, en se mordant les lèvres : il m'est avis, après tout, que le traitement anglais que vous avez adopté est bien préférable. Une forte dose de laudanum épargne bien des douleurs. Je vous conseillerais cependant une légère modification. Comme la nature pourrait bien s'aviser de ramener à la vie quelques-uns de vos patients, il faudrait ne pas les laisser enterrer si promptement.

– Hum ! fit le gros confrère, en enfonçant ses mains dans ses poches, le petit Parisien sera toujours méchant !

– Et dire que je n'en ai réchappé qu'un seul depuis deux jours, dit le vieux médecin, comme se parlant à lui-même ! Avoir étudié toute sa vie et être obligé d'avouer son ignorance complète ! Oh ! il y a du surnaturel dans ce terrible fléau. Ils meurent bien tous du choléra, mais chacun d'une manière différente. Les uns, c'est la faiblesse, la prostration qui les emporte, toutes leurs forces vitales se sont écoulées. Les autres meurent d'une congestion au cerveau : ceux-ci ont des convulsions effrayantes, ceux-là meurent dans très peu de temps, sans présenter autre chose que la diarrhée et des symptômes ordinaires. Nous avons épuisé sans succès les toniques et les astringents les plus forts ; nous avons essayé des révulsifs les plus énergiques : rien ! Quelques-uns à qui j'avais laissé boire de l'eau froide en désespoir de cause, sont revenus à la vie : tous ceux à qui j'ai voulu ensuite prescrire ce traitement hydropathique, sont morts à l'envi les uns des autres.

– C'est comme moi ; imaginez-vous que j'ai soigné deux malades avec un traitement tout différent dans chaque cas : l'un est mort et l'autre s'est réchappé… Eh bien ! un peu plus tard, j'ai répété la même expérience ; j'ai obtenu le même résultat, mais en sens inverse. Le remède qui a tué dans le premier cas a guéri dans le second ; celui qui avait réussi dans le premier cas a vu mourir le second malade.

– Et cependant, observa le plus jeune des trois esculapes, cependant il faudra bien que l'on finisse par trouver un spécifique. On en a trouvé, à la longue, pour toutes les maladies.

– Oh ! oui, un spécifique ! Quelle gloire, quelle réputation mieux méritée, quel nom pour la postérité, quelle consolation pour lui-même ! quel trésor inappréciable aura gagné le savant qui fera la découverte de ce spécifique !

– Vous avez bien dit un trésor, confrère, car il fera sa fortune en très peu de temps.

– Oui, il aurait une assez jolie passe dans le monde, ce monsieur.

– Et cependant, pour cela, il faudrait remonter à la cause et nous en sommes loin encore : tout ce que nous avons pris jusqu'à présent pour le principe de la maladie n'est que symptômes. Je ne trouve rien de raisonnable dans tout ce qu'on a dit sur ce sujet, et j'avoue néanmoins que mon imagination ne me présente rien de nouveau. La chimie moderne, qui se perfectionne si rapidement, trouvera peut-être dans l'atmosphère la cause du mal. Il est vrai, pourtant, que l'analyse de l'air atmosphérique n'a encore rien présenté de bien remarquable. Si j'étais fataliste, je comparerais ce fléau aux plaies d'Égypte, ou aux signes terribles de l'Apocalypse, et j'en conclurais qu'il n'y a rien à faire que de lui laisser accomplir sa mission providentielle.

– Que dites-vous de ma théorie électrique ? demanda timidement Jean Guilbault.

– Eh ! bien, elle n'est pas plus improbable que toutes les autres, mais elle ne m'est pas plus démontrée.

– Allons, docteur, si vous pensez que l'électricité peut avoir quelque chose à démêler avec le choléra, vous ne devez pas rire de mes passes magnétiques. Le magnétisme animal, dont l'existence ne peut se nier, doit se rattacher au magnétisme terrestre ; le magnétisme terrestre s'identifie de plus en plus avec l'électricité...

– Oui, *et voilà pourquoi votre fille est muette*, s'écria avec emphase le gros médecin, tout fier de prendre sa revanche contre le Parisien.

En ce moment on frappa légèrement et discrètement à la porte extérieure de l'apothicairerie.

– Entrez ! répondit-on.

– Pourrait-on voir M. Jean Guilbault un instant ? fit une voix qui trahissait une vive émotion.

– Mon Dieu ! est-ce toi, Charles ? cria le jeune homme. Entre vite. Qu'y a-t-il chez vous ?

– Je crains bien que ce ne soit le choléra. Ma pauvre mère est malade depuis quelques heures.

– Docteur, voulez-vous venir avec moi ? Vous m'avez tellement découragé, que je n'oserais administrer le moindre remède.

– Allons ! Encore un nouveau cas. Qu'allons-nous en faire ? Toujours le même problème à résoudre… et point de solution ! Autant vaudrait rouler le rocher de Sysiphe ou combler le tonneau des Danaïdes !

Malgré la fatigue dont il se plaignait, le docteur se rendit à la demeure de madame Guérin presque aussi vite que les deux jeunes gens, qui avaient les meilleures jambes et toutes les raisons du monde pour ne pas languir en chemin. C'est que la science exerçait une puissante attraction sur cet homme dévoué. Il cherchait un spécifique contre le choléra avec le même acharnement que mettaient les alchimistes à la recherche de la pierre philosophale. Quel que fût son découragement, il pensait trouver dans chaque nouveau cas une meilleure chance, et il risquait de nouveau l'enjeu de sa vie avec l'ardeur concentrée qui anime les joueurs frénétiques autour d'un tapis vert. Jean Guilbault partageait ordinairement avec son patron cet enthousiasme professionnel ; mais dans ce moment, il tremblait de toutes ses forces… L'épreuve qui allait se faire était bien pour lui tout le contraire de ce que les médecins appellent une expérience *in anima vili*. Il s'agissait d'existences que l'amitié lui rendait plus chères que la sienne propre.

Au pied de l'escalier qui conduisait à la petite galerie extérieure de la maison, ces trois personnes en rencontrèrent deux autres, animées d'un égal empressement. C'est que, en même temps que Charles courait au médecin, son oncle avait couru chercher le prêtre.

– Après vous, monsieur le curé après vous, fit le docteur avec un triste sourire. De ce temps-ci vos soins sont infiniment plus urgents que les nôtres, et plus efficaces aussi, il faut l'espérer...

Une demi-heure ne s'était pas écoulée, et le prêtre et le médecin redescendaient ensemble les marches de cet escalier, échangeant d'un air morne deux mots bien significatifs pour eux : *au revoir* !

IV
Le cimetière Saint-Louis

La guillotine fut introduite en France au moment où
le tribunal révolutionnaire allait être établi à Paris. Le
Dr Guillotin, occupé de recherches scientifiques, n'avait
pour but, en indiquant ce mode de supplice, qu'un projet
tout *philanthropique*, celui de diminuer les souffrances des
condamnés, et de faire disparaître l'idée d'infamie attachée aux
autres peines. Mais lorsqu'on songe au rôle affreux de cette
affreuse machine, venue au monde en même temps que les
bourreaux et les assassins dont elle devait être le complice
et le serviteur fidèle, on ne peut trop s'étonner des étranges
coïncidences, des rapprochements effrayants qu'il y a dans
la marche de certains évènements, qui s'appellent les uns les
autres dans les profondeurs de la pensée providentielle, comme
l'abîme appelle l'abîme...

Cette réflexion nous est suggérée par une autre coïncidence
du genre terrible, qui s'est présentée dans l'histoire des ravages
du choléra à Québec. La fabrique de Notre-Dame hésitait
depuis longtemps à faire l'acquisition d'un terrain en dehors
des murs de la ville pour y faire une espèce de *Père-Lachaise*,
l'accroissement de la population rendant depuis longtemps
insuffisant le vieux cimetière dit des *Picotés*, situé au centre
de la haute ville et qui avait été (autre coïncidence étrange)
étrenné par les ravages de la petite vérole, à une époque assez
reculée. Les marguilliers pour le temps d'alors en faisaient,
comme de raison, une grande affaire : plusieurs terrains avaient
été visités, arpentés, marchandés, et déjà l'on allait se diviser
en *Guelfes* et en *Gibelins* d'une nouvelle espèce au sujet de
deux propriétés rivales, lorsque l'entente se rétablit presque par
miracle, et l'on se hâta de faire l'acquisition de la vaste étendue
de terre maintenant connue sous le nom de *cimetière Saint-*

Louis. – Le dimanche de la Pentecôte avait été fixé pour la bénédiction et la consécration solennelle du cimetière ; la foule compacte et pieuse rassemblée sur le tertre funéraire n'ignorait qu'une chose, c'est que deux cercueils, inhumés la veille dans ce nouveau domaine de la mort, contenaient les deux premières victimes du choléra à Québec. Le fléau avait fait, comme les princes et les grands seigneurs en voyage : il avait retenu d'avance ses appartements.

Le peuple, qui appelle toujours les choses de leur vrai nom, connaît plus sûrement ce lieu sous le nom de *cimetière du Choléra.*

Le cimetière Saint-Louis s'étend sur les plaines d'Abraham, célèbres et par la bataille perdue par le marquis de Montcalm et par celle gagnée par le chevalier de Lévis. On y parvient par un long chemin bordé de charmantes villas entourées d'arbres, chemin qui se prolonge jusqu'à la rivière du Cap-Rouge.

Les enterrements des *cholériques* se faisaient régulièrement chaque soir à sept heures, pour toute la journée. Les morts de la nuit avaient le privilège de rester vingt-quatre heures ou à peu près à leur domicile. Ceux de l'après-midi n'avaient que quelques heures de grâce. On les portait au cimetière à la hâte pour *l'enterrement* du soir. Tant pis pour eux, s'ils se réveillaient trop tard !

À toutes les heures du jour, les chars funèbres se dirigeaient vers la nécropole ; mais le soir c'était une procession tumultueuse, une véritable course aux tombeaux, semblable aux danses macabres peintes ou sculptées sur les monuments du Moyen Âge. Des corbillards de toutes formes, de grossières charrettes, contenant chacune de quatre à six cercueils symétriquement arrangés, se pressaient et s'entreheurtaient confusément dans la *grande allée* ou chemin Saint-Louis. Les Irlandais étaient à peu près les seuls à former des convois à la suite des dépouilles de leurs parents ou de leurs amis. Ce peuple est si malheureux, qu'il a toujours festoyé la mort comme une amie, et que nul danger ne peut l'éloigner d'une cérémonie funèbre.

C'étaient de longues files de calèches pleines d'hommes, de femmes et d'enfants entassés les uns sur les autres, comme les morts dans leurs charrettes ; tandis que les cercueils des Canadiens se rendaient seuls ou presque seuls à leur dernière demeure. Au reste, la plupart de ceux qui avaient parcouru ce chemin la veille en spectateurs, faisaient eux-mêmes, le lendemain, les frais d'un semblable spectacle.

Le lendemain du jour où nous avons vu le curé et le docteur sortir de la maison de madame Guérin, un pauvre et modeste corbillard cheminait lentement et lourdement, à la suite de tous les autres convois. Un vieillard et deux jeunes gens formaient tout le cortège.

La mort de madame Guérin avait été plus prompte encore que toutes les autres morts causées par le fléau. Les médecins n'avaient trouvé d'abord que de très faibles symptômes ; mais une prostration si grande s'en était suivie qu'ils durent abandonner bientôt tout espoir. Le chagrin et l'inquiétude avaient miné d'avance l'âme de cette pauvre femme et l'avaient peu à peu détachée de son enveloppe terrestre. Elle s'était consumée intérieurement comme ces corps que l'on trouve sous les laves du Vésuve, et que l'attouchement le plus léger fait tomber en poussière. L'ange de la mort n'avait eu qu'à la frapper, en passant, du bout de son aile pour accomplir son œuvre de destruction.

Par un sublime et dernier caprice de l'amour maternel, elle avait fait placer son lit de douleur vis-à-vis d'une fenêtre d'où elle pouvait apercevoir le port... Il lui semblait que si, par miracle, son fils absent, son fils ingrat, revenait vers elle dans ce moment, son âme pourrait s'élancer vers lui, et qu'ainsi elle le reverrait vivante ou morte. Plusieurs vaisseaux doublaient la Pointe-Lévi : leurs voiles blanches tranchaient sur l'eau bleue du fleuve au-dessus des vertes campagnes, et se confondaient quelquefois sur l'horizon avec les blanches maisons de la côte. Madame Guérin les regardait venir l'un après l'autre avec un sourire mélancolique et intelligent qui comprimait à peine la pensée qu'elle n'osait exprimer.

Lorsque l'huile sainte qui fortifie les mourants eut coulé sur ses membres torturés par la douleur, lorsque le prêtre qui seul parle à l'âme, lui eut donné cette céleste injonction qui termine les rites de l'Église : " Âme chrétienne, allez en paix !" elle prit entre ses mains les mains de ses deux enfants, les bénit et les embrassa ; puis un éclair de joie passa sur sa figure, elle plongea un regard perçant dans le fond de la chambre, jeta ce cri : " Pierre !" et s'affaissa en murmurant le nom de l'absent, comme si elle l'eût aperçu auprès d'elle : si bien que Charles et Louise ne purent s'empêcher de détourner la tête et de porter simultanément leurs regards vers l'endroit que les yeux de la mourante avaient indiqué.

Dès que madame Guérin eut rendu le dernier soupir, Jean Guilbault ordonna à la famille de se retirer dans un autre appartement. Jusque-là il n'avait pas voulu troubler la piété filiale de ses amis, à qui l'idée du danger n'était pas même venue. Le jeune homme ne les abandonna pas un seul instant ; il passa le reste de la nuit à réciter avec eux les prières des morts ; et nous venons de le voir former avec Charles et le vieil oncle tout le cortège funèbre de la pauvre dame.

L'entrée du cimetière Saint-Louis offrait, ce soir-là, un spectacle plus saisissant encore qu'à l'ordinaire. La grande chaleur de la veille en avait fait une des journées les plus meurtrières de cette meurtrière époque. Aussi, indépendamment du grand nombre de fosses à part (pour les morts de *distinction*) retenues d'avance, la fosse commune, sillon long et profond creusé au milieu de la nécropole, était remplie d'un bout à l'autre de nouvelles victimes.

De deux à trois cents personnes de tout âge, de tout sexe, de tous rangs, de tous costumes, se pressaient dans un lugubre silence de chaque côté de la fosse commune. Il y avait là comme une députation de chaque classe de la société, élégante en grande tenue, matelots aux habits goudronnés, soldats en habits rouges ; mais toutes les figures portaient une même empreinte, celle de la douleur et de la terreur à leur apogée.

Le prêtre, qui s'avança lentement précédé d'un seul enfant de chœur portant un petit crucifix d'argent, était un tout jeune homme, et il n'avait pas l'habitude du ministère funèbre qu'il remplissait, à en juger par l'attention et la solennité exemptes de toute routine avec lesquelles il lut les prières du rituel.

Sa voix vibrante et grave, quoique jeune et douce, sa figure mâle et sérieuse, son ton et sa contenance presque inspirés frappèrent vivement tous les assistants. Son accent et ses manières avaient même quelque chose d'étranger. Les plus curieux demandaient tout bas quel était ce nouveau prêtre, et les mieux informés d'ordinaire ne pouvaient répondre à cette question.

Lorsque, avec un ton et un geste imposants, il leva la main pour bénir les cercueils, il eut l'air, quelques instants, du prophète accouru à la voix de Dieu dans la vallée des morts et commandant aux ossements arides de se recouvrir de leurs nerfs et de leurs chairs, à *l'esprit* de souffler des quatre coins du monde et aux morts de se lever et de marcher.

Tout le monde sans exception s'agenouilla et, pendant le silence mystérieux et lugubre du *Pater noster*, on entendit, comme le bruissement des vagues sur la rive ou comme les voix lamentables que jette la tempête dans les forêts, un chœur de sanglots qui brisaient à l'unisson toutes les poitrines. Un long murmure, auquel pas une voix ne manqua de se joindre, répondit ensuite aux versets du *De profundis*, que le jeune prêtre, contre l'usage, récita sur le bord même de la fosse. Jamais cette sublime prière n'avait été dite avec plus de ferveur ni par des voix plus émues. Les oreilles du Tout Puissant durent réellement se faire *attentives* à cette voix sortie de l'abîme des douleurs ; la miséricorde qui est *toujours auprès de lui*, dut alléger le poids des iniquités *qu'aucune âme ne saurait jamais soutenir*.

Le prêtre se dirigea ensuite vers les quelques *fosses à part*, qui avaient été creusées non loin du sillon commun près du mur. – Une douleur plus amère encore que toutes celles qu'il avait éprouvées tomba sur le cœur de Charles Guérin. Dans son inexpérience, dans le trouble qui avait accompagné la courte maladie et l'enterrement précipité de sa mère, il avait négligé de se pourvoir de l'argent nécessaire pour obtenir pour elle la distinction d'une couche isolée dans ce dortoir de la mort. Leur pénurie, quoique grande, lui aurait encore permis de réaliser cette petite somme, si l'idée lui en était venue, et il aurait pu se la procurer dans un très court délai, si l'ordre n'eût été donné au gardien du cimetière de ne faire crédit qu'à des gens bien connus. Ainsi que le remarquaient les inflexibles fabriciens, on *savait moins que jamais qui vivrait ou qui mourrait.*

Charles, accablé à la fois de honte et de chagrin, resta confondu dans la foule au pied de l'amas de terre élevé près de la fosse commune. Il ne leva les yeux sur personne et ne vit pas le prêtre, ni ceux qui l'entouraient. Appuyé sur le bras de son ami Guilbault, il était immobile, muet et comme pétrifié. Son âme était plongée dans une de ces douleurs stupéfiantes qui vous conduisent jusqu'aux bords du néant : le principe intellectuel semble alors englouti dans notre substance et l'on a comme un abîme au dedans de soi.

Guilbault fut obligé de le pousser pour le faire s'agenouiller, de l'avertir lorsqu'il fallut se relever ; et la foule s'était déjà toute écoulée, lorsqu'il parvint à l'arracher de l'endroit que ses pieds paraissaient ne pas vouloir abandonner. Les deux amis, l'un entraînant l'autre péniblement, étaient à peine sortis du cimetière, lorsqu'ils entendirent quelqu'un qui courait derrière eux, en criant de toutes ses forces : Monsieur le docteur ! monsieur le docteur !… Ils s'arrêtèrent.

– En voilà bien d'une autre, leur dit le gardien (car c'était lui)… Ce pauvre jeune prêtre que vous avez vu, est tombé raide mort… ou il ne vaut pas mieux… pendant qu'il écrivait les actes sur le registre. Venez voir à ça, je vous en prie, monsieur le docteur.

Jean Guilbault partit en courant ; Charles le suivit machinalement avec le gardien.

– Un joli garçon tout de même, un prêtre tout nouveau, que je n'avais jamais vu, continua celui-ci… C'est bien singulier. C'était drôlement l'étrenner, ce pauvre *nouveau déballé*, que de

267

l'envoyer ici. Un rude apprentissage qu'on lui a fait faire à ce pauvre monsieur !

– Il n'est pas mort, s'écria Guilbault en entrant dans la chapelle, il n'est qu'évanoui. Aidez-moi. Vite de l'eau, de l'eau ; ouvrez sa soutane. Allons donc ! Charles, aide-moi, mon pauvre enfant. Tu n'avances à rien. Il ne faut pas que le chagrin que l'on a des morts nous empêche de sauver les vivants.

Charles fit un effort, courut vers les fenêtres qu'il ouvrit, sortit dehors et revint bientôt avec un vase qu'il avait rempli d'eau. En le posant à terre, il jeta les yeux pour la première fois sur le jeune prêtre. Une lueur soudaine traversa son esprit ; il pâlit, hésita quelques instants, puis, au moment où l'autre reprenait connaissance, ce fut presque son tour de s'évanouir. Il chancela ; son ami eut besoin de le soutenir...

– Mon frère, s'écria-t-il, mon frère !...

V
Les derniers adieux

Ce n'était pas une illusion : c'était bien son frère que Charles avait ainsi retrouvé sur la fosse de leur mère.

Après avoir mené quelque temps une vie aventureuse et dissipée, essayé différents genres d'existence, parcouru plusieurs contrées de l'Europe, Pierre Guérin, à la suite d'une maladie sérieuse qui l'avait conduit au bord de la tombe, s'était retiré dans un couvent de moines en Italie et n'avait pas tardé à recevoir les ordres. Le mal du pays lui étant venu en même temps que la vocation religieuse, il obtint d'être admis à la prêtrise et de quitter le couvent pour revenir au Canada. Il n'avait point fait les vœux d'un régulier, et se trouvait libre sous ce rapport.

Arrivé à Québec au plus fort de l'épidémie, avec ce zèle exclusif et ce profond détachement du monde qui sont les premiers indices d'une véritable vocation religieuse, il s'était mis, en débarquant du vaisseau, à la disposition de l'évêque qui, sans perdre de temps, l'avait adjoint à son église vraiment militante. Le soir du même jour, comme tous les autres prêtres étaient occupés auprès des malades, il s'était trouvé chargé du soin des sépultures. Dans les informations qu'il avait prises à la hâte sur le compte de sa famille, le hasard avait voulu qu'il s'adressât à des personnes qui, peu au fait, lui avaient répondu que ses parents demeuraient toujours à R... Pendant la courte cérémonie funèbre, comme nous l'avons remarqué, Charles s'était tenu à l'écart et le jeune prêtre, tout entier à son devoir, n'avait pas égaré ses yeux jusque sur lui.

Ce fut seulement lorsqu'il lui fallut, pour rédiger les actes de sépulture, parcourir la longue liste nécrologique de cette terrible journée, qu'il fut frappé d'y trouver en toutes lettres le nom de sa famille. Son œil distrait crut d'abord à une de ces coïncidences bizarres qui ne causent qu'un instant de malaise. Mais à mesure qu'il regardait la liste fatale, les prénoms, les qualités, les accessoires se tracèrent successivement à ses yeux comme la forme d'abord indécise du spectre que l'on voit dans un songe et qui ne tarde pas à prendre une ressemblance connue. Sans prononcer une seule parole, il tomba dans une syncope que les autres émotions de la journée et les longues fatigues du voyage avaient d'ailleurs préparée.

Dès qu'il revint à lui, la présence de Charles opéra une réaction subite et favorable. Il lui vint à l'idée qu'il n'avait pas tout perdu, puisqu'il lui restait un frère, et cette pensée en amena une autre qui se traduisit par cette question :

– Et ma sœur ?

– Louise est bien. Telles furent les premières paroles échangées entre les deux frères. Puis, comme si la possibilité d'un autre malheur l'eût frappé, Charles ajouta :

– Viens avec moi, allons voir cette pauvre enfant. Et en disant cela, il prit le bras de son frère.

Pierre fit quelques pas, puis s'arrêta.

– Je n'ai pas vu ma mère, dit-il, d'un air résolu. Il faut que je la voie.

Guilbault et Charles se regardèrent avec un étonnement mêlé d'effroi.

– Je ne suis pas fou, reprit le jeune prêtre, devinant leur pensée, je ne suis pas fou. Mais voilà bien des centaines de lieues que je fais pour voir ma mère et avant que la terre l'ait recouverte, il est bien juste que je contemple encore une fois ses traits dont l'image m'a suivi partout. Je veux la revoir. Charles, où l'a-t-on mise ?

– Je suis étudiant en médecine et avant que vous risquiez une expérience aussi dangereuse…

– Si monsieur est médecin, il sait qu'un prêtre et un médecin ne doivent jamais craindre.

– Et je sais que ni l'un ni l'autre ne doivent s'exposer inutilement.

– Il y a ici un devoir à remplir pour vous et pour moi. Cette terrible maladie veut des enterrements bien prompts... Si j'en crois la rumeur...

– Bah ! des contes en l'air ! interrompit le gardien du cimetière. Si on croyait tout ce qui se dit, il y aurait plus de vivants que de morts d'enterrés. Le monde est si bavard ! Il n'y a qu'un pauvre matelot que nous avons trouvé dans son cercueil avec un bras mangé. Tout le reste, c'est des contes et des histoires !

Les trois jeunes gens frémirent.

– Eh bien, dit Jean Guilbault, je ne dis pas que vous ayez tout à fait tort.

– Mais, c'est donc pour tout de bon que vous voulez ouvrir un cercueil ? Ah çà ! ça ne se fera pas de même, par exemple ! mon caractère, voyez-vous, ma place, voyez-vous !

Et il retournait entre ses doigts son chapeau à larges bords, d'un air qui voulait dire : si cela se fait, du moins que je n'en aie point connaissance, que je ne sois point compromis.

– Tenez, brave homme, reprit Pierre Guérin, avec un ton et un geste impérieux, allez-vous-en, et laissez-nous faire. Je prends tout sur moi.

Le gardien s'éloigna et les jeunes gens se dirigèrent vers la fosse commune.

Pierre jeta à son frère un regard de reproche, que celui-ci comprit, car il rougit et baissa la tête.

Louise avait cloué sur la bière une image de la Vierge, au pied de laquelle était écrit le nom de madame Guérin et qui avait coutume d'orner le haut de son lit. Cette précaution de la jeune fille ne se trouva point perdue. Après avoir déplacé plusieurs cercueils, les jeunes gens reconnurent ainsi celui qu'ils cherchaient et, chargeant le pieux fardeau sur leurs épaules, ils le portèrent à la petite *chapelle des morts.*

Tout habitué qu'il était aux œuvres de *résurrection,* l'anatomiste Guilbault se sentit ému et presque terrifié, lorsqu'il lui fallut ouvrir le cercueil. Il lui sembla que madame Guérin, avec cette dignité et cette douce gravité qu'il lui avait connues, allait se lever sur son séant et lui demander compte de cette espèce de sacrilège. Mais il réfléchit que ce n'était pas là une de ces excursions de *carabins* auxquelles il avait pris part si fréquemment, et qu'il aidait au contraire à l'accomplissement d'un acte de piété filiale. D'une main habile et ferme il eut bientôt levé le couvercle de la bière.

La mort n'avait imprimé son cachet qu'à demi sur les traits de madame Guérin ; sa figure était loin d'être méconnaissable, et, sans la maigreur et les rides causées par le chagrin, Pierre n'aurait pas trouvé une bien grande différence entre ces restes inanimés et l'image que sa mémoire avait conservée.

Les deux frères s'agenouillèrent de chaque côté du cercueil. L'ecclésiastique souleva la main glacée de la morte et y colla ses lèvres, comme pour lui raconter l'histoire de ses courses lointaines et implorer son pardon.

Après un examen de quelques instants, Jean Guilbault répondit aux regards interrogateurs qu'on lui jetait, par un sinistre mouvement de tête qui ne permettait pas la plus légère espérance.

Pierre se leva.

– Louise doit se mourir de peine et de tristesse, observa-t-il. Je n'ose pas la voir aujourd'hui. Il faudra la préparer à cette émotion. Il est temps que tu retournes auprès d'elle. Je vais passer la nuit ici *à veiller et à prier*. C'est mon état.

Pierre, resté seul, laissa couler ses larmes.

La crainte d'affliger son frère davantage, une certaine honte de la faiblesse qu'il avait montrée, une idée exagérée de la réserve qu'exigeait sa dignité de prêtre lui avaient aidé à les retenir jusque-là.

Heureusement la religion lui enseignait qu'il ne devait point se borner à une tristesse stérile : elle lui offrait dans la prière une consolation pour lui-même et un moyen d'être utile à celle qu'il pleurait.

Il prit son bréviaire et, assis dans un coin de la chapelle, il entreprit de lire l'office des morts. Ses yeux se portaient alternativement de son livre au cercueil étendu à ses pieds. Plus d'une fois, il se leva précipitamment, croyant avoir remarqué quelque mouvement, entendu quelque bruit ; mais ce n'était chaque fois qu'un jeu des rayons de la lune, ou le bruit léger de quelque insecte.

Le sens, tantôt lugubre et terrifiant, tantôt doux et consolant des psaumes qu'il lisait, s'adaptait quelquefois admirablement à sa propre situation ; souvent à côté du sens véritable se glissait une interprétation différente qu'un hasard merveilleux semblait lui adresser.

Heu mihi, quia incolatus meus prolongatus est ! Malheur à moi, parce que mon exil s'est prolongé, disait le psalmiste parlant de la vie humaine comparée à un exil, et cela lui rappelait sa trop longue absence et les malheurs dont elle avait été suivie.

La colère de Dieu qui dévore les générations entières, comme un feu ardent brûle la paille légère, *sicut fœnum* ; les flèches aiguës que décoche à coup sûr un implacable et invisible ennemi ; la terre des ténèbres couverte des ombres de la mort, vallée de misères où il n'y a point d'ordre, mais une confusion et une terreur éternelles... *ubi nullus ordo, sed sempiternus horror inhabitat*... Telles étaient les images que David et Job avaient tracées d'avance, et qui lui représentaient l'horreur du lieu où il se trouvait et la terreur du fléau qui venait y accumuler ses victimes.

"J'attendrai jusqu'au matin, disait encore Job, le tombeau sera ma maison, et je n'aurai point d'autre lit que ce lieu de ténèbres. J'ai dit au sépulcre : vous serez mon père, et aux vers, vous serez ma mère et mes sœurs."

Son imagination s'exalta par degrés, et cédant à une sorte d'hallucination, il revêtit de nouveau le surplis et l'étole noire qui servent aux sépultures, et il marcha pendant une partie de la nuit dans la chapelle, psalmodiant à haute voix les réponds de l'office.

Le fossoyeur, qui vint de grand matin se remettre à sa pressante besogne, recula épouvanté et appela le gardien du cimetière. Celui-ci crut aussi lui à une vision, et il semblait en effet qu'un prêtre fantôme et un cercueil fantastique s'étaient

273

installés dans la chapelle mortuaire. Puis, se rappelant ce qui s'était passé la veille, il s'adressa au jeune homme, qu'il rappela difficilement au sentiment de la réalité.

Pierre jeta alors un dernier regard sur les traits chéris de sa mère, fit une courte prière (son dernier adieu) et, laissant entre les mains du concierge des morts, une somme suffisante pour creuser une tombe à celle à qui il ne pouvait plus rien donner autre chose, il s'éloigna lentement, traînant avec peine le fardeau de ses pensées.

VI
Tout chemin
mène à Rome

Louise était à la fenêtre de sa mansarde. C'était le soir. La chaleur excessive des jours précédents s'était abaissée par degrés. Un orage qui venait de passer sur la ville, avait purifié l'atmosphère. L'eau coulait encore par torrents dans la petite rue étroite et d'une pente abrupte, le soleil couchant dorait les nuages refoulés vers l'horizon, et qui s'éloignaient en grondant, une teinte d'un vert éclatant couvrait les belles campagnes de Beauport et de Charlebourg, et l'on aurait pu compter les maisons blanches éblouissantes qui parsemaient le paysage, rapproché par un effet magique de lumière. Si elle avait pu oublier le fléau qui n'avait pas encore cessé ses ravages, la jeune fille se serait presque sentie heureuse en aspirant l'air frais et humide, qui lui arrivait à travers les branches du lilas de son petit jardin, et les fleurs qu'elle cultivait sur l'appui de sa fenêtre. Mais sa poitrine avait peine à se dilater au souffle de la brise, et ses yeux distraits ne jouissaient qu'à demi du gracieux épanouissement de la nature. De longs soupirs agitaient son sein, et de grosses larmes demeuraient suspendues à ses paupières, comme les gouttes de pluie aux feuilles des roses.

Louise n'était plus la même jeune fille que nous avons peinte au début de cette histoire. Elle avait grandi, et perdu en grandissant son frais et gracieux embonpoint. Ses joues n'avaient plus leurs belles couleurs. Sa physionomie, de naïve et enjouée, était devenue mélancolique, ses mains si blanches et si potelées étaient maintenant effilées, et portaient les traces de labeurs qui ne semblaient point faits pour elles.

Mais, pour être autrement belle, elle ne l'était pas moins. Le malheur avait imprimé un cachet sévère à sa beauté. Sa taille svelte et cambrée, emprisonnée dans une robe noire qui faisait ressortir l'éblouissante blancheur de sa peau, rappelait la stature de sa mère, et l'expression de douceur et de gaieté répandue sur sa figure aurait complété la ressemblance pour celui qui aurait oublié que madame Guérin était aussi brune que sa fille était blonde.

L'orpheline était tellement absorbée dans sa rêverie, que Charles put monter l'escalier, entrer dans sa chambre et s'approcher tout près d'elle, sans qu'elle en eût connaissance. Elle tressaillit vivement lorsqu'une main caressante s'appuya sur son épaule, et le regard qu'elle adressa à son frère fut mêlé de surprise et de reproche ; car la figure du jeune homme avait une expression de gaieté qui lui déplut.

– Voyons, petite sœur, j'ai de bonnes nouvelles à te conter, fit Charles en donnant à sa voix l'inflexion la plus douce.

Louise ne répondit point, et leva les épaules en signe d'indifférence.

– Mais comment donc ? Est-ce que tu ne serais plus curieuse ?

L'orpheline regarda le ciel, comme pour dire que désormais les *bonnes nouvelles* ne pourraient lui venir que de là.

– Je viens de recevoir une lettre de quelqu'un que nous aimons bien, reprit Charles, décidé cette fois à se faire écouter.

– De qui donc ? demanda vivement la jeune fille, car elle n'osa point comprendre du premier coup.

– Si c'était de Pierre ?

– Oh ! si c'était de lui, tu me l'aurais dit tout de suite !

– Eh bien ! oui, cette lettre est de lui.

– Oh ! mon Dieu ! et est-il bien loin ? dit-il qu'il va revenir ? Donne donc que je lise !

La jeune fille, tremblante de tout son corps, lui tendait la main.

– Et, s'il n'était pas bien loin ?

– Tu n'as donc pas de lettre ?

– Il y a mieux que cela. Mais tâche de te calmer, petite sœur, ou je ne te dirai point ce que je sais.

– Eh bien ! je serai raisonnable.

276

– Pierre est arrivé.

– Louise regarda son frère d'un air qui voulait dire : cela n'est pas possible, pourquoi prendre ainsi plaisir à me tourmenter ?

– Tu ne veux pas me croire ? Tu le croiras mieux lui-même. Seulement tu auras de la peine à le reconnaître, car il est vêtu d'une manière qui te surprendra.

Au même instant, Louis entendit ouvrir la porte de la maison, et se précipita dans l'escalier. Elle faillit remonter à sa mansarde, lorsqu'elle aperçut un prêtre, qu'elle eut en effet beaucoup de peine à reconnaître pour son frère. Dire le trouble, l'émotion, la joie mêlée de tristesse qui ébranlèrent dans ce moment la frêle organisation de Louise, serait au-dessus de mes forces.

La douleur que la mort a laissée dans une famille se ravive toujours, dès qu'un parent, un ami ou même une simple connaissance franchit pour la première fois le seuil désolé de la maison, et vient s'asseoir au foyer qu'afflige une place vide.

De retour au presbytère, le matin qui avait suivi son arrivée, Pierre était tombé d'une fièvre violente qui avait donné des craintes sérieuses pour sa raison. C'était la première fois qu'il pouvait sortir, et jusque-là les deux frères n'avaient pas eu d'entretien sérieux. Charles avait bien des questions à faire au voyageur, et Pierre, sans avoir à un bien haut degré la manie de conter ses aventures, ne put s'empêcher d'entrer dans quelques détails.

Le soir de mon départ, dit-il, il faisait un bien mauvais temps, si tu t'en souviens, et, le lendemain, c'était une véritable tempête. Nous fûmes retenus une journée entière *au trou* Saint-Patrice. Le jour suivant, en passant devant l'anse de la *rivière aux Écrevisses*, nous aperçûmes les débris d'un navire qui avait fait naufrage sur la pointe. C'en fut assez pour me confirmer dans ma folle résolution de ne pas vous écrire. Naturellement, vous me penseriez péri avec ce vaisseau. Sans en avoir au juste la certitude, vous me pleureriez pendant quelque temps et vous finiriez par m'oublier, comme heureusement on finit toujours. C'est aussi ce qui explique pourquoi j'ai persévéré dans ce système, malgré ce qu'il a dû m'en coûter.

277

La traversée fut mauvaise. Les brouillards nous retinrent longtemps dans le golfe. Les vents contraires et les bourrasques m'ont fait faire un rude apprentissage de la mer. Le *cœlum undique et undique pontus* a plus de charmes dans les poèmes de Virgile que dans la réalité. Les vagues cependant et les dangers mêmes ont leur attrait. Lorsqu'il me fallut grimper en haut d'un mât, tandis que le vaisseau penchait et craquait sous l'effort de la tempête, tout en formant bien sincèrement le vœu de vous revoir, j'éprouvais un certain orgueil à braver ainsi les éléments déchaînés.

Ce qui m'a le plus inspiré d'aversion, ce sont les habitudes brutales des matelots, et le peu de sympathie que je trouvai en arrivant. Il semblait que mes camarades du bord étaient jaloux de l'éducation que j'avais.

Ils cherchaient continuellement à m'humilier, et me gourmandaient et me raillaient sans motif. Leurs grossières plaisanteries me rendirent malheureux. Le capitaine se plaisait à me donner les ouvrages les plus rudes et affectait de me traiter comme le denier de ses hommes. Ceux-ci cependant, lorsqu'ils virent que je mordais aussi franchement qu'eux dans le gros biscuit, et que je faisais mon devoir sans me décourager, changèrent de ton. On cessa de me plaisanter, et même, lorsque je semblais en peine, on venait à mon aide, précisément parce que je ne le demandais point. Au bout de la traversée, j'étais aimé de tout le monde et j'avais fait deux amis particuliers.

L'un d'eux était un jeune Anglais de bonne famille. Il avait dissipé son patrimoine et s'était ensuite jeté dans toutes sortes d'aventures. Il avait parcouru les Indes et l'Amérique du Sud ; l'Indoustan et le Chili lui étaient aussi familiers que l'Angleterre. Ses récits m'enchantaient et me raffermissaient dans ma nouvelle vocation. Sa protection me valut beaucoup et empêcha le capitaine de me maltraiter comme il y paraissait disposé.

Mon autre ami était un Italien. Nous parlions latin, et nous récitions ensemble des odes d'Horace et quelques vers de Virgile. Nous chantions aussi des hymnes d'église. Il m'apprit un peu d'italien, et il me disait avec tant d'enthousiasme les

278

beautés de sa terre natale, que je me promis bien de la visiter. La Méditerranée et l'Adriatique étaient d'ailleurs dans mes rêves d'enfant, et il me semblait que ces mers classiques devaient être bien différentes de l'Océan mystérieux et sans bornes sur lequel nous étions lancés.

Mazelli avait étudié pour être prêtre ; mais un beau jour, en lisant à Gênes la vie de son compatriote Christophe Colomb, il s'était embarqué pour l'Amérique. Je lui dis un jour qu'il était surprenant que l'Italie, qui avait fourni Christophe Colomb et Americo Vespuci ne possédât pas un pouce de terre dans la partie du monde qu'elle avait découverte et nommée.

– Oh ! me dit-il, si l'Italie *pouvait se posséder elle-même* !

Débarqué à Liverpool, je n'y demeurai que cinq ou six jours, le temps de faire comme les autres, de gaspiller en folies l'argent que j'avais si bien gagné. L'Angleterre m'était antipathique, et, ce que je regrette beaucoup aujourd'hui, je manquai l'occasion d'étudier chez lui un peuple qui tient entre ses mains les destinées de notre Canada. Tandis que mon ami italien se dirigeait sur Londres, l'Anglais et moi nous nous engagions à un capitaine dont le brick faisait voile pour l'Italie.

L'équipage était un ramassis de gens de tous les pays, principalement des Espagnols, des Italiens et des Maltais. Mon ami William Johnson était le seul Anglais à bord. Il y avait là de sinistres figures, que ne démentaient point trop ceux que la Providence en avait affligés. Le capitaine était lui-même un peu flibustier ; du moins je le soupçonnai d'avoir des intelligences avec des contrebandiers. Johnson et moi n'aimions guère tout ce monde-là, et n'en étions pas plus chéris qu'il ne fallait. Johnson me dit un jour qu'un coup de coude bien appliqué pourrait jeter l'un de nous deux à la mer et qu'on ne risquerait pas grand-chose pour nous repêcher. Si le premier vaisseau où je m'étais embarqué m'avait fait l'effet, dans les commencements, d'un purgatoire flottant, celui-là, c'était bien l'enfer.

Une tempête nous fit relâcher à Bordeaux. Le capitaine, qui pouvait avoir ses raisons pour cela, resta quelque temps dans ce port. Nous en profitâmes, Johnson et moi, pour déserter. À peine avions-nous exécuté notre projet, que je regrettai cet affreux bâtiment. C'est une triste chose de se trouver dans un pays étranger, sans argent. Si mal que l'on soit à bord d'un vaisseau, on a sa ration assurée et son hamac où se coucher. Heureusement Johnson était un peu plus au fait que moi, il était aussi muni de quelques guinées. Nous résolûmes de nous rendre à Marseille en parcourant l'intérieur de la France. Nous achetâmes une lanterne magique, et une petite pacotille d'images et de brimborions, et avec cela nous nous mîmes assez gaiement en route. Johnson avait pour sa part de besogne la *comptabilité* et l'agencement de nos soirées scientifiques ; c'était moi qui faisais les discours : c'est-à-dire dans les villages où l'on comprenait le français. Dans les autres, il y avait toujours quelque savant qui nous interprétait en patois. Il faisait beau me voir raconter les batailles de l'empire et répéter les mots sublimes du petit caporal, ou bien encore les contes de *Barbe bleue* et du *petit Chaperon rouge*, la parabole de l'enfant prodigue, Geneviève de Brabant, et l'astronomie en six leçons. Car il y avait de tout cela dans notre lanterne magique. Quoique Johnson sût assez de français pour se tirer d'affaire, on le reconnaissait assez facilement pour un *rosbif* et nous n'étions pas toujours trop bien venus. Quant à moi, on ne savait trop à qui me donner. À mes manières on me croyait Anglais, à mon visage on me prenait pour un Italien, à mon langage on était assez porté à me reconnaître pour un compatriote. Mais de quelle province ? C'était une autre affaire. Je n'étais point du Sud, c'était bien clair. Mais étais-je Normand, Picard ou Breton ? C'était bien difficile à dire. Je n'avais l'accent d'aucune de ces provinces en particulier, mais un peu de tout cela mêlé ensemble. Je mettais tout le monde d'accord en disant que j'étais Américain. Cela répondait à toutes les suppositions. Je voulus dire que j'étais Canadien-Français. Autant aurait-il valu leur annoncer que je venais de la lune. Il est complètement sorti de l'esprit du peuple en France qu'il y ait un Canada. Ceux qui me comprirent crurent que j'étais un sauvage, et on m'accabla de mille sottes questions. Johnson voulut mettre cela à profit. Il me suggéra gravement de me fabriquer un accoutrement bizarre quelconque, s'offrant

280

à devenir mon cornac, et à me montrer par curiosité en sus de la lanterne magique. Je ne goûtai point cette proposition et je fus singulièrement humilié du rôle qu'il ne tenait qu'à moi de jouer dans le pays de mes ancêtres. C'était un rude désenchantement pour moi qui avais toujours rêvé à la France et qui n'avais pas même daigné regarder l'Angleterre en passant.

Grâce à l'esprit inventif de Johnson et, toute modestie mise à part, grâce aussi à mon éloquence, nos petites affaires n'allaient pas trop mal. Nous avions très souvent un gîte et notre nourriture gratuitement ; nous ramassions beaucoup de gros sous à nos soirées et nous faisions un profit de cent pour cent sur les petits objets de notre pacotille. Si Johnson n'avait pas eu un goût si prononcé pour l'eau-de-vie, et s'il se fût contenté comme moi de l'excellent vin du cru qu'on nous versait libéralement, nous serions arrivés à Marseille avec une somme assez ronde. Toutefois, malgré les libations de mon compagnon, nous pouvions faire bonne figure à notre entrée dans la ville. Je n'avais point de reproches à faire à Johnson. Il avait fourni tout le capital, il devait avoir une plus large part dans sa *liquidation*. Il me donna honnêtement la moitié de notre petit pécule. Mon premier soin fut de m'habiller en *gentilhomme*. Je sentais le besoin de me relever à mes propres yeux tout autant qu'à ceux d'autrui. Je n'étais pas trop orgueilleux de mon métier de matelot, ni de celui d'historien ambulant qui l'avait remplacé ; sans compter que j'avais failli passer pour un sauvage.

Johnson s'embarqua pour l'Algérie le surlendemain de notre arrivée. Notre séparation m'affligea malgré moi, car je savais bien qu'il n'y avait rien de sérieux à entreprendre avec un tel compagnon. Johnson, en me secouant la main, m'assura que nous nous reverrions quelqu'un de ces jours, soit à la Chine, soit au Canada ; car il se promettait bien de faire encore deux ou trois fois le tour du monde.

J'avais choisi une pension assez convenable, et je fis annoncer dans un journal qu'un jeune Américain, qui possédait à fond la langue française, s'offrait à donner des leçons d'anglais dans les familles. Il se présenta plusieurs élèves et l'on

281

trouva que je parlais très bien le français *pour un Américain*. Je songeai que si jamais j'allais m'échouer en Angleterre, je jouerais le même rôle en sens inverse. On trouverait là que je parle bien anglais *pour un Français*.

Je ne trouvais pas ce genre de vie très mauvais : j'étais introduit dans les meilleures familles en ma qualité de précepteur, et avec une politesse exquise, on y dissimulait tout ce que ma position secondaire pouvait avoir de blessant pour moi. Un jour cependant que je regardais la mer couverte de vaisseaux aux pavillons de toutes les nations, cette belle Méditerranée si étincelante et si engageante en comparaison des eaux ternes et froides de nos pays du Nord, me séduisit complètement. J'avais fait quelques petites épargnes, assez pour prendre un passage de seconde classe pour l'Italie. J'eus bientôt fait mes malles, et, sans prendre congé de mes élèves, qui me devaient cependant encore quelques francs, je me trouvai le soir même à bord d'un brigantin faisant voile pour Gênes.

Je crus, après quelque temps passé dans cette ville, que je ne pourrais jamais en partir, et si j'étais né dans ses environs comme Christophe Colomb, j'aurais laissé à d'autres le soin de découvrir l'Amérique. Je n'ai point fait fortune à Gênes : je m'y suis comporté en philosophe de l'école des péripatéticiens. La belle promenade des môles, qui s'avance si loin dans la mer et d'où l'on peut contempler l'amphithéâtre de marbre et de verdure qui s'élève sur le penchant de la montagne ; celle d'*Acqua sola*, plus belle encore, et celle d'*Acqua verde*, où je coudoyais le soir les élégants seigneurs, maîtres des palais que j'admirais tant, m'offrirent des charmes qui absorbèrent jour après jour, soirée après soirée. Passer son temps à contempler les palais des autres, c'est bien le meilleur moyen de n'en avoir jamais. Aussi je me trouvai bientôt en état de faire les tristes réflexions de la cigale : *quand la bise fut venue*, j'avais dépensé le reste de mon argent :

Pas le plus petit morceau
De mouche ou de vermisseau !

Je cherchai de l'emploi. Je m'annonçai cette fois comme maître d'anglais et de français. Ce fut en vain, les élèves ne vinrent point. Vous allez croire que j'étais bien découragé ? N'avais-je pas la mer devant moi ? Quiconque a été matelot s'est assuré un spécifique admirable contre la misère d'une part, et contre la fortune de l'autre. Vous êtes à bout d'expédients : vous gagnez un port de mer. Il y a toujours un vaisseau en partance où l'on vous recevra, ne fût-ce que pour votre passage. Je m'engageai à un capitaine anglais qui partait pour Smyrne ; un naufrage nous rejeta à Civitta-Vecchia. Je tombai bien malade dans cette petite ville. J'y serais mort autant de misère que de fièvre, sans un vieux moine camaldule qui s'intéressa à moi, me recueillit, et, dès que ma santé le permit, m'emmena à Rome où était son couvent.

Tous les chemins mènent à Rome, c'est un bien vieux proverbe ; mais la route que j'avais suivie pour arriver dans la capitale du monde chrétien, n'en était pas moins singulière : et lorsque je songe à l'influence que cette circonstance devait avoir sur mes destinées, j'y vois une providence bien signalée. Ma maladie avait changé le cours de mes idées. Des pensées pieuses remplacèrent mon insouciance aventureuse, les projets ambitieux qui m'avaient poussé à courir le monde se réveillèrent, mais avec une autre couleur et une autre tendance. Je me reprochai d'avoir jusque-là perdu mon temps sans embrasser aucune des carrières nombreuses que je croyais si faciles à trouver partout ailleurs que dans mon pays. J'eus honte de la vie que j'avais menée, et surtout je me désespérai, lorsque je pensai que j'avais eu la cruauté de ne pas écrire à ma mère. Vingt fois je pris la plume pour le faire, mais toujours elle me tomba des mains. J'ajournais chaque fois ma résolution, dans l'espoir d'avoir quelque chose de plus satisfaisant à vous annoncer.

Le moine qui m'avait recueilli était un vieillard respectable et savant, il occupait une charge importante dans sa maison. Il avait ses vues sur moi, mais, en homme habile, il me laissait à mes réflexions et me glissait rarement un mot de religion. Je vivais dans la communauté avec la parfaite liberté que j'aurais

283

eue dans une hôtellerie. J'allais et je venais, sans que l'on parût s'occuper de moi.

Ce ne fut pas dans la colossale église de Saint-Pierre, ni dans aucune des grandes basiliques, que me vint l'idée d'embrasser la vie religieuse ; mais dans une petite chapelle du Transtévère, devant une humble madone dont j'étais dans ce moment-là le seul suppliant. La solitude de cette église me rappela le calme religieux de nos églises du Canada. Une femme d'une quarantaine d'années, qui vint s'agenouiller devant la madone, avec un jeune garçon d'une dizaine d'années et une petite fille plus jeune que son frère, me rappela ma mère, avec qui elle me parut avoir quelque ressemblance. Je pensai que Charles, que je croyais ecclésiastique, était probablement agenouillé dans le sanctuaire de la chapelle du séminaire à Québec, et peut-être ma mère et ma sœur dans l'église de R... Les lieux et les personnes se représentèrent à mon imagination avec une réalité, un mouvement, une vie qui tenaient du prodige. Pour la première fois depuis mon départ, je versai des larmes abondantes. Je fis une fervente prière et je sortis de l'église un tout autre homme. Ma vocation religieuse était décidée. Le père directeur, à qui je fis cette confidence, n'en parut nullement étonné : il me conseilla cependant d'y réfléchir sérieusement, et lorsque, après deux jours, je persistai dans ma détermination, il me conduisit au collège de la Propagande. Les connaissances que j'avais déjà acquises firent qu'au bout d'un très court espace de temps, on m'admit dans les ordres et je passai au séminaire romain. Je m'abstins pendant tout ce temps de vous écrire, voyant approcher rapidement le moment où je pourrais porter moi-même à ma famille la bonne nouvelle de ma vocation. Il y eut hier trois mois, je fus ordonné prêtre dans l'église de *San Pietro in Montorio*, et quelques jours après j'obtins un *exeat* pour l'évêque de Québec. On me permit d'autant plus volontiers de revenir ici, que là-bas l'on considère le Canada comme un pays de missions. Vous savez la peine terrible que la Providence me réservait à mon arrivée.

Ce récit, écouté dans un silence presque religieux, fut suivi d'une conversation animée qui se prolongea si tard que la voix argentine de la cloche d'un couvent vint l'interrompre, en annonçant quatre heures du matin.

Pierre se souvint alors qu'il devait assister à une prise de voile dans l'église des Ursulines à six heures, et son frère qui ne jugea pas à propos de se coucher et ne savait que faire avant le jour, se décida à l'accompagner.

VII
Sœur Saint-Charles

Un couvent est une petite ville au milieu d'une grande, une société particulière qui fait abstraction de la société générale, et, malgré toutes les secousses que peut éprouver le monde extérieur, continue à fonctionner avec la précision d'un chronomètre. Tandis que dans toute la ville on avait cessé de vendre et d'acheter, de plaider et de se marier, les bonnes religieuses continuaient toujours à recevoir des compagnes pour elles-mêmes et des dots pour leur monastère : leurs rangs se recrutaient, tandis que tout se dépeuplait autour d'elles avec une si effrayante rapidité.

Ce matin-là il s'agissait de trois prises de voile et d'une profession. Charles, en entrant dans l'église, fut frappé non seulement du nombre mais encore de la qualité des personnes qui l'encombraient. Une partie du monde élégant qu'il avait naguère fréquenté, semblait s'y être donné rendez-vous. Ce qui le scandalisa beaucoup, ce fut de voir placés au premier rang quelques militaires et quelques lionnes dont la vie n'avait eu jusqu'alors rien de bien monastique. Il fut bien plus surpris encore, lorsqu'il remarqua que tous les regards se dirigeaient sur lui, comme s'il eût été appelé à jouer un rôle dans la cérémonie qui se préparait. Il se réfugia tout ému dans un petit coin où il lui était impossible de voir et difficile d'être vu, et s'y agenouilla tout honteux, ne sachant à quoi attribuer l'espèce de sensation qu'avait pu causer sa présence.

La jolie chapelle des Ursulines s'harmonisait parfaitement avec le beau monde qui l'avait envahie ; son architecture composite (style Louis XV) tout émaillée de peintures et de dorures, porte un caractère d'élégance aristocratique, qui, pour dater d'un peu loin, ne messied pas au pensionnat le plus *à la mode* de notre pays. Un prélude sur la *harpe* partit du chœur

286

intérieur de la communauté et vibra doucement dans toute l'église. Deux voix de femmes, pures et limpides, s'élancèrent, soutenues dans leur vol harmonieux par les sons du poétique instrument ; un chœur de voix plus jeunes et plus fraîches encore répéta le refrain du cantique. L'évêque accompagné de son clergé entra dans le chœur de l'église et prit sa place en face de la grande grille qui le sépare de celui de la communauté.

Un mouvement de vive curiosité se manifesta alors dans toute l'église et se soutint pendant les longues et imposantes cérémonies qui venaient de commencer. Il n'y avait cependant, à proprement parler, que les personnes placées au premier rang qui pouvaient suivre et comprendre ce qui se passait dans le chœur intérieur, et c'était là qu'avait lieu la partie la plus intéressante du spectacle religieux. Aussi les spectateurs se pressaient et se grimpaient à l'envi les uns des autres, qui sur des bancs, qui sur des tabourets, qui sur des chaises : notre héros seul restait à l'écart dans une indifférence profonde. Ses pensées, il faut le dire, étaient loin de cet endroit, ou du moins il le croyait ainsi. Son imagination, surexcitée par les évènements des jours précédents, voyageait au hasard ; mais dans ses voyages, elle s'arrêtait assez complaisamment sur certains endroits et certaines époques : disons-le franchement, parmi les anges qu'évoquait à son esprit le chant tout séraphique des bonnes religieuses, il y en avait un qui revenait plus souvent que les autres, et qui avait nom Clorinde.

Il essaya en vain, pendant tout l'office, de chasser des pensées qui ne convenaient ni au lieu, ni aux circonstances ; elles revenaient avec toute la persistance particulière à ce que l'on appelle, en langage ascétique, *des distractions*, persistance qui justifie à nos yeux le réformateur Luther d'avoir cru voir le diable sous la forme d'une grosse mouche.

Deux choses seulement purent faire sur l'esprit de Charles une impression assez vive pour vaincre un instant ce charme mondain. Les lugubres prières que l'on chante, tandis que la nouvelle religieuse est étendue sous un drap mortuaire et fait son apprentissage de la mort, vinrent raviver une douleur trop récente pour ne pas être bien véritable.

287

L'autre chose qui attira son attention fut l'écusson de marbre que lord Aylmer venait de faire incruster dans le mur de l'église, à droite, tout près de l'endroit où il se trouvait agenouillé.

Tout un monde d'idées se présentait, renfermé dans cette noble et touchante inscription :

HONNEUR
À
MONTCALM !
LE DESTIN EN LUI DÉROBANT
LA VICTOIRE,
L'A RÉCOMPENSÉ PAR
UNE MORT GLORIEUSE !

Il aurait fallu ne pas être doué d'autant d'imagination et de patriotisme qu'en possédait notre héros, pour lire sans émotion cet éloge laconique, placé au-dessus d'une fosse qu'une bombe avait creusée d'avance.

Au sortir de l'église, Charles fut rejoint par un jeune homme qu'il avait rencontré plusieurs fois dans le monde.

C'était précisément un de ces fâcheux qui vous abordent de préférence au moment où vous voulez être seul, et qui ne manquent jamais de verser leur parole corrosive sur les plaies de votre âme, en un mot un véritable descendant de celui pour qui Horace écrivit autrefois la satire *Ibam forte via sacra*.

Celui-ci, bien que Charles marchât d'un pas rapide et tînt ses yeux baissés comme quelqu'un qui se parle à lui-même, vint lui frapper amicalement sur l'épaule, et, passant son bras sous le sien, commença un interrogatoire en forme, faisant quelquefois lui-même la demande et la réponse.

– Eh bien ! que pensez-vous de cela ? Franchement qu'en dites-vous ?

– Mais la cérémonie était bien belle ; seulement je l'ai déjà vue plusieurs fois ; elle n'avait point l'attrait de la nouveauté.

– Je ne parle pas de la cérémonie, mais de notre nouvelle novice.

Charles regarda son interlocuteur sans lui répondre.

– Oui, comment trouvez-vous cette conversion ? Vous avez sans doute été bien surpris, comme tout le monde ? Je sais bien que ce n'est pas agréable de vous parler de cela… mais enfin, entre amis… vous comprenez. Et puis après tout, vous vous consolerez. Il ne manque pas de jolies filles, Dieu merci, par le temps qui court. Il faut prendre le temps comme il vient. Vous connaissez le proverbe, et c'est un bien bon proverbe que celui-là : *une de perdue, deux de trouvées.* C'est bien contrariant, tout de même, de voir enfermer une si jolie fille entre les quatre murs d'un couvent. Qui aurait dit que Clorinde Wagnaër, si folle encore cet hiver, ferait une fin aussi tragique ?

– C'est bien étonnant en effet, balbutia Charles, qui craignit d'avoir l'air ridicule en paraissant ignorer ce que tout le monde savait.

– Tenez, après cela il n'y a plus à connaître son monde. On dit que le bonhomme est furieux. Ce qui doit vous consoler, c'est que le vieux sournois avait d'autres plans sur sa fille. On vous a dit cela, je suppose. Enfin, il paraît que ça été une scène terrible. Mais vous savez sans doute tout cela bien mieux que moi, et je vous ennuie. Adieu, mon cher M. Guérin, soyez raisonnable : vous aurez peut-être plus de chance une autre fois. Enfin, comme on dit : une de perdue, deux de trouvées ! Ah ! j'oubliais… Il y a une chose que je ne dois pas omettre : vous saurez, si déjà vous ne le savez pas, que la novice a choisi votre nom pour le sien et qu'elle doit s'appeler *sœur Saint-Charles.*

VIII
Monsieur Dumont

M. Dumont, le patron de Charles, avait une terrible peur du choléra. Malgré cela, fidèle aux vieilles traditions de la magistrature, il était resté inébranlable à son poste. Il avait pris envers le fléau le même parti que les athées prennent contre l'être suprême dont ils redoutent la justice : il le niait purement et simplement.

Avec lui la mort avait toujours raison. Pourquoi un tel avait-il tant mangé de fruits et de légumes ? On peut mourir d'indigestion en tout temps pour peu qu'on le veuille. Pourquoi cet autre avait-il tant bu de brandy épicé ? C'est un remède pire que le mal : on se tue avec les préservatifs. Pourquoi celui-ci avait-il fait une diète si rigoureuse ? Il faut manger pour vivre. On ne se soutient pas avec l'air qu'on respire. Pourquoi le médecin avait-il donné une si forte dose d'opium à cet autre patient ? Le moyen de ne pas mourir, quand on vous empoisonne ! Pourquoi avaient-ils fait transpirer cette pauvre femme jusqu'à ce que mort s'ensuivît ? La recette de Sangrado a toujours été infaillible pour guérir les malades de tous maux présents et à venir !

Et M. Dumont passait ainsi en revue tous les cas de choléra parvenus à sa connaissance et exonérait chaque fois ce pauvre fléau, dont on disait si injustement tant de mal. Au besoin, il se fâchait tout rouge contre les peureux, les imbéciles, les hypocondriaques, qui osaient lui soutenir qu'on n'était plus dans des temps ordinaires, et que l'on pouvait mourir du soir au matin, sans y mettre la moindre bonne volonté.

Et cependant, M. Dumont menait lui-même une existence assez misérable : il faisait régulièrement couvrir sa table des mêmes mets que d'ordinaire, mais il n'y touchait pas plus que s'ils eussent été empoisonnés. À tout propos, et sans la moindre nécessité, il buvait de ce *brandy épicé* qu'il trouvait si dangereux. Il était assidu à son étude, c'est vrai, mais les volets en étaient hermétiquement fermés ; les clients qui s'y aventuraient étaient saisis à la gorge par une âpre odeur de chlorure de chaux, de vinaigre brûlé, de camphre et de mille autres préservatifs. Il se rendait au greffe et devant le tribunal, chaque fois que son devoir l'y obligeait ; mais il y dépêchait les affaires avec une merveilleuse rapidité et ne parlait qu'à travers un mouchoir tout imprégné d'essences, qu'il tenait presque constamment appliqué sur sa bouche. Quelqu'un de ses confrères avait-il pris la clef des champs et manquait-il à l'appel, M. Dumont s'emportait contre lui en invectives de tout genre. Comment pouvait-on être si peureux, si stupide, si lâche ?

Lorsqu'il apprit la mort de madame Guérin, il écrivit à son clerc une lettre toute paternelle, dans laquelle il lui disait, sous forme de consolation, que, pour sa part, il était bien surpris de voir que sa mère eût vécu si longtemps avec un aussi mauvais tempérament, une constitution aussi délabrée. Il n'avait été nullement étonné d'entendre dire que cette pauvre dame était morte à la suite d'une crise nerveuse, causée par une de ces folles terreurs si communes depuis que *l'on parlait du choléra-morbus*. Dans un *post-scriptum*, il engageait Charles à rester auprès de sa sœur pour la consoler, et l'exemptait de reparaître au bureau jusqu'à nouvel ordre. Par surcroît de précaution, il avait joint à cette lettre l'envoi de tous les livres, cahiers, notes, et autres petits objets que Charles avait laissés dans son pupitre.

Celui-ci, qui connaissait le faible du *maître*, comprit toute la portée de ce congé illimité. Il se tint pour dit qu'il devait demeurer *en quarantaine*, et se donner bien de garde de présenter aux yeux terrifiés de M. Dumont sa personne suspecte, avant d'avoir été admis par lui en *libre pratique*.

La prise de voile de Clorinde, à laquelle il avait assisté sans le savoir, avait créé chez lui des impressions bien diverses.

D'un côté, son amour-propre triomphait de plusieurs manières par ce dénouement. Il était évident que Mlle Wagnaër l'aimait d'un amour bien sincère ; elle n'avait été pour rien dans la honteuse mystification tramée par son père et par Henri Voisin. Ceux-ci se trouvaient punis et Charles était vengé jusqu'à un certain point. Si Clorinde ne pouvait lui appartenir, du moins elle n'appartenait pas à un autre.

En même temps la certitude d'avoir été aimé d'elle lui était une source d'amers regrets, que l'on comprendra sans peine. La confidente naturelle et pour bien dire inévitable de tous ses sentiments était la bonne Louise, qui depuis quelque temps avait bien ses raisons de s'intéresser à de semblables confidences.

Une fois en train de tout lui dire, il ne put s'empêcher de lui raconter l'histoire de son premier amour avec Marichette, qu'il avait jusqu'alors complètement supprimée.

Louise s'éprit d'une sympathie toute féminine pour cette pauvre enfant, qui avait dû tant souffrir. Elle se fit raconter jusqu'aux moindres détails cet épisode de la vie de son frère, et celui-ci, en la racontant, trouva plus de charme qu'il n'en soupçonnait au souvenir de la spirituelle et naïve jeune fille. Il ressentit toute la vérité des reproches que Louise lui adressa sur sa conduite, et en songeant qu'il avait été la cause du malheur de deux aimables personnes, il se trouvait en lui-même un *grand coupable*. Mais que ceux qui sont sans péché de ce côté lui jettent la première pierre !

Cependant le fléau avait cessé ses ravages ; et le brave M. Dumont riait plus que jamais des *folles terreurs* qui avaient tenu un si grand nombre de ses confrères éloignés du palais. Il allait et venait avec une gaieté exubérante, lançant aux *revenants*, comme il les appelait en se frottant les mains, ces deux vers inscrits un jour, après les vacances, sur la porte du Châtelet à Paris, par quelque espiègle enfant de la basoche :

Aujourd'hui le barreau reprend son exercice,
Et tout rentre au palais… excepté la justice.

Comme si sa conscience lui eût reproché tout bas d'avoir lui-même passablement négligé ses affaires, malgré sa présence assidue, il se jeta tête baissée dans les dossiers les plus embrouillés, et fit un affreux carnage d'exceptions *dilatoires, déclinatoires* et *péremptoires*. Il continua aussi, par goût et par habitude, les libations qu'il s'était permises par précaution ; seulement, au lieu de ce détestable *brandy épicé*, il buvait des meilleurs vins que contenait sa cave.

Malheureusement, M. Dumont était arrivé à cet âge fatal où l'on ne peut impunément changer ses habitudes. L'excitation continuelle dans laquelle le tenaient la peur d'abord, ensuite le vin et les affaires, rendirent ses nerfs singulièrement irritables et son sang on ne peut plus inflammable.

Or, il arriva qu'un jour un de ses confrères ayant allégué et entrepris de prouver que le défendeur poursuivi en dommages pour la non-exécution d'un contrat, n'avait pas rempli ses engagements à cause de l'épidémie récente, M. Dumont entra dans un terrible accès de colère. Il voulut soutenir juridiquement sa thèse favorite contre le choléra, et sa fureur s'accrut en raison directe de l'hilarité qu'elle produisit sur les juges, le barreau et l'auditoire. Il sortit de l'audience exaspéré.

Dans la nuit, il succomba à une attaque d'apoplexie. Une vieille femme de confiance, qui avait soin de son ménage, n'eut pas même le temps de courir au médecin. Comme M. Dumont n'avait point de parents en ville, toute la responsabilité des mesures à prendre tomba sur cette vieille et sur M. Germain, le premier clerc, qu'elle envoya chercher dès qu'il fut jour. M. Germain dénonça immédiatement le décès au coroner. Un jury fut convoqué et deux médecins appelés. Ceux-ci ne voulurent point déroger à la louable habitude de leur profession, en tombant d'accord sur un point quelconque. L'un soutint que le défunt était mort d'apoplexie, l'autre qui voyait le choléra partout même depuis sa disparition, déclara que c'était un cas de *choléra*, mais que les symptômes ordinaires faisaient défaut, parce que les prédispositions du défunt avaient causé une mort presque instantanée. Peu s'en fallut que M. Dumont ne fût classé officiellement parmi les victimes du fléau qu'il avait nié avec tant de persévérance.

M. Germain se rendit ensuite chez le notaire que M. Dumont avait coutume d'employer et lui demanda s'il y avait un testament. Le notaire déclara qu'il n'y en avait pas à sa connaissance, mais qu'il fallait visiter avec soin tous les papiers du défunt, et pour cela faire apposer les scellés, ce qui fut fait.

Après de longues et infructueuses recherches, auxquelles Charles Guérin et le plus jeune clerc de l'office furent aussi invités à prendre part, le notaire allait écrire à l'unique héritier du défunt, lorsque la vieille femme s'écria en se frappant le front : *Nous n'avons point visité la petite chambre noire* !

Il s'agissait d'un petit cabinet de quelques pieds carrés, situé derrière la chambre à coucher de M. Dumont. La vieille femme alluma une chandelle et ouvrit avec beaucoup de peine la porte de la petite chambre. Elle ne contenait qu'un tas de vieilles défroques suspendues à des clous tout autour. C'était toute la friperie du défunt. En écartant les vieux habits, on trouva une petite armoire pratiquée dans le mur, et dont il fallut enfoncer la porte, faute de pouvoir s'en procurer la clef. L'armoire contenait deux boîtes de fer-blanc, toutes deux fermées avec des cadenas. Il fallut encore briser ces deux boîtes en présence des officiers de justice. La plus grande renfermait une foule de titres, obligations, billets, reçus et autres papiers classés avec soin. On ne trouva dans la plus petite qu'un vieux livre de comptes. On allait cesser toutes perquisitions, lorsque M. Germain s'avisa de feuilleter le vieux livre. Il s'en détacha trois feuilles de papier d'une autre couleur et fraîchement écrites. Le notaire en fit la lecture et l'on écouta dans un religieux silence ce qui suit : –

Aujourd'hui, le seizième jour de juillet de l'année mil huit cent trente-deux, moi, François-Richard Dumont, avocat de profession, Canadien-Français de naissance, chrétien et catholique de religion, ayant entendu parler de plusieurs morts subites, qui auraient eu lieu dans cette ville, ai écrit de ma propre main mon présent testament et acte de dernières volontés.

1° Je désire être enterré avec les cérémonies de ma religion, que je regrette de n'avoir pas mieux pratiquée. J'affecte vingt-cinq livres courant à ma sépulture ; on ne devra dépasser cette somme sous aucun prétexte.

2° Je veux que mes dettes soient payées : mais je recommande à mon exécuteur testamentaire et à mes légataires universels d'examiner avec soin toute réclamation vieille de plus de trois mois et de la contester au besoin ; car je n'ai jamais laissé accumuler les comptes, particulièrement ceux des shérifs, greffiers, huissiers et autres officiers subordonnés de la justice, que je payais toujours comptant.

3° Je donne et lègue au curé de ma paroisse vingt-cinq livres courant pour ses pauvres. J'ai fait la charité autant que j'ai pu de mon vivant, et j'ai toujours vécu en honnête homme.

4° Je nomme pour mon exécuteur testamentaire Mtre Jean Duhamel, notaire, mon meilleur ami.

5° Je lègue audit Jean Duhamel vingt-cinq livres courant, comme souvenir et pour le trouble que je lui laisse.

6° Je donne et lègue à M. François Germain, mon premier clerc, pareille somme de vingt-cinq livres courant, en récompense de sa bonne conduite.

7° Je donne et lègue à M. Napoléon de Lamilletière, mon plus jeune clerc, mon Pothier, mon Domat et mon formulaire écrit de ma main. J'espère qu'il mettra ces livres à profit ; car les nobles ont rarement brillé dans la profession.

8° Je donne et lègue les livres suivants à la bibliothèque du barreau de Québec : Dumoulin, d'Argentré, Barthole, Vinnius, Cujas, Charondas et mes Pandectes, le seul exemplaire de l'édition florentine qu'il y ait en Amérique. Je conseille aux jeunes avocats de lire ces ouvrages de préférence aux nouveautés dont ils paraissent si engoués.

9° Je veux que mes légataires universels ci-après nommés paient, à proportion de leurs legs, à dame Perpétue Constantineau, ma ménagère, une rente et pension viagère de neuf livres courant, en trois paiements, au premier jour des mois de janvier, mai et septembre de chaque année.

10° J'institue ma légataire universelle, pour les deux tiers de mes biens meubles et immeubles, Marie Lebrun, fille de Jacques Lebrun et de feue Marie Dumont, ma sœur. J'espère que ma nièce continuera à se montrer sage et travaillante et cultivera l'instruction qu'elle a reçue. Je lui souhaite de trouver un bon mari.

11° J'institue mon légataire universel, pour l'autre tiers de mes biens, M. Charles Guérin, mon second clerc. J'ai de graves torts et négligences à réparer envers ce jeune homme, qui est le fils de mon meilleur ami. Je souhaite qu'il fasse un honnête homme comme son père. Je lui conseille d'abandonner les romans, la musique, la botanique, la politique et autres frivolités, pour l'étude de la jurisprudence et de la procédure.

Mes biens légués ci-dessus consistent :

1o En ma maison où je demeure, que j'évalue à	£600 0 0
2o Une petite maison au faubourg Saint-Louis	150 0 0
3o 400 arpents de terre dans les *Townships*	100 0 0
4o Diverses sommes déposées à la banque de Québec	350 0 0
5o Constituts dont on trouvera des copie dans ma boîte de fer-blanc	2 100 0 0
6o Obligations et billets promissoires qu'on y trouvera également	223 5 0
7o Autres dettes solvables, par mon livre de comptes tel qu'additionné ce jour	475 11 9
8o Mon ménage et mes défroques, que j'évalue à	150 0 0
9o Ma bibliothèque, qui vaut au moins	500 0 0
En total	£4 638 16 9

Je recommande à mon exécuteur testamentaire et à mes légataires universels d'être indulgents envers ceux de mes débiteurs qui, dans la liste que j'en ai faite, ont un astérisque au bout de leur nom : ce sont des gens pauvres et honnêtes. Ils doivent agir en toute rigueur contre ceux dont les noms sont marqués d'une croix rouge : ce sont des misérables et des usuriers.

Car telle est ma volonté.

"F.-R. DUMONT."

IX
Le neveu de mon oncle

Le jour même de l'enterrement de M. Dumont, Charles écrivit à sa colégataire la lettre suivante :

Mademoiselle,
Ce n'est qu'en tremblant que j'ose vous écrire. J'ai la conviction de mes torts envers vous. Je ne chercherai point à les pallier. Connaissant vos sentiments élevés, je sais trop bien que tout ce je pourrais dire aurait l'effet de me rendre plus odieux encore.

Il est bien probable que ma conduite m'a valu votre complète indifférence, et c'est avec cette idée que je me décide à vous écrire comme je le ferais à toute autre personne, pour une affaire qui l'exige impérieusement.

M. Duhamel, notaire, a déjà dû vous transmettre une copie authentique du testament olographe de feu votre oncle M. Dumont, lequel a été dûment prouvé par-devant les juges de la Cour du banc du Roi.

Vous n'avez pas été peu surprise, je suppose, de me voir associé pour un tiers au legs qui vous est fait. Vous avez pu être tentée de croire qu'une intrigue m'a valu cette part d'une fortune qui devait vous revenir toute entière, et je vous permettrais d'avoir une bien triste opinion de moi si, après ce qui s'est passé, je consentais à accepter un seul des deniers qui vous étaient destinés.

Vous trouverez sous ce pli une renonciation en bonne forme aux avantages que m'a faits M. Dumont. Pour mettre votre conscience en repos, je dois vous dire que les *graves torts et négligences* dont il parle n'ont jamais existé que dans son imagination.

"Je vous prie de me pardonner ma conduite à votre égard, dort je n'ai été que trop puni, et d'accepter les souhaits bien sincères que je fais pour votre bonheur."

Cette lettre fut écrite franchement et sans arrière-pensée, elle le fut aussi sans hésitation. Louise, Pierre, et l'ami Jean Guilbault, à qui Charles la montra, trouvèrent cette conduite si simple, si naturelle, qu'ils n'eurent pas même la pensée de le complimenter sur son désintéressement.

298

Pour toute réponse, Mlle Lebrun renvoya sous enveloppe et la lettre et la renonciation.

Ce fut pour Charles un véritable coup de foudre. Qu'y avait-il dans sa lettre qui pût lui attirer un acte de mépris aussi écrasant ? Comment la nièce de M. Dumont pourrait-elle s'offenser d'une conduite que l'honneur seul avait dictée ? Que faire pour la contraindre à garder un bien dont Charles rougissait de la priver ?

Les choses ne pouvaient certainement point rester ainsi. Le petit conseil de famille se tourmenta à chercher les motifs de cette conduite. Jean Guilbault crut les avoir trouvés en disant que probablement Marie était sur le point de se marier, et que *son épouseur ne voulait rien devoir à la libéralité d'un premier amoureux*. Jean Guilbault en eût fait autant.

Charles, suivant cette idée, prit ce qu'il considérait un parti extrême : il se décida à porter lui-même en cadeau de noces ce legs dont tant d'autres, dans sa position, se seraient fort bien accommodés. Après s'être muni de phrases et d'arguments pour se débarrasser de son héritage il partit, la tête haute et le cœur léger, comme un homme qui va faire une bonne action.

Tout le temps qu'avait duré avec quelque chance de succès son amour pour Clorinde, Charles était venu à bout de se persuader qu'il n'avait jamais aimé Marichette sérieusement. Ses conversations avec Louise avaient failli ressusciter ses premiers sentiments.

Mais, tout au contraire de l'effet qu'aurait produit sur tout autre l'héritage que venait de faire la jeune fille, dès qu'il eut pris connaissance du testament de M. Dumont, il ne regarda plus comme possible un mariage où l'amour n'aurait joué qu'un rôle secondaire et équivoque. Il se mit en route, se sentant supérieur à Marie de toute son infortune, et sans redouter le moins du monde des charmes qui lui semblèrent plus problématiques que jamais.

Il ne s'était pas écoulé deux ans depuis la première résidence que notre héros avait faite chez Jacques Lebrun. À mesure que cheminait, par une belle journée d'automne, la modeste *calèche de charretier* qu'il avait louée aux Trois-Rivières, bien que la saison donnât au paysage une apparence bien différente, il reconnaissait, non sans une certaine émotion, les rivières, les côtes, les ravines, les maisons, les sapins qu'il avait déjà vus. Son cœur se mit à battre fortement, lorsqu'il passa sur le petit pont au-dessus du précipice où Marichette et lui avaient été si près de tomber.

Un peu plus loin, il rencontra un vieillard qui s'avançait en fumant sa pipe avec un air de joyeuse indépendance. Il reconnut le père Morelle et lui tira son chapeau. Le père Morelle ôta poliment son bonnet rouge mais il était trop préoccupé de quelque bonne idée à lui pour *dévisager*, comme il aurait dit, l'étranger qui le saluait, comme font, au reste, dans notre pays tous les voyageurs qui savent leur monde.

Quelques instants après, un gros chien aboya à la voiture, puis se mit à la suivre en donnant des marques non équivoques de contentement.

Une vieille femme, qui filait sur le seuil de sa porte, leva vers la voiture son énorme nez chargé d'une énorme paire de lunettes, et s'écria enjoignant les mains : Jésus, Marie du bon Dieu !... Je l'avions toujours dit !

À la maison voisine, Charles ordonna à son cocher d'arrêter, et il entra chez Jacques Lebrun, précédé de *Castor* qui faisait mille gambades, et suivi de la mère Paquette accourue sur ses talons.

Une servante assez proprement habillée dit au *Monsieur* que *Mademoiselle Marie* était dans la *grande chambre* et le conduisit à cet appartement. La *grande chambre* était un joli salon avec une tapisserie tout autour, quelques gravures bien encadrées, un joli tapis sur le plancher, quelques meubles assez convenables, des pots de fleurs dans toutes les fenêtres, un *piano*, une petite bibliothèque et une table couverte de beaux livres.

Il n'y avait plus à se reconnaître chez Jacques Lebrun, tant on y avait pris *un air de ville*.

La dame de céans eut le bon esprit de ne pas s'évanouir, quelle que fût sa surprise. Elle se contenta d'une légère rougeur qui anima un peu sa physionomie empreinte de tristesse et de souffrance. La toilette de la jeune fille ne déparait point son joli salon. Elle était simple et élégante.

Charles, stupéfait, balbutia gauchement quelques cérémonieux bouts de phrases.

– Tout ce que vous voyez ici vous étonne, lui dit Mlle Lebrun, avec un fin sourire. Que voulez-vous ? Mon père n'a pas voulu me laisser mourir, et il m'a forcée d'accepter tout *ce luxe...*

– Qui sera loin d'être déplacé en regard des deux tiers de la fortune de feu votre oncle, et de l'autre tiers que je viens vous contraindre d'accepter.

– Me contraindre ? s'écria la jeune fille avec un accent légèrement moqueur. Vous n'aurez peut-être point affaire à moi seule.

– Je m'y attends bien et je désire que vous me fassiez connaître au plus vite l'autre partie intéressée. Il lui faudra beaucoup de fierté, et même de dureté, si je ne parviens pas à lui faire accepter ce cadeau de noces.

– Une autre partie intéressée ! Un cadeau de noces !... Je voulais parler de mon père. Vous avez donc cru que j'avais pu faire comme vous ?

Ces paroles furent dites d'une voix très émue. Marie était vraiment belle dans ce moment : toute sa personne était séduisante de grâce et de distinction naturelle. Charles ne douta point de deux choses, la première qu'il ne l'eût aimée constamment et plus que chose au monde, la seconde, qu'elle ne l'aimât à la folie, ce qui était évident.

Au théâtre, c'eût été le moment, pour notre héros, de se précipiter à genoux et de fondre en larmes.

Dans la vie réelle, entre gens un peu civilisés, on prend un fauteuil, on s'y installe pour continuer l'explication plus à son aise. C'est ce que fit Charles, sur un signe de Mlle Lebrun.

– Je n'ai pas pu comprendre autrement le renvoi dédaigneux de ma lettre et de l'acte de renonciation.

– Votre lettre, est-ce qu'elle valait la peine d'être conservée ? Que disait-elle donc de si touchant cette grande *lettre d'affaires* ? Pour ce qui est de l'acte... je n'aime pas les *renonciations*. Tenez, je conçois bien que vous ayez eu quelque délicatesse vis-à-vis d'une héritière comme moi ; mais, après tout, je ne pouvais point comprendre ce que vous ne disiez pas, et je ne pouvais point non plus vous écrire de venir. Nous avons fait l'un et l'autre ce que nous devions faire.

Évidemment Marie interprétait à sa manière la visite de Charles ; mais elle prenait la chose du *bon côté*, et celui-ci ne fut nullement blessé, quoiqu'un peu surpris. Chaque seconde qui s'écoulait donnait raison à la jeune fille.

Il y a dans la vie certains moments où toutes vos irrésolutions et vos doutes tombent comme par enchantement, où l'on voit clairement ce que l'on doit faire, où la volonté est aussi rapide que la pensée. Charles eut un de ces moments.

Il n'eut point de grands efforts à se faire pour qu'on lui pardonnât son inconstance. Marie savait, à peu de chose près, ce qui s'était passé ; son amie de la ville l'avait tenue au courant, elle avait eu le temps de faire ses réflexions. D'ailleurs, elle lui pardonna beaucoup parce qu'il avait beaucoup aimé, et qu'il semblait disposé à aimer encore davantage.

Les choses vont vite, lorsqu'elles se font avec un bon vouloir réciproque. Charles et Marie eurent bientôt convenu du temps où devait se faire un mariage qui réglerait toutes les difficultés du testament de M. Dumont, empêcherait ses biens de sortir de famille et rendrait plus *indivis* que jamais les *trois tiers* de sa succession.

Jacques Lebrun entra sur ces entrefaites. Il ne se remit pas au premier coup d'œil la figure de Charles ; cependant il n'avait pas oublié sa première visite et tout le chagrin qu'elle avait causé à sa fille bien-aimée, car il s'écria d'un air bourru :

– Quel est donc encore ce beau monsieur ?

– Souffrez, mon père, lui dit Marie, que je vous présente le neveu de mon défunt oncle.

Épilogue

La nouvelle paroisse

Charles épousa donc *Marichette* aussi promptement que son deuil le lui permit. Mais il ne se fit pas qu'un mariage ce jour-là.

Jean Guilbault eût fait preuve d'un bien mauvais goût, s'il eût pu voir tous les jours impunément l'aimable Louise. Son caractère franc et généreux convenait parfaitement à l'âme naïve et aimante de la jeune fille. Sans être sorcier, il s'était aperçu depuis longtemps de l'impression que faisaient sur Mlle Guérin ses visites fréquentes, et le jour même où il reçut ses diplômes, il déclara formellement ses intentions.

Pierre Guérin célébra la messe de mariage, et les deux nouveaux couples se rendirent immédiatement dans la paroisse de Jacques Lebrun, où le *docteur* devait exercer sa profession. Charles, dès ce jour-là, fit ses adieux définitifs à l'étude du droit, quoiqu'il n'eût plus que dix-huit mois à courir pour être revêtu de la toge. Il s'est proposé de se faire une science de l'agriculture et de cultiver d'après les meilleures méthodes les terres de son beau-père. Il a réussi à merveille dans ce projet.

Pendant tout ce temps, M. Wagnaër, que nous avons un peu perdu de vue, n'a fait que de bien mauvaises affaires. La bonne fortune l'a abandonné et, au rebours des années passées, moins il a mis d'honnêteté dans ses marchés, moins ils lui ont réussi. Le remords, le dépit, l'ennui l'ont remis sur la voie d'anciennes habitudes d'ivrognerie... Bref, il *s'en va aux chiens*, comme disent ses amis anglais.

Henri Voisin, désappointé dans sa spéculation matrimoniale, a braqué ses espérances sur plusieurs héritières, mais il les a abandonnées l'une après l'autre, ne les trouvant pas assez riches.

Il a continué la chasse aux clients avec un zèle et une persévérance dignes d'admiration. Il continue toujours à s'exagérer les avantages de la malhonnêteté et tient pour certain que, dans ce pays comme dans bien d'autres, ceux qui avec de petits génies et de petites connaissances, savent amasser beaucoup d'argent par toutes sortes de moyens, en se gardant toutefois de la prison et du pénitencier, sont les véritables puissances qu'il faut respecter. Il admet cependant que cela n'empêche pas les honnêtes gens et les hommes de talent de jouir d'une certaine considération, pourvu qu'ils ne soient pas trop pauvres.

Il attend avec une foi imperturbable la rencontre d'une femme quelconque, fille ou veuve, jeune ou vieille, belle ou laide, qui puisse disposer d'une fortune de vingt-cinq mille louis : c'est le chiffre qu'il a fixé, il n'épouse pas à moins.

Nous ne sommes point certain, malgré son habileté, qu'il fasse la conquête de cette dot, pour peu que l'occasion tarde à se présenter. Les années qui s'écoulent n'ajoutent point de charme à sa physionomie, qui de laide est devenue affreuse, ni à ses manières, qui de communes sont devenues détestables.

Charles Guérin, de son côté, est parfaitement heureux et, sans faire beaucoup de bruit, il est devenu du moins dans notre opinion, un véritable grand homme. Voici comment.

Quelques années après son mariage, plusieurs jeunes gens de sa paroisse étaient sur le point d'émigrer à l'étranger. Leurs pères, après avoir donné à l'aîné la moitié de la terre de l'aïeul, ne pouvaient point partager l'autre moitié en quatre ou cinq lambeaux ; ils n'avaient point non plus les moyens d'acheter de nouvelles terres : il fallait donc partir. Les uns voulaient s'en aller dans les *pays d'en haut*, ce qui veut dire la baie d'Hudson, la Rivière Rouge, voir même la Colombie et la Californie ; les autres dans *l'Amérique*, ce qui veut dire le Maine, le Vermont, le Michigan ou l'Illinois.

Charles rassembla à la porte de l'église tous les fugitifs et il leur fit un magnifique sermon en trois points sur la lâcheté qu'il y avait d'abandonner son pays, sur les dangers que l'on courait de perdre sa foi et ses mœurs à l'étranger, sur l'avantage et le patriotisme de fonder de nouveaux établissements sur les terres fertiles de notre propre pays.

Sa harangue fut écoutée froidement, sans marques bien évidentes d'approbation ni d'improbation, comme c'est le cas d'ordinaire chez nos flegmatiques *habitants*. Seulement, quand il eut fini, il entendit rire et murmurer dans les groupes :

– Veut-il donc qu'on meure de faim pour lui faire plaisir, ce beau monsieur ?

– On est *ben* partout ous'qu'on a de *quoé* manger.

– C'est ça ; on va chercher fortune ; quand on est *ben*, on y reste ; quand on n'est pas *ben*, on s'en revient.

– Ouvrir des terres dans les *trompeships !* je voudrais l'y voir avec ses belles mains blanches.

– Oui, et pas d'argent pour commencer !

– Il en ferait de belles !

– Qu'il nous en fasse donc avoir, lui, des terres ! La moitié du temps, ça n'a pas de *maître* ces terres-là ; il en *ressout* seulement quand on a fait *ben* de la dépense dessus !

– Avec ça, qu'il n'y a pas de chemins et qu'il faut porter ses provisions sur son dos.

– Quand on est rendu là, on est plus loin qu'au bout du monde.

305

– Oui, ajouta une vieille femme, y a ni prêtres, ni docteurs, on y meurt comme des chiens.

Charles comprit tout de suite que le meilleur sermon ne valait pas un bon exemple. Le soir même, il proposa à Jacques Lebrun de former une petite société pour l'établissement des terres incultes de la seigneurie et du township voisin, dans lequel se trouvaient situés les quatre cents arpents de M. Dumont.

– C'est cela, dit Jean Guilbault, voilà une fameuse idée, nous ferons une nouvelle paroisse et nous la modèlerons d'après nos goûts. Je ne puis rien faire de mieux, car je m'aperçois que je commence à me rouiller ici. Je dispute misérablement la pitance au vieux docteur, qui me fait déjà mauvaise mine et me calomnie affreusement auprès de tous ses patients, si ce qu'on me dit est vrai. Il me semble, de mon côté, que je commence à médire de mon confrère toutes les fois que l'occasion s'en présente, ce qui n'est pas beau. Là-bas, je serai seul de mon espèce, je ne porterai ombrage à personne. Et puis, je prendrai une terre, moi aussi. Comment donc ! mon père, Jean Guilbault, quatrième du nom, n'est-il pas le meilleur laboureur de toute la côte de Beaupré ? Il y aura bien du guignon si le fils n'en tient pas.

Jacques Lebrun ne fut pas aussi prompt à adopter les idées de son gendre. Il y pensa, puis il y *repensa*, et il souleva une foule d'objections que les deux jeunes gens combattirent de leur mieux. Les deux femmes, Louise et Marichette, se rangèrent de son côté, et on eut bien de la peine à leur faire entendre raison.

On parvint cependant, en leur promettant de ne les transporter au nouvel établissement que lorsqu'on pourrait les y installer aussi confortablement qu'elles pouvaient le désirer.

Charles eut beaucoup de peine d'abord à persuader ceux que cela intéressait davantage. Plusieurs renoncèrent après lui avoir donné leur parole, quelques-uns même de ceux qui allèrent explorer la *terre promise*, la décrièrent à leur retour et le contrecarrèrent de toutes leurs forces.

Il eut aussi beaucoup de difficultés avec le seigneur pour la portion de l'établissement qui se trouvait dans sa seigneurie, et il éprouva des lenteurs et des tracasseries sans fin, de la part du gouvernement, pour l'octroi des patentes.

Il avait réalisé tout ce qui était réalisable de la succession de M. Dumont ; et il se voyait en état pécuniairement de faire face aux difficultés les plus pressantes.

La première année fut employée à l'arpentage des terres et au tracé d'un chemin qu'il fit ouvrir par les associés eux-mêmes, par corvées, comme cela se pratiquait dans les premiers temps du pays, où les colons ne comptaient point sur le gouvernement pour toute espèce de choses.

La seconde année fut employée à des défrichements en proportions égales sur la terre de chacun. Il avait imposé, de son autorité privée, à chaque père de famille qui avait un fils d'engagé dans l'entreprise, une certaine somme pour les provisions dont il s'était fait le fournisseur, sans autre profit que d'en payer la moitié à lui tout seul. Il avait soin que ses gens fussent bien nourris, car le défricheur canadien est un peu comme le soldat anglais, il faut avoir soin de son physique, si l'on veut que son moral se soutienne.

Il conduisait et limitait lui-même les défrichements. Il avait le soin de conserver une *érablière* sur le haut de chaque terre, et il ne détruisait qu'à regret cet arbre prodigieux, qui abondait partout dans la petite colonie. Il prit aussi bien soin d'épargner quelques beaux groupes d'arbres dans les champs et le long des chemins, pour y voir plus tard les moissonneurs s'y reposer à l'ombre, et aussi les voyageurs et encore le pauvre bétail dans les ardeurs de l'été.

C'est ce qui manque dans beaucoup de vieilles paroisses, où l'on semble avoir eu horreur du plus utile et du plus bel ornement de la nature.

Dès qu'un certain nombre de colons se furent fixés à demeure sur leurs terres, ils demandèrent l'érection canonique et civile d'une nouvelle paroisse. Ce fut là le nœud gardien de toute l'affaire. Charles n'évita un procès qu'à force de diplomatie.

Il s'agissait d'enlever à la vieille paroisse toute la nouvelle concession de *la Grillade* et une partie du vieux rang appelé

Trompe-Souris. Le curé et les marguilliers faisaient bon marché du *township* ; mais ils réclamaient comme leur tout ce qui se trouvait dans la seigneurie. Les vieux établissements des *Belles-Amours*, du *Brûlé*, du *Coteau* et du *Bord-de-l'eau* se levèrent en masse contre le démembrement projeté.

L'évêque hésitait, craignant que, les frais du culte prélevés, il ne restât point à ces braves gens de quoi faire vivre un prêtre, lorsqu'un jeune vicaire à qui l'on destinait une des meilleures cures, vint se jeter à ses genoux et lui demanda comme une faveur d'être chargé de la petite colonie. C'était Pierre Guérin, qui voyait avec orgueil son frère accomplir ce qui avait été un des rêves de sa jeunesse. Il apportait à l'œuvre naissante le concours de son zèle, de son activité, de son intelligence décuplé par les forces imposantes de la religion.

Il se rendit immédiatement au milieu des colons et les encouragea de son exemple, de ses discours et de ses prières. Ceux-ci construisirent, sur le point le plus élevé et le plus pittoresque, une humble chapelle de bois, dont le nouveau curé se montra aussi fier que de la plus belle cathédrale de France ou d'Angleterre.

Pierre, à force de raison, de douceur et de persévérance, sut prévenir les discordes qui menaçaient sa jeune chrétienté, soit au sujet de l'église, soit à propos des chemins ou des écoles. Son grand secret consiste à ne jamais dicter d'autorité à ses paroissiens ce qu'il désire obtenir d'eux, mais à s'en rapporter entièrement à leur jugement, après leur avoir exposé modestement et habilement sa manière de voir. Il est rare que le *verdict* populaire ne soit pas en sa faveur.

Ses sermons sont fort goûtés de ses auditeurs. Il les fatigue rarement par de longues dissertations sur le dogme. Il ne s'enroue pas à prêcher à de pauvres gens qui arrachent leur subsistance à la sueur de leur front, le détachement des richesses, le renoncement au monde, et la mortification. Il ne leur fait pas un crime des fêtes et des divertissements innocents, qui leur aident à remplir gaîment leur carrière laborieuse.

Mais il tonne contre l'envie, la médisance, la calomnie, l'esprit de ruse et de querelle, l'indolence, la paresse, l'ivrognerie, qui sont la source de bien des maux. S'il leur parle souvent, pour ranimer leur courage, des petits oiseaux du ciel, que Dieu nourrit, sans inquiétude du lendemain, il leur rappelle plus souvent encore la parabole du père de famille et des talents confiés à ses serviteurs. Il leur dit que nous sommes tous les serviteurs de Dieu et que nous devons faire valoir les biens qu'il nous a donnés. Il enseigne que ce n'est pas se défier de la Providence que d'amasser une dot pour sa fille, d'établir honnêtement chacun de ses fils, et de leur léguer à tous un peu plus qu'on n'a reçu de ses ancêtres, pourvu que tout cela soit du bien *bien acquis*, et dont le pauvre ait toujours eu sa part. Il leur prêche surtout et par-dessus tout, la charité, qu'il leur recommande bien de ne pas confondre avec l'aumône, et il ajoute que, sans la *justice*, il n'y a pas de charité, et que celui qui donne aux pauvres ou à l'église d'un côté, tandis que de l'autre il triche ou maltraite son voisin, fait la part du diable bien large et insulte le bon Dieu.

Au reste, le zèle de ses paroissiens court au-devant de ses désirs. Déjà l'humble chapelle de bois a été remplacée par une belle église de pierre, dont le clocher brille au soleil aussi élancé, aussi fier que pas un clocher du pays. Le pauvre curé aura même bien de la peine à empêcher ses marguilliers de faire couvrir de dorures le chœur et les chapelles. Il préférerait commander deux beaux tableaux à quelqu'un de nos artistes ; mais on ne fait pas toujours ce que l'on veut.

De chaque côté de l'église s'élèvent deux jolies maisons d'égales dimensions, blanchies à la chaux avec des toits rouges, ce qui a été une concession au *goût* de la grande majorité des habitants.

L'un de ces édifices est le presbytère, l'autre est la maison d'école. L'instituteur est un compagnon de classe de Jean Guilbault et à peu près de sa trempe. Il a épousé la jeune fille la plus savante de l'endroit, et le *maître* et la *maîtresse* vivent dans la plus grande intimité du *docteur et de sa dame*, et du *bourgeois* et de la *bourgeoise*, comme on appelle Charles et Marichette à deux lieues à la ronde.

Outre cela, il y a encore un instituteur nomade qui, l'hiver, parcourt les endroits éloignés ; car, je vous le demande un peu, comment les gens de *la Miche*, ceux de *Monte-à-peine* et de *l'Hermitage*, qui demeurent à deux et trois lieues, pourraient-ils procurer de l'instruction à leurs enfants, s'il leur fallait pour cela les envoyer à la maison d'école ?

Le *fort*, comme on appelle par un reste de tradition militaire qui remonte aux premiers temps de la colonie, le groupe de maisons et d'édifices autour de l'église, se trouve tout près de la ligne géométrique qui sépare le *township* de la seigneurie.

C'est un endroit élevé, sur le bord d'une rivière qui forme une chute pittoresque presque en face de l'église, à quelques arpents seulement de la seigneurie, circonstance heureuse pour tout le monde, excepté pour le seigneur.

Charles y a construit un moulin à scie. Il a aussi une potasserie, à une petite distance. Ces deux établissements, naturellement alimentés par les progrès du défrichement, l'ont déjà récompensé de ses peines. Il n'est pas énormément riche, car il n'exploite pas les habitants à la façon de M. Wagnaër, mais il jouit d'une assez belle aisance.

Il habite un *cottage* qui n'est point sans prétentions. C'est une blanche maison suspendue à mi-côte dans une anse que forme la rivière : elle est entourée d'arbres et d'une luxuriante végétation qui contraste agréablement avec l'aspect sauvage de la chute.

De l'autre côté, on voit s'élever en amphithéâtre l'église et le groupe de maisons dont fait partie celle du *docteur*. Les terres que Charles et ce dernier avaient commencé à cultiver, sont maintenant confiées à des fermiers que surveillent Jacques Lebrun et l'oncle Charlot. Ce qui n'empêche pas Jean Guilbault, dans les loisirs que lui laisse sa profession, de travailler lui-même comme deux bons habitants. L'hiver, il se permet de fréquentes et lointaines excursions. Il chasse dans les bois, avec le premier venu, le lièvre, le castor, le caribou, le chevreuil ou l'orignal. C'est le seul chagrin qu'il cause à sa femme.

Une de ces parties de chasse a failli lui être fatale. C'était en 1837. Il avait annoncé une absence de trois semaines, qui lui permit de se rendre à Saint-Eustache. Il s'y battit comme un brave, ne manquant jamais un ennemi quand une fois il l'avait ajusté. Il fut assez heureux pour se tirer sans accident de cette bagarre. Il ne s'en est pas beaucoup vanté, et quoiqu'il ait depuis reconnu la folie de cette expédition, il n'a pas étourdi l'univers du bruit de son repentir. Il tient pour fait ce qu'il a fait, et ne conserve point de rancune aux chefs du mouvement, des risques qu'il a courus de son plein gré.

Louise a toujours ignoré cette circonstance. Elle et Marichette s'aiment tendrement et se voient souvent, grâce au pont que les habitants ont construit sur la rivière, sans attendre le bon plaisir du bureau des travaux publics.

Madame Guérin est encore l'élégante de l'endroit. Elle y a transporté l'ameublement de son petit salon, revu, corrigé et augmenté. Dans les longues soirées d'hiver, on cause chez elle, on y fait de la musique, on y lit en petit comité ce que l'on peut se procurer de plus nouveau.

On y chôme aussi avec une gaieté toute nationale les bonnes fêtes du pays, la Saint-Jean-Baptiste, la Sainte-Catherine, le *Mardi-Gras*, et surtout la *Mi-Carême*. Jusqu'à ces dernières années, la mère Paquette, qui elle aussi a *émigré*, renouvelé ce jour-là, au profit des enfants de Louise et de Marichette, la scène que vous savez. Nous disons jusqu'à ces dernières années, car la mère Paquette qui est un peu janséniste, soutient, malgré l'avis de son curé, que le carême mitigé que l'on observe maintenant, ne sert qu'à damner les gens un peu plus vite et ne vaut plus la peine qu'on en parle.

Tous les ans dans le mois de juin, Pierre Guérin célèbre à petit bruit dans son église une messe de *Requiem*, et les deux jeunes familles y assistent avec recueillement. On y prie pour une bonne mère dont l'absence est le seul obstacle que l'on connaisse à un bonheur parfait.

Il faut le dire cependant ; ce bonheur est depuis peu sérieusement menacé ; l'orage se forme souvent à l'horizon du ciel le plus pur.

Charles avait senti, dès le commencement, que le plus grand écueil de sa colonisation serait la jalousie que lui et ses proches pourraient inspirer. Il n'a jamais voulu, ni pour lui-même, ni pour son beau-frère, ni pour son beau-père, d'aucune des charges et des dignités locales. Il n'est ni officier de milice, ni juge de paix, ni marguillier, ni commissaire des petites causes, ni commissaire des écoles ; il a laissé nommer à toutes ces fonctions les habitants les plus respectables. Il y gagne qu'on ne fait jamais rien sans le consulter, et qu'on ne prend guère son avis sans le suivre.

Malheureusement, sa réputation d'homme de bon conseil s'est répandue au loin dans les autres paroisses, et l'on parle fortement de lui déférer la députation au prochain parlement...

Bons lecteurs, et vous aimables lectrices, si vous vous intéressez à lui et à sa jeune famille, priez le ciel qu'il leur épargne une si grande calamité !...

Notes de l'auteur

A

Il y a peu de peuples qui se soient accrus en nombre aussi rapidement que les Français du Canada.

Il est vrai que les statistiques de la population anglo-saxonne du Haut-Canada laissent bien loin derrière elles celles du Bas-Canada. La population européenne du Haut-Canada, lors de la conquête, ne s'élevait pas à plus de 7 à 8 000 âmes. Voici l'échelle étonnante qu'elle a gravie depuis :

    1814... 95 000
    1824... 151 097
    1829... 198 440
    1832... 261 060
    1834... 320 693
    1836... 372 502
    1842... 486 055
    1848... 723 292
    1852... 952 004

Ainsi de 1824 à 1834, dans une période de dix ans, elle avait doublé. De 1842 à 1852, dans une autre période de dix ans, elle a encore doublé !

Voici maintenant la marche qu'a suivie la population du Bas-Canada.

En 1755, la population réunie du Canada, du Cap-Breton et de la Louisiane s'élevait à peine à 80 000 âmes. C'est accorder beaucoup au Canada actuel que de fixer à 60 000 le chiffre qui pouvait se trouver dans ses limites. À partir du premier recensement régulier sous le gouvernement anglais, en 1825, on trouve :

    1825... 423 630
    1827... 471 876
    1831... 511 920
    1844... 690 782
    1852... 890 261

314

Si l'on considère que cet accroissement est presque entièrement dû à la multiplication par le seul effet des naissances des 60 000 Français, on le trouvera certainement bien remarquable. Quelques centaines de familles, presque toutes normandes ou bretonnes, ont originairement peuplé les vastes territoires qui composaient la Nouvelle-France. À la conquête, un grand nombre de ces familles se sont embarquées pour la France, et depuis ce temps il n'a pas été ajouté dix familles françaises à la colonie. Quelques individus isolés, aussitôt repartis qu'arrivés, ont pour bien dire à peine visité la Nouvelle-France passée sous la domination de l'Angleterre. Malgré le nombre considérable de Français et de Belges qui émigrent en Amérique, il n'y a actuellement en Canada que 1366 natifs de ces deux pays. Loin de gagner par l'immigration, la race française a au contraire constamment perdu par une émigration, qui s'est faite dès l'origine et n'a cessé de se faire, vers les États-Unis, les plaines de l'Ouest et jusqu'à la Louisiane et au Texas. " Il n'est peut-être pas un recoin si reculé de l'Amérique où l'on ne trouve des Canadiens, ou de leurs descendants." Bien plus, une émigration plus formidable s'est faite depuis quelques années. Des ouvriers par bandes, des familles de cultivateurs par essaims, ont quitté le Bas-Canada et se sont dirigés, les premiers vers les États manufacturiers de l'Union, les autres vers les fertiles contrées de l'Ouest. Un comité nommé par l'assemblée législative en 1849 estimait cette émigration à 20 000 pour les cinq années qui venaient de s'écouler, et exprimait la crainte que ce chiffre n'augmentât de moitié dans les cinq années qui devaient suivre, faisant 50 000 ou un seizième de la population dans dix ans. La supposition du comité est malheureusement en pleine voie de réalisation.

Malgré cela, malgré les guerres, les insurrections, les épidémies qui ont si fréquemment décimé notre population française, elle s'élevait en 1831 au chiffre de 450 000 âmes, en 1844 à 524 307, et cette année (1852) elle est de 695 945. On peut dire en toute sûreté 700 000.

La population de toute autre origine, dans le Bas-Canada, compte seulement 220 000 âmes. Cela s'explique par le fait que toute l'immigration britannique s'est établie dans le Haut-Canada, et l'Angleterre, en divisant les deux provinces, avait prévu et sanctionné cet arrangement. C'est dans l'année 1829 que cette immigration est devenue assez importante pour être régularisée et recensée. Depuis cette époque elle a jeté sur nos quais de Québec et de Montréal 735 305 individus, nombre qui surpasse celui de la population du Haut-Canada en 1848, et, comme on sait qu'en retour de la grande proportion de ces immigrés qui ne font que passer par le Canada pour se rendre aux États-Unis, il s'est fait aussi une immigration très considérable de la république voisine dans les établissements limitrophes du Bas-Canada et dans le Haut-Canada, on trouvera que l'accroissement naturel de la population d'origine britannique a été incomparablement moindre que celui des Canadiens d'origine française. Les flux et les reflux continuels d'émigration que nous venons de mentionner rendent à peu près impossible de constater la véritable multiplication des populations *non françaises* du Canada par le seul effet des naissances.

Mais pour ce qui est des Franco-Canadiens, ils offrent un fait rare dans l'étude de la statistique, celui d'un peuple qui, grâce à son isolement au sein d'un autre peuple, peut constater son accroissement naturel, n'ayant reçu aucune immigration de sa propre race, et ne s'étant mêlé que bien peu aux émigrés d'autre origine.

Cet accroissement a donc été, de 1759 à 1852, de 60 000 à 700 000. Dans une période de 90 ans, le chiffre premier a doublé trois fois et un peu moins d'une demi fois. À 20 000 âmes près, c'est avoir doublé tous les 26 ans.

Le Dr Franklin avait prétendu que dans certains États de l'Union américaine la population doublait tous les vingt ans. Malthus allait jusqu'à dire que la population pouvait dans de certaines conditions doubler tous les quinze ans, et il en tirait des conclusions cruelles que plusieurs savants économistes et statisticiens ont réfutées avec succès. Parmi eux se trouvent M. Saddler, membre du parlement anglais, et M. Allison, le célèbre auteur de l'histoire de l'Europe. Tous deux ont prouvé, par des tables aussi ingénieusement que clairement calculées, que l'accroissement naturel de la population affirmé par Malthus est simplement impossible, et que la période de vingt-cinq ans assignée par cet auteur comme étant celle de la progression la plus lente, est au contraire précisément celle de l'accroissement le plus rapide qu'on puisse supposer *mathématiquement*. M. Allison dit que l'accroissement de 52 pour cent dans trente ans, qui a été constaté pour la Grande-Bretagne, est l'accroissement le plus rapide qui ait été jamais constaté d'une manière authentique. Il prouve que l'accroissement prodigieux des États-Unis, en déduisant l'immigration européenne et l'importation des esclaves noirs, ne s'élève réellement pas beaucoup au-delà.

Notre accroissement bien constaté de 200 pour cent par 26 ans, à peu de chose près, peut donc à bon droit être qualifié de prodigieux.

Mais examinons la progression suivie par les descendants des 80 000 Français. La Louisiane contient actuellement une population de 324 000, sur lesquels il y a la moitié environ de Français, presque tous descendants des anciens Canadiens. La vallée du Mississippi et les plaines de l'Ouest contiennent des groupes nombreux et importants d'anciens colons français ou d'émigrés canadiens. L'État d'Illinois en possède des établissements considérables, tels que Aurora et Bourbonnais. Le Minnesota a été originairement peuplé par des Canadiens et une très forte proportion de sa population est encore canadienne. Plus loin dans l'Ouest et sur le territoire britannique, les missions du diocèse de Saint-Boniface de la Rivière-Rouge comptent une population moitié canadienne, moitié sauvage (bois-brûlés) qui ne parle que le français. L'État de New York, le Maine, le Vermont, le Massachusetts contiennent dans les manufactures et dans les villes des populations canadiennes qui, sur plusieurs points, commencent à se rallier et qui, à New York, à Albany, à Troy et dans plusieurs petites villes, ont formé des sociétés Saint-Jean-Baptiste et chôment la fête patronale. Ce n'est pas exagérer que d'estimer à 100 000 âmes les populations franco-canadiennes répandues

317

aux États-Unis. L'abbé Chiniquy, qui connaît parfaitement ces populations, les estimait au-delà de ce chiffre en 1849 et elles n'ont pu qu'augmenter considérablement depuis. Le territoire du Nord-Ouest et le reste du continent américain à l'ouest contiennent au moins 10 000 descendants des Canadiens. D'un autre côté, le Nouveau-Brunswick, le Cap-Breton l'île du Prince-Édouard et la Nouvelle-Écosse ont encore les restes des Acadiens et aussi des émigrés canadiens que l'on trouve partout. M. Howe nous disait dernièrement qu'il estimait à douze ou quinze mille âmes la population acadienne de la Nouvelle-Écosse. Il y a trois Acadiens dans leur parlement, M. Bourneuf, M. Comeau, et M. Marcel, et l'un d'eux comprend à peine l'anglais. D'après des renseignements que nous nous sommes procurés, les populations acadienne et canadienne de toutes les provinces inférieures s'élèvent à environ 40 000 âmes.

De tout cela on peut conclure en toute sûreté que les descendants des 80 000 Français forment actuellement un million d'hommes, et il n'y a pas un siècle qu'ils ont été séparés de la France. Ils ont doublé trois fois et quatre cinquièmes de fois de 1759 à 1852, c'est-à-dire un peu moins que tous les 24 ans.

Ce million lui-même, disséminé comme il l'est parmi les 24 millions de la république américaine, et les deux millions et demi de l'Amérique anglaise, peut paraître insignifiant aux yeux de l'économiste et du diplomate. Il ne l'est certainement pas aux yeux de l'historien, du philosophe, du poète et du moraliste.

La France avait jeté les germes de trois nationalités françaises distinctes sur le sol de l'Amérique : si elle ne les eût pas abandonnées, trois filles, belles et fières comme elle, les nations canadienne, acadienne et louisianaise, lui auraient bientôt tendu la main par-delà les mers.

L'acadienne, comme ces vierges de l'antiquité que le ravisseur allait enlever jusqu'au pied des autels, a été arrachée à ses temples et à ses foyers et emmenée captive dans une terre lointaine. Des deux autres, l'une a été traitée longtemps en esclave dans son propre pays, et l'autre, affranchie trop jeune, s'est prostituée aux caresses de l'étranger : elle est la seule qui ait renié un jour sa mère et le doux langage appris à son berceau.

Aux deux extrémités de l'Amérique du Nord deux masses très importantes, deux nationalités distinctes tranchent encore sur l'immense mosaïque des populations de toute langue, de toute origine et de toutes croyances qui viennent s'absorber dans une masse, dans une même existence sociale, dans une même nationalité anglo-américaine.

À la Louisiane, par cela même qu'elle n'a pas été persécutée, il manque à la nationalité française, un élément indispensable à toutes les nationalités comme à toutes les religions, il lui manque la foi. Les Louisianais ont dans le principe fait bon marché de leur langue et n'ont pas insisté à ce qu'elle fût reconnue officiellement dans leurs rapports avec le gouvernement fédéral : ils l'ont même laissé proscrire du sein de leur législature.

À la Louisiane, la race anglo-saxonne ne s'est point présentée à la race française en ennemie et en conquérante : celle-ci gardait rancune à la France de l'avoir abandonnée une première fois à l'Espagne, vendue une seconde fois aux États-Unis. La lutte nationale a été plutôt sociale que politique : les deux races cependant ne se sont pas mêlées. Québec et Montréal sont des villes mixtes, moitié françaises, moitié anglaises ; mais c'est pour bien dire une moitié *indivise*. À la Nouvelle-Orléans, il y a deux villes, la ville française et la ville anglaise.

Là-bas on paraît ne croire qu'à demi à la nationalité ; ici on y croit plus que jamais.

Les Canadiens-Français se sont attachés à leur religion, à leur langue, à leurs institutions, à proportion des efforts que l'on a faits pour leur arracher toutes ces choses qui beaucoup plus que le *sol* forment *la patrie*.

Doivent-ils les conserver toujours ou du moins longtemps encore ? Problème difficile à résoudre et que les voyageurs et les hommes d'État ont envisagé sous des faces bien opposées !

Le fait de l'accroissement extraordinaire de notre population, les nombreuses réformes sociales qui se sont introduites depuis quelques années parmi nous, les développements que prend la colonisation des terres incultes par des hommes de notre race, nos progrès sûrs quoique lents dans le commerce, l'industrie et la littérature, la réaction nationale qui s'est faite depuis *l'union*, malgré *l'union* et plutôt à cause de *l'union*, l'admission successive d'un grand nombre de nos compatriotes dans les fonctions gouvernementales, devraient empêcher de désespérer aujourd'hui ceux qui n'ont pas désespéré aux plus mauvais jours de notre histoire.

Une sage modération dans la direction de l'esprit national, un respect pour les préjugés des autres, égal à celui que nous réclamons pour nos propres croyances, une application constante à faire tourner la rivalité des deux races qui habitent ce pays à leur avantage commun, en la transformant en une louable émulation dans la carrière des sciences, des arts et de l'industrie, parviendront peut-être à faire aimer aux autres nationalités la nôtre que l'histoire leur a déjà appris à respecter.

Individuellement nous n'avons rien à perdre, collectivement nous avons tout à gagner à conserver avec soin un drapeau, un signe de ralliement.

D'ailleurs, la Providence ne fait jamais rien en vain. Ce n'est pas en vain que nos pères, soldats et martyrs, ont arrosé cette terre de leur sang ; ce n'est pas en vain qu'une poignée d'hommes, luttant contre tous les désavantages possibles, s'est accrue si rapidement ; ce n'est pas en vain qu'ils ont combattu si longtemps, si courageusement et sous tant de formes ; ce n'est pas en vain que nos compatriotes, pionniers de la civilisation, ont parcouru le désert, que nos missionnaires à l'heure présente évangélisent les nations de l'Occident et peuvent se dire, comme au temps des Brébœuf et des Lalemant, avec un saint et noble orgueil : *Gesta Dei per Francos* !

B

Les chants nationaux d'un peuple jouent un grand rôle dans son existence. Il est rare qu'ils ne s'harmonisent pas entièrement avec son caractère. Cependant l'adoption d'un chant national comme le *chant officiel* d'une nation tient quelquefois à de bien petites circonstances. Il s'en est fallu de bien peu qu'une chanson et un air composés pour se moquer d'eux, *Yankee doodle*, ne soient devenus l'hymne *officiel* des Anglo-Américains. Heureusement qu'ils y ont substitué *Hail Columbia* !

À la claire fontaine, cette belle chanson de nos voyageurs que nous avons adoptée avec tant de bonheur pour notre chant national, est empreinte à la fois de gaieté et de mélancolie. Rien comme elle ne doit faire battre le cœur d'un Canadien à l'étranger, car elle touche les deux fibres les plus délicates de la nature humaine : elle rappelle dans ce qu'elle a de gai, les joies de la patrie absente, dans ce qu'elle a de triste, les douleurs de l'exil. Il semble, en l'entendant, sentir comme nos pères le canot glisser sous l'impulsion de l'aviron rapide sur notre large et paisible fleuve, voir fuir derrière soi la forêt d'érables et de sapins et poindre dans quelque anse lointaine un groupe de blanches maisons, et le clocher du village étinceler au soleil.

À la claire fontaine, que nous avons crue longtemps composée par quelque *voyageur* plus lettré et plus sentimental que ses camarades, dont l'air a même passé pour une mélodie sauvage, est une chanson de la vieille France, et nous l'avons retrouvée avec quelques légères variantes dans une nouvelle de M. Monstrelet.

M. Marmier, dans la préface de ses *Chants du Nord*, cite une chanson franc-comtoise, " Derrière chez mon père," qu'il a retrouvée avec étonnement au Canada, où elle passait aussi pour *indigène*.

Mais ce que beaucoup ignorent, c'est que nous avons double raison de réclamer le *God save the King*, ou au moins de lui faire honneur, et comme sujets anglais et comme descendants de Français.

Cet hymne religieux et monarchique avait été composé par Lully pour le célèbre pensionnat de Saint-Cyr et transporté ensuite en Angleterre. Rien qu'en entendant cette grave et imposante musique, on doit croire sans peine qu'elle était faite pour la cour du grand roi.

Le document suivant, que nous extrayons d'un ouvrage récemment publié en France, ne sera pas lu ici sans intérêt.

Déclaration de trois dames de Saint-Cyr relativement à l'origine de la musique et des paroles du GOD SAVE THE KING.

Nous soussignées, anciennes religieuses professes de la maison royale de Saint-Cyr, diocèse de Chartres, étant priées d'attester pour rendre hommage à la vérité et dans une intention qui n'a rien de profane ou frivole, ce que nous pouvons savoir touchant un ancien motet qui passe aujourd'hui pour un air anglais, et pensant que la charité ne saurait en être blessée, nous déclarons que cette musique est absolument la même que celle que nous avons entendue dans notre communauté, où elle s'était conservée de tradition, depuis le temps du roi Louis le Grand, notre auguste fondateur, et que la dite musique avait été composée, nous a-t-on dit dès notre jeunesse, par le fameux Baptiste Lully, qui avait fait encore plusieurs autres motets à l'usage de notre maison, et entre autres un *Ave maris stella* d'une si grande beauté que toutes les personnes qui l'entendaient chanter disaient qu'elles n'avaient rien ouï de comparable. Pour ce qui est du premier motet, nous avons entendu raconter à nos anciennes que toutes les demoiselles pensionnaires le chantaient en chœur et à l'unisson toutes les fois et au moment où le roi Louis le Grand entrait dans la chapelle de Saint-Cyr, et l'une de nous l'a encore entendu chanter à grand chœur, lorsque le roi Louis le Martyr, seizième du nom, vint visiter cette maison royale avec la reine son épouse, en l'année 1779 ; et ce fut sur l'avis de M. le président d'Ormesson, directeur du temporel de Saint-Cyr, qu'il avait été décidé que Sa Majesté serait saluée par cette invocation, suivant l'ancien usage, de sorte qu'il n'y a presque aucune de nous qui ne sache par cœur et ne connaisse l'air et les paroles de ce dit motet. Nous pouvons donc assurer que l'air est entièrement conforme à celui qu'on dit un air national d'Angleterre, et quant aux paroles que nous allons copier exactement, on nous a toujours dit qu'elles avaient été composées par madame de Brinon, ancienne supérieure de Saint-Cyr, et personne lettrée fort habile en poésie, comme il y paraît par d'autres cantiques à l'usage de sa communauté. Celui sur la communion y a été chanté jusqu'à la fin, et si l'autre n'était pas aussi connu que celui-ci, cela tenait sans doute à ce que le roi Louis le Bien-Aimé et le roi Louis le Martyr n'avaient pas l'habitude de visiter souvent notre maison comme le roi Louis le Grand, notre fondateur, avait coutume de le faire.

GRAND DIEU, SAUVEZ LE ROI !
GRAND DIEU, SAUVEZ LE ROI !
VENGEZ LE ROI !
QUE TOUJOURS GLORIEUX,
LOUIS VICTORIEUX,
VOIE SES ENNEMIS
TOUJOURS SOUMIS.
GRAND DIEU ! SAUVEZ LE ROI !
GRAND DIEU ! VENGEZ LE ROI !
VIVE LE ROI.

Nous attestons donc que ces dites paroles que nous avons en mémoire depuis si longues années ont toujours passé pour une œuvre de notre révérende mère supérieure, madame de Brinon, c'est-à-dire datent du temps du roi Louis XIV, décédé en 1715.

En foi de quoi, nous avons donné le présent attestât sous licence et permission de notre supérieur ecclésiastique, et nous y avons fait appliquer le cachet de nos armes à Versailles, ce 19 septembre 1819, et avons signé.

AMNE THIBAULT DE LA NORAYE,
P. DE MONSTIER,
JULIENNE DE PELAGREY.

Nous soussigné, maire de Versailles, certifions que les trois signatures ci-dessus sont celles de madame Thibault de la Noraye, de madame de Monstier ; et de madame de Pelagrey, anciennes religieuses et dignitaires du couvent royal de Saint-Cyr, et que foi doit y être ajoutée. Versailles, le 22 septembre 1819.

Le marquis de Lalonde (et scellé).

C

À cette époque, c'est-à-dire dans l'automne et l'hiver de 1832, l'opinion publique était très agitée par des discussions dans la presse et dans la législature sur la constitution du Conseil législatif.

Si les jeunes amis de Charles Guérin paraissent un peu *montés* contre ce respectable corps, ils ne font que refléter l'exaltation de la jeunesse canadienne d'alors. Le Conseil commit la faute énorme de faire emprisonner M. Tracey, gérant et rédacteur du *Vindicator*, et M. Duvernay, propriétaire de la *Minerve*. Des assemblées publiques furent immédiatement convoquées sur plusieurs points du pays, et principalement à Montréal et à Québec.

Dans cette dernière ville, on adopta des résolutions très énergiques et à la sortie de l'assemblée, des jeunes gens guidés par quelques citoyens anciens et influents, allèrent saluer à la prison les deux journalistes martyrs, parcoururent les rues le soir en chantant la *Parisienne* et la *Marseillaise*, et allèrent faire une espèce de charivari au juge en chef Sewell, orateur du Conseil législatif.

Ce fut là le commencement d'une agitation politique qui ne cessa pas jusqu'aux insurrections de 1837 et de 1838, qui en furent les dernières conséquences.

On fit aux deux journalistes, à leur sortie de prison, une ovation des plus populaires avec drapeaux, musique, procession et encore la *Parisienne* et la *Marseillaise*. On les escorta jusqu'à Saint-Augustin. À Montréal, ils furent reçus et conduits en procession à leurs demeures, malgré tout ce que les autorités avaient pu faire pour empêcher cette manifestation. On leur offrit un banquet civique et on leur présenta à chacun une médaille d'or commémorative de tous ces évènements.

Dans le printemps, M. Tracey fut invité à se porter candidat pour la cité de Montréal. L'oligarchie furieuse fit des efforts inouïs. L'élection dura du 26 avril au 22 mai, et ce jour-là, M. Tracey fut déclaré élu par une majorité de 4 voix seulement. Mais, la veille, les rues de Montréal avaient été ensanglantées. Les troupes avaient été appelées pour supprimer une émeute, elles avaient tiré, et cinq personnes, toutes appartenant au parti libéral, les nommés Languedoc, Billette, Chauvin, Cousineau et Creed, furent tuées. À dater de ce jour funeste, les animosités nationales et politiques allèrent toujours croissant jusqu'aux désastreuses catastrophes de 1837 et de 1838.

M. Tracey est mort jeune et n'a pas vu se développer les évènements qui étaient contenus en germe dans la lutte qu'il avait commencée contre le Conseil législatif. Il a laissé la réputation d'un grand talent et d'un beau caractère.

M. Duvernay est mort cette année (1852) et ses funérailles à Montréal ont été une des plus grandes solennités de ce genre qui aient eu lieu dans le pays. Tous les corps publics et toutes les sociétés nationales y ont assisté en grande pompe, pour rendre témoignage à la mémoire d'un homme courageux qui a été un des premiers pionniers du journalisme français en Canada, qui a souffert l'emprisonnement en 1832, l'exil en 1837 et en 1838, et qui par-dessus tout a créé la *Société Saint-Jean-Baptiste*.

Comme les articles incriminés de la *Minerve* et du *Vindicator*, en 1832, ont eu une très grande portée dans notre histoire, nous avons pensé qu'on les lirait avec intérêt.

(*De la Minerve du* 13 *janvier* 1832.)

Qu'avons-nous à craindre en demandant un conseil électif ? Ne serait-ce pas un moyen d'augmenter la force du peuple ; d'ouvrir la carrière parlementaire à une foule d'hommes de talents et pleins de patriotisme qui brigueront l'honneur d'être les organes de leurs concitoyens et auront le soin de se bien conduire, afin d'éviter la disgrâce de perdre leur titre d'*honorables* ? Je crois que la chambre doit saisir cette occasion de rendre nos institutions plus démocratiques, et nous acheminer par la voie de la sagesse et de la raison vers le but auquel tous les hommes

326

bien pensants doivent tendre, le pouvoir souverain du peuple ; nous l'atteindrons par ce moyen.

S'il me convenait de donner des avis, je dirais peut-être que les nominations de conseillers faites et annoncées sont, à peu d'exceptions près, si pitoyables et le pays a été si bien joué et trompé par toutes les belles promesses d'outre-mer, que la chambre devrait résoudre qu'elle est d'avis, et le pays la soutiendra, que si la mère patrie se refusait à accorder un conseil législatif électif, nous insistions et demandions avec fermeté l'abolition entière d'un corps aussi nuisible que l'a été, l'est et le sera le conseil législatif " nommé par la couronne."

"Le conseil législatif actuel étant peut-être la plus grande nuisance que nous ayons, nous devons prendre les moyens de nous en débarrasser et en demander l'abolition, de manière à l'obtenir."

PENSEZ-Y BIEN.

Montréal, 7 janvier 1832.

(Du Vindicator du 13 janvier 1832.)

La détermination que montre le Conseil législatif d'arrêter presque toutes les mesures de la branche populaire de la législature, ne ressort pas seulement par la perte des bills mentionnés plus haut, mais aussi par la perte de plusieurs autres mesures qui lui ont été envoyées de temps en temps et dont le pays pourrait espérer de retirer quelque avantage. C'est pourquoi nous sommes bien aise de voir que, sur une motion de M. Bourdages, il va se faire un appel nominal de la chambre et que la chambre a aussi résolu de prendre en considération, le même jour, la composition des conseils législatif et exécutif de la province, et s'il ne serait pas expédient de demander la réforme entière des dits conseils et quel serait le meilleur moyen d'effectuer cet objet.

On doit regarder cette question comme celle qui doit occuper plus spécialement l'attention de la chambre ; car nous ne pouvons voir pourquoi ce corps s'assemblerait et délibérerait, comme il le fait, pour voir ensuite toutes les lois qu'il propose rejetées sans cérémonie par le conseil. Lorsqu'on vient à réfléchir à l'usage du pouvoir que le conseil possède et qu'il n'est le plus souvent employé qu'à arrêter le bien public, on ne peut s'empêcher de croire que la province gagnerait beaucoup à son entier anéantissement. Nous espérons que la chambre fera preuve en cette occasion de son énergie accoutumée et qu'elle n'hésitera pas à prendre les mesures propres à repousser cet *incube* oppresseur. Le peuple en effet, pour être juste envers lui-même, devrait venir en avant avec des pétitions qui exprimeraient ses sentiments et son indignation et venir ainsi à l'appui de ses représentants.

"Il sera beau de voir à la fin des affaires de la session que tant de travail de la part des membres se trouvera plus qu'inutile et qu'au lieu d'une réforme salutaire et conséquente des abus et la passation de lois utiles, on ne verra rien, si ce n'est peut-être quelques parchemins qui autoriseront la construction d'un pont ou qui changeront la direction d'un chemin ou deux. C'est une plate absurdité que de croire que huit ou dix hommes doués à peine de talents ordinaires, et qui ne sont pas plus intéressés que les autres, puissent agir avec tout le caprice que montre ce corps."

D

C'est à dater des deux grands incendies de 1845 que Québec a pris un second essor.

Il est remarquable que les malheurs sans nombre qui ont affligé cette ville, une des plus anciennes et sans contredit la plus *historique* du continent américain, ont ajouté chaque fois à son importance et qu'elle a déjà su renaître plusieurs fois de ses cendres.

Elle a soutenu trois sièges avec bombardement, deux grandes famines, quatre grands incendies qui ont failli la détruire, des épidémies fréquentes, des accidents affreux comme l'éboulis d'une partie du cap aux Diamants en 1841, comme le feu du théâtre Saint-Louis en 1846, où plus de 40 personnes périssaient dans les flammes, et il ne lui manquera que de sauter l'un de ces jours par l'explosion de quelqu'une des poudrières qui se trouvent dans son enceinte, comme cela aurait fort bien pu arriver en 1845 !

En attendant, elle fait des progrès qui seraient remarqués partout ailleurs qu'en Amérique.

Depuis 1845, Québec s'est donné l'éclairage au gaz, un aqueduc dont la construction est complétée depuis quelques jours ; les principales rues des faubourgs ont été élargies ; ces faubourgs eux-mêmes ont été rebâtis en pierre et en brique ; un palais archiépiscopal et deux nouvelles églises paroissiales, celles de Saint-Jean et de Saint-Sauveur, plusieurs nouvelles chapelles protestantes dont quelques-unes sont d'un fort bon goût, le vaste couvent des Sœurs de la Charité, surmonté d'un dôme et d'une flèche qui se verront de loin, l'achèvement du palais législatif, qui donne à Québec au moins un édifice complet et régulier, quoiqu'il ne soit peut-être pas aussi beau qu'il devrait l'être ; enfin le nouveau théâtre de la rue Saint-Louis et un grand nombre de boutiques et de résidences particulières élégantes, dans l'intérieur de la ville, ont déjà bien changé la ville que nous avons décrite il y a sept ans environ.

Cela n'empêche pas que les *Montréalistes* ne considèrent toujours les *Québecquois* avec un certain air de protection narquoise et ne lèvent les épaules de pitié devant les progrès à pas de tortue, disent-ils, de l'ancienne capitale, et cela, quelquefois avec raison, mais souvent bien à tort.

C'est quelque chose de très singulier à étudier que la rivalité qui existe entre ces deux villes et les contrastes qu'offrent le caractère, les mœurs et les manières de leurs habitants. Il y a là une antipathie vieille et incurable comme celle de Rome et de Carthage, quoique pas aussi épique.

Disons tout de suite que cette antipathie n'a pas empêché les Montréalistes de venir noblement et généreusement au secours des Québecquois lors des désastreux incendies de 1845 et que ces derniers en ont fait autant à l'occasion du malheur également terrible qui a dernièrement affligé Montréal. Mais il y aura toujours affection de supériorité d'une part, et jalousie de l'autre.

Montréal tranche tout à fait de la grande ville, de l'*Empire-city*, comme on dit aux États-Unis, et s'enorgueillit avec raison de ses immenses progrès matériels. Sa population est d'une quinzaine de mille âmes plus considérable que celle de sa rivale ; mais si les *Foulons* et Boisseauville étaient compris dans les limites officielles de Québec, comme ils devraient l'être, la différence se réduirait à peu de chose.

Les édifices publics ont été construits à Montréal avec beaucoup plus de goût et de magnificence qu'à Québec. Notre-Dame, vaste église dans le genre gothique-normand, les banques, les hôtelleries, la belle église de Saint-Patrice, le collège des Jésuites nouvellement érigé, l'immense marché Bonsecours, le nouveau palais de justice l'emportent de beaucoup sur les édifices correspondants à Québec. Quelques Montréalistes s'exagèrent parfois ces avantages, au point de représenter la capitale aux voyageurs, comme un endroit qui mérite à peine qu'on le visite. Lorsqu'il ne se laisse pas détourner par ces mauvais conseils, l'étranger, rendu à Québec, ne peut se lasser d'admirer l'aspect pittoresque de cette vieille ville française, les beautés du paysage qui l'environne de tous côtés, et surtout sa citadelle, unique sur ce continent. Il trouve aussi dans la cathédrale le plus bel intérieur d'église et dans toutes les chapelles catholiques et particulièrement dans celle du séminaire et dans la galerie de peinture de M. Légaré, les meilleurs tableaux qu'il y ait en Amérique.

Cette circonstance peut expliquer comment les trois premiers artistes qu'ait produits notre jeune pays se trouvent être Québecquois. M. Légaré, qui a un mérite reconnu comme paysagiste, s'est formé lui-même et sans maître : c'est un artiste indigène dans toute l'acception du mot. M. Plamondon, qui se distingue surtout dans les tableaux d'histoire, après avoir été élève de M. Légaré, s'est perfectionné à Paris, où il a étudié plusieurs années sous le célèbre Paulin Guérin ; enfin M. Hamel, excellent peintre de portraits, a été mûrir à Rome des études commencées ici sous M. Plamondon et tempérer, par les grâces du pinceau italien, la rigidité de l'école française de l'empire et de la restauration.

À venir jusqu'à ces dernières années, le goût des sciences, des arts et des lettres s'était plutôt manifesté à Québec qu'à Montréal ; mais de très grands efforts ont été faits depuis peu dans cette dernière ville, qui atteint, si elle ne surpasse pas maintenant, sous ce rapport, l'ancienne capitale. Montréal a sa Société d'histoire naturelle, une Société d'horticulture qui fait merveille, l'Institut canadien, l'Institut national, et plusieurs autres sociétés du même genre. Québec possède sa Société littéraire et historique connue à l'étranger par ses *transactions* et ses mémoires, l'Institut canadien, une Société d'horticulture, une Société philharmonique qui a fait d'assez brillants débuts, et plusieurs salles de lecture. La ville de Champlain est assez bien fournie de bibliothèques. Celle de l'assemblée législative compte actuellement environ 20 000 volumes, dont un grand nombre sont dus à la munificence du gouvernement français ; celle du Séminaire 13 000 : la bibliothèque dite de Québec, environ 6 à 7 000 ; celle de la Société littéraire et historique 3 000 dont quelques-uns très rares et précieux ; celle de l'Institut des Artisans, environ le même nombre, et celle de l'Institut canadien, de fondation toute récente, environ 2 000.

Les singuliers contrastes que présente Québec aux yeux du voyageur dans son ensemble et dans ses détails, ont été bien saisis par M. Marmier et personne ne contestera la vérité du passage suivant de ses *Lettres sur l'Amérique*.

« Peu de villes offrent à l'observateur autant de contrastes étranges que Québec, ville de guerre et de commerce perchée sur un roc comme un nid d'aigle, et sillonnant l'Océan avec ses navires : ville du continent américain, peuplée par une colonie française, régie par le gouvernement anglais, gardée par des régiments d'Écosse ; ville du Moyen Âge par quelques-unes de nos anciennes institutions, et soumise aux modernes combinaisons du système représentatif ; ville d'Europe par sa civilisation, ses habitudes de luxe et touchant aux derniers restes des populations *sauvages* et aux montagnes désertes ; ville située à peu près à la même latitude que Paris et réunissant le climat ardent des contrées méridionales aux rigueurs d'un hiver hyperboréen ; ville catholique et protestante, où l'œuvre de nos missions se perpétue à côté des fondations des sociétés bibliques, où les jésuites bannis de notre pays trouvent un refuge assuré sous l'égide du puritanisme britannique. »

E

Il y a peu de pays où les tombeaux et les cimetières soient plus négligés qu'ici. Dans beaucoup de paroisses, et particulièrement dans les villes, ce n'est même que pour quelques années que le cercueil prend possession des quelques pieds de terre que l'on croit avoir achetés pour toujours. Il arrive assez souvent que l'on transporte toute une couche de morts dans une fosse commune, pour faire place à une nouvelle *génération*, et cela sans aucune forme légale et tout à fait à l'insu des parents.

Le soin que les orientaux prennent des tombeaux est quelque chose de touchant ; les peuples sauvages eux-mêmes avaient la forêt sacrée, où reposaient les os des ancêtres. Dirai-je, disait un chef indien, dirai-je aux os de mes pères : levez-vous et suivez-moi dans une terre lointaine ? En Europe, dans les plus grandes villes, une tombe est quelque chose de sacrée ; une épouse, une mère, une sœur, cultivent des fleurs sur le tertre qui recouvre les restes d'un époux, d'une fille, d'une sœur. Ici l'on paraît un peu de l'opinion de Mirabeau, qui disait : " Si chaque homme avait eu un droit imprescriptible et éternel à un tombeau, il faudrait bientôt remuer les cendres des morts pour nourrir les vivants !"

M. Alphonse Karr, dans son *Voyage autour de mon jardin*, a écrit un passage touchant sur les fleurs des cimetières, et sur le culte des morts.

Nous voici arrivés, dit-il, à un groupe de vieux ormes enveloppés de lierre, qui se rejoignent par le haut en forme d'ogives et ne laissent pas pénétrer le soleil. Sous cette ombre épaisse fleurissent le syringa et le chèvrefeuille ; le syringa dont les fleurs blanches ont l'odeur de celles de l'oranger ; le chèvrefeuille qui s'est emparé de ceux des arbres qui ont été oubliés par le lierre et qui élève, en s'élançant autour d'eux, ses fleurs qui exhalent un parfum si doux. Le chèvrefeuille est une des plantes qui se plaisent sur les tombeaux ; c'est dans les cimetières que l'on rencontre les plus magnifiques. On sait l'effet que produit sur la pensée l'encens qu'on brûle dans les églises, pendant que l'orgue remplit la voûte du temple de ses voix puissantes.

Il est pourtant quelque chose de plus religieux, de plus puissant, de plus solennel que les voix harmonieuses de l'orgue : c'est le silence des tombeaux. Il est un parfum plus enivrant, plus religieux que celui de l'encens : c'est celui des chèvrefeuilles qui croissent sur les tombes sur lesquelles l'herbe a poussé épaisse et drue en même temps, et moins vite que l'oubli dans le cœur des vivants.

Quand le soir au coucher du soleil, seul dans un cimetière, on commence à frissonner au bruit de ses propres pas ; quand on respire cette odeur du chèvrefeuille, il semble que, tandis que le corps se transforme et devient les fleurs qui couvrent la tombe, la pervenche bleue, la violette des morts, et le chèvrefeuille, il semble que l'âme immortelle s'échappe, s'exhale en parfum céleste et remonte au-dessus des nuages.

Beaucoup de poètes ont parlé des vers qui dévorent les cadavres ; c'est une horrible image, horrible surtout pour ceux qui ont livré à la terre des personnes chéries ; ce ver des tombeaux a été inventé par les poètes et n'existe que dans leur imagination : les corps de ceux que nous avons aimés ne sont pas exposés à cette insulte et à cette profanation. Des savants, de vrais savants, vous diront qu'il n'est pas vrai que la corruption engendre des vers ; il faut que certaines mouches aient pondu les œufs d'où les vers doivent sortir, et ces mouches-là ne savent pas percer la terre au-delà d'une certaine profondeur.

La vie est bien changée du jour où l'on a déposé dans la terre le corps d'une personne aimée : que de choses vous inquiètent auxquelles vous n'aviez jamais songé ! C'est une image qui ne reste pas toujours à vos côtés, mais qui vous apparaît tout à coup au moment le plus inattendu, et qui vient vous glacer au milieu d'un plaisir ou d'une fête, qui arrête et tue un sourire qui allait fleurir sur les lèvres. Il ne faut, pour l'évoquer et la faire apparaître, qu'un mot qui était familier au mort, qu'un son, qu'une voix, qu'un air que l'on chante au loin et dont le vent vous apporte une bouffée ; il ne faut que l'aspect et l'odeur d'une fleur, pour qu'on revoie à l'instant cette triste et chère image, et qu'on ressente au cœur, comme une pointe aiguë, la douleur des adieux et de l'éternelle séparation.

De ce jour, on a une partie de soi-même dans la tombe ; de ce jour, on ne se livre plus au monde et à ses distractions qu'en s'échappant et au risque d'être à chaque instant ressaisi et ramené au cimetière.

En effet, on a enterré dans leur tombe tout ce qu'on aimait avec eux, et les fleurs cultivées ensemble et les chagrins subis ensemble, toutes choses qui nous rappellent les morts et nous parlent d'eux.

J'ai dans un coin solitaire du jardin trois jacinthes que mon père avait plantées et que la mort l'avait empêché de voir fleurir. Chaque année l'époque de leur floraison est pour moi une solennité, une fête funèbre et religieuse ; c'est un mélancolique souvenir qui renaît et fleurit tous les ans et exhale les mêmes pensées avec son parfum.

Mais quel triste privilège a donc l'homme entre tous les êtres créés, de pouvoir ainsi par le souvenir et par la pensée suivre ceux qu'il a aimés dans la tombe et s'y enfermer vivant avec les morts ?

"Quel triste privilège ! Et quel est celui de nous qui voudrait le perdre ? Quel est celui qui voudrait oublier tout à fait ?"

Ceux qui n'ont vu à Québec que les dernières invasions du choléra auront peut-être quelque peine à croire à la description que nous avons faite de ses ravages en 1832. Le tableau suivant montre qu'il a fait son apparition de plus en plus tardive, et a diminué chaque année d'intensité, dans des proportions tout à fait rassurantes.

1832, commencé le 9 juin,	total des décés, 3 300.
1834, commencé le 7 juillet,	total des décés, 2 500.

1849, commencé le 2 juillet,   total des décés, 1 180.

1851, commencé le 28 août,   total des décés, 280.

1852, commencé le 26 septembre.   total des décés, 145.

F

Beaucoup de nos lecteurs ont trouvé que nous avions exagéré les fautes de langage que commettent nos habitants. Nous ne sommes point fâché de cette exagération, en admettant qu'elle existe dans notre livre, car tel qu'il y est représenté, le langage des Canadiens les moins instruits serait encore du *français* et du *français* meilleur que celui que parlent les paysans des provinces de France où l'on parle *français*. On ne saurait trop admirer la sottise de quelques touristes anglais et américains qui ont écrit que les Canadiens parlaient *un patois*. Le fait est que, sauf quelques provincialismes, quelques expressions vieillies mais charmantes en elles-mêmes, le français des Canadiens ressemble plus au meilleur français de France que la langue de l'*Yankee* ressemble à celle de l'Anglais pur sang. Il est arrivé au Canada absolument la même chose qu'aux États-Unis ; les habitants des diverses provinces de la mère patrie ont fondu ensemble les particularités de langage et d'accent de leur pays et il en est résulté un moyen terme qui diffère un peu de tous ces accents divers, mais qui se rapproche plus qu'aucun d'eux de la prononciation admise pour correcte par les hommes instruits des grandes villes européennes. Telle est du moins l'opinion de plusieurs voyageurs français, parmi lesquels il se trouve au moins un académicien, le célèbre M. Ampère, qui doit certainement y entendre quelque chose, autant peut-être que messieurs les touristes anglais et américains.

Parmi les expressions pittoresques que madame Sand a mises dans la bouche des paysans du Berry dans ses délicieux romans *François le Champi* et la *Petite Fadette*, il s'en trouve beaucoup qui sont familières aux Canadiens.

La classe lettrée parmi nous a peut-être, proportion gardée, plus de blâme à recevoir sous le rapport du langage que les classes inférieures. Outre qu'elle ne soigne pas toujours autant la prononciation qu'elle devrait le faire, elle se rend aussi coupable de nombreux anglicismes. La classe ouvrière des

337

villes a adopté un bon nombre de termes anglais, dont elle paraît avoir oublié les équivalents français. Un vocabulaire de ces expressions serait une œuvre utile et vraiment *nationale*.

Dans les collèges, on ne soigne peut-être pas assez dans la pratique la prononciation des élèves. On y redoute tant l'affectation, que l'on tombe souvent dans l'excès contraire. Ce serait une réforme à ajouter à celles que l'on a adoptées depuis l'époque où l'abbé Holmes, que nous avons eu la douleur de perdre dernièrement, avait entreprise, la régénération de notre système d'éducation collégiale.

Au reste, l'instruction publique a pris depuis quelques années un développement incontestable. Nous avons même les rudiments d'une littérature, à laquelle on ne manquera pas de nier toute originalité et toute couleur locale, parce qu'elle sera tout bonnement française au lieu d'être iroquoise ; parce qu'elle s'avisera de parler d'autre chose que des sauvages ; parce que, enfin, elle ne sera pas un éternel *pastiche* comme ces fameuses traductions de poèmes qui n'ont jamais existé, et dont on a fait tant de bruit en Europe il y a quelques années.

M. Huston a recueilli, sous le titre de *Répertoire national*, des fragments épars dans les journaux et dont plusieurs, abstraction faite de leur mérite intrinsèque, sont d'assez curieux échantillons de ce qu'ont pu écrire des hommes qui se sont rendus remarquables sous d'autres rapports. Ce recueil forme quatre volumes fort intéressants.

Nous avons de M. Garneau une histoire du Canada en trois volumes qu'il a amenée dans sa deuxième édition jusqu'à l'union des deux provinces en 1840. Cet ouvrage, sous le rapport du style et de la portée des vues de l'écrivain, peut soutenir la comparaison avec les meilleurs livres transatlantiques.

Les Instituts canadiens de Québec et de Montréal ont donné au public, sous la forme de *Lectures*, une foule de dissertations intéressantes et utiles, et parmi ces œuvres que la presse périodique a enregistrées dans ses colonnes, on a remarqué les discours prononcés par M. Étienne Parent, lesquels réunis forment un volume rempli d'intérêt. Notre premier journaliste, l'homme qui, ressuscitant en 1831 le *Canadien* qu'avaient créé en 1809 un Bédar et un Taschereau, a adopté cette glorieuse devise : *Nos institutions, notre langue et nos lois*, a conservé dans ses *lectures* le vif sentiment national qu'il entretenait alors. Cette foi courageuse dans un avenir que tant de gens traitent de chimérique, rend surtout remarquables des écrits qui le sont déjà par la profondeur des vues et l'élégance du style.

M. Lenoir, qui a montré jusqu'à présent une véritable vocation poétique, annonce dans le moment même où nous écrivons, *les Voix occidentales*. Ce sera le premier volume de poésies sorti de la presse canadienne depuis les *Épîtres et satires* de M. Bibaud, lesquelles n'ont obtenu qu'un médiocre succès. M. Bibaud a été aussi éclipsé comme historien par M. Garneau, et l'on n'a pas même rendu justice aux labeurs qu'il a dû s'imposer, à une époque où il était si difficile de réunir les matériaux nécessaires et de mettre au jour une œuvre quelconque. Son fils, M. Maximilien Bibaud, a été plus heureux dans son histoire des chefs sauvages de l'Amérique, qu'il a intitulée *Biographie des Sagamos*, et dont il a fait un livre très intéressant.

Enfin, l'auteur des pages qu'on vient de lire a cru devoir contribuer pour sa part au mouvement littéraire, et il a essayé de peindre sur le tissu d'une simple histoire les mœurs de son pays. Il a aussi écrit son ouvrage avec la double préoccupation que doivent causer à tous ceux qui réfléchissent à l'avenir du pays, l'encombrement des carrières professionnelles où se jette notre jeunesse instruite, et le partage indéfini des terres dans les familles de nos cultivateurs. S'il peut contribuer à attirer l'attention de tous les véritables *patriotes* sur l'œuvre de la colonisation, il croira, sous une forme légère, avoir fait quelque chose de sérieux.

Heureusement, du reste, que cette œuvre n'est plus à l'état de *roman*, comme elle l'était lorsque nous concevions le plan de cet ouvrage. Plusieurs dignes missionnaires canadiens, parmi lesquels se sont distingués MM. Boucher, Hébert, Bédard et Mailloux, lui ont donné une impulsion pratique et réelle. Les townships de l'Est et la vallée du lac Saint Jean et du Saguenay se peuplent rapidement par nos compatriotes.

C'est par ce moyen et par le perfectionnement de notre agriculture que notre existence nationale sera bientôt mise à l'abri de tout danger.

Dans son excellent *Abrégé de géographie moderne*, M. Holmes, dont nous parlions un peu plus haut, a inséré le passage suivant, que nous reproduisons pour le plus grand bien des *Charles Guérin* et des *Jean Guilbault* à venir.

Agriculture : Cette grande et noble occupation, seule base de la prospérité des peuples, est suivie par la très grande majorité des habitants du Canada. Ils n'ont cessé d'y trouver, non seulement une subsistance, mais encore les moyens d'entretenir leurs importantes relations commerciales. La fertilité du sol et l'immense étendue de nos forêts promettent à la génération naissante le même bien-être matériel et moral, pourvu qu'en améliorant la culture des terres anciennes, elle se hâte de saisir et de faire valoir le riche héritage qui lui est légué par la Providence.

Nous ne pouvons nous défendre d'indiquer ici quelques-uns des principes que l'*habitant* devrait toujours avoir devant les yeux.

1° *Faire toutes choses à temps et calculer toujours le prix du temps* : ces deux points fidèlement observés doubleraient souvent nos richesses agricoles. Prévoir le moment de chaque semence et de chaque récolte et ne pas souffrir que rien alors détourne du travail nécessaire – couper de bonne heure le foin – le rassembler en *veillotes* à la fin du jour, le saler plutôt que de le laisser gâter par la pluie – mettre le grain en *quintaux*, etc.

2° *Rendre* à la terre autant qu'on lui *enlève. L'engrais* : c'est la condition essentielle. Se rappeler que non seulement tous les fumiers, mais encore toutes les substances végétales et animales, peuvent être mis à profit ; même que les diverses espèces de sols se fécondent mutuellement – tirer parti de la chaux, du plâtre, de la terre glaise pulvérisée au feu, de la boue des fossés, des débris de boucheries et des animaux morts, du varec, du caplan, etc. – Préparer les engrais et les répandre à propos : la plupart demandent à être légèrement fermentés.

3° Observer la *rotation des récoltes*. Prenons par exemple un champ en pacage. 1re année, labours (l'automne, à moins que ce ne soit un sol léger), récolte de grains ou de pois ; 2e année, labours et récoltes au *sillon* : patates, choux, carottes, navets, panais, betteraves ou blé d'Inde – déposer l'engrais dans les sillons et le recouvrir le même jour – c'est surtout durant cette seconde année qu'on fait la guerre aux mauvaises herbes ; 3e année, herser et labourer le printemps, *au travers* des sillons ; semer blé, orge, etc., et aussitôt après graines de foin (trèfle, mil, sainfoin, etc.), puis *brosser* avec la *herse d'épines* ; 4e année, on a une prairie qu'il faut entretenir, engraisser et relever en temps convenable.

4° Bien faire les labours – bien égoutter – bien distribuer les cours d'eau – semer force graines d'herbes fourragères – planter des arbres – conserver les terres en bois – ne pas brûler les *terres neuves* – surveiller les champs, etc.

5° Cultiver beaucoup plus en grand toutes sortes de légumes (la carotte entre autres, excellente nourriture pour les vaches laitières et les chevaux), le lin, le chanvre, le blé d'Inde : ce dernier aime un sol un peu sec, exposé au soleil – on le sème aussitôt après le blé, le recouvrant d'un pouce de terre végétale – de la cendre, du *compost* ou du plâtre lui conviennent pour engrais – on le rechausse deux ou trois fois.

6° Élever avec soin les races d'animaux les plus utiles, – les loger *sèchement, proprement*, assez *grandement* – nourrir abondamment l'agneau, la petite génisse et la vache laitière – les chevaux de travail et les porcs demandent plus de chaleur que les vaches laitières, et celles-ci plus que les moutons : avoir de ceux-ci un grand nombre – leur donner du sel ainsi qu'aux bêtes à cornes et aux chevaux.

7° Perfectionner ses instruments et ses bâtisses, les tenir en bon état, se procurer diverses inventions qui ménagent le temps, telles que les moulins à battre, à vanner, à hacher les légumes, etc. Multiplier tous les genres d'industrie domestique – suivre